Sortilèges
et
malédiction

Sortilèges
et
malédiction

Claudia Gray

Traduit de l'anglais par
Emilie Hendrick-Hallet (CPRL)

Copyright © 2013 Amy Vincent
Titre original anglais : Spellcaster
Copyright © 2015 Éditions AdA Inc. pour la traduction française
Cette publication est publiée en accord avec HarperTeen, une division de HarperCollins.

Éditeur : François Doucet
Traduction : Emilie Hendrick-Hallet (CPRL)
Révision linguistique : Féminin pluriel
Correction d'épreuves : Nancy Coulombe, Katherine Lacombe
Conception de la couverture : Aurora Parlagreco
Montage de la couverture : Mathieu C. Dandurand, Matthieu Fortin
Photo de la couverture : © 2013 Michael Frost
Mise en pages : Sébastien Michaud
ISBN papier 978-2-89752-903-1
ISBN PDF numérique 978-2-89752-904-8
ISBN ePub 978-2-89752-905-5
Première impression : 2015
Dépôt légal : 2015
Bibliothèque et Archives nationales du Québec
Bibliothèque Nationale du Canada

Éditions AdA Inc.
1385, boul. Lionel-Boulet
Varennes, Québec, Canada, J3X 1P7
Téléphone : 450-929-0296
Télécopieur : 450-929-0220
www.ada-inc.com
info@ada-inc.com

Diffusion
Canada :   Éditions AdA Inc.
France :   D.G. Diffusion
                        Z.I. des Bogues
                        31750 Escalquens — France
                        Téléphone : 05.61.00.09.99
Suisse :   Transat — 23.42.77.40
Belgique :   D.G. Diffusion — 05.61.00.09.99

Imprimé au Canada

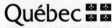

Participation de la SODEC.
Nous reconnaissons l'aide financière du gouvernement du Canada par l'entremise du Fonds du livre du Canada (FLC) pour nos activités d'édition.
Gouvernement du Québec — Programme de crédit d'impôt pour l'édition de livres — Gestion SODEC.

Catalogage avant publication de Bibliothèque et Archives nationales du Québec et Bibliothèque et Archives Canada

Gray, Claudia

[Spellcaster. Français]
Sortilèges et malédiction
(Série Sortilèges et malédiction ; 1)
Traduction de : Spellcaster.
Pour les jeunes de 13 ans et plus.
ISBN 978-2-89752-903-1
I. Beaume, Sophie, 1968-   . II. Titre. III. Titre : Spellcaster. Français.

PZ23.G722So 2015   j813'.6   C2015-941823-2

Chapitre 1

La première sensation que Nadia ressentît fut le froid.

Elle ne savait pas pourquoi. Son père avait déjà mis en marche le chauffage de la voiture à cause du temps exécrable. Cole, son petit frère, était trop absorbé par son jeu pour avoir ouvert une des fenêtres. Les seuls sons étaient le bruit des essuie-glaces, les pouces de Cole tapotant l'écran de la tablette, et la musique classique de son père — un concerto pour piano quelconque dont les notes dansaient autour d'eux, un peu comme la pluie battante à l'extérieur. C'était la même chose que toutes les autres heures interminables qu'ils avaient passées dans la voiture aujourd'hui.

Il n'y avait aucune explication à ce froid arctique transperçant la peau de Nadia. Aucune raison pour qu'elle se sente étourdie et que ses sens soient tous en éveil.

Du moins, aucune raison normale.

Nadia se redressa sur son siège — à l'arrière, à côté de son frère. Le siège du passager restait toujours vide, comme si sa mère risquait soudain de revenir à la halte routière suivante.

— Papa, où sommes-nous?

— Presque arrivés.

— C'est ce que tu as dit il y a trois États, déclara Cole sans lever les yeux de son jeu.

— Je suis sérieux, cette fois-ci, insista leur père. Nous devrions arriver en ville d'un moment à l'autre. Alors, tenez bon.

— C'est juste que... j'ai mal à la tête.

Il était impossible de dire honnêtement ce qui n'allait pas. Nadia savait déjà que les sensations étranges qui l'envahissaient n'étaient ni physiques ni émotionnelles.

Elles étaient des signes de magie.

Son père diminua le volume de la musique jusqu'à ce qu'elle ne soit qu'un doux bruit de fond.

— Ça va, chérie? Il y a des antalgiques dans la trousse de premiers soins. On peut se ranger.

— Je vais bien, affirma Nadia. Si nous sommes presque arrivés, il est inutile de s'arrêter maintenant.

Cependant, tout en parlant, elle eut l'impression d'avoir commis une erreur; peut-être aurait-elle dû dire : «Oui, rangeons-nous, sortons de cette voiture aussi rapidement que possible.»

Chaque fibre de son être semblait lui indiquer qu'ils s'approchaient inexorablement d'une source de magie à laquelle elle n'avait jamais eu affaire auparavant. Mais seul son instinct lui disait que cette source était... primitive. Puissante. Potentiellement accablante.

Elle jeta un coup d'œil au siège vide à côté de son père. Sa mère aurait su quoi faire...

«Eh bien, maman n'y est pas, se sermonna Nadia. Elle est encore à Chicago, probablement en train de boire des cocktails en compagnie d'un gars qu'elle vient de rencontrer. Je ne terminerai jamais ma formation. Je ne pourrai jamais utiliser la magie comme elle.

» Mais nous nous dirigeons vers un endroit dangereux. Je dois faire *quelque chose*. Mais quoi ? »

Nadia jeta un coup d'œil à Cole, toujours absorbé par son jeu. Tout comme son père, il n'était pas conscient des forces dont ils s'approchaient ; comme tous les hommes, ils étaient hermétiques à la magie. Nadia ferma rapidement les yeux et posa son poignet gauche dans sa main droite. Sur ce poignet, elle portait ce que son père appelait son bracelet à breloques — et au premier coup d'œil, c'est ce à quoi il ressemblait.

Même après le départ de sa mère, qui avait gâché leurs vies et les espoirs de Nadia, celle-ci avait continué de porter continuellement le bracelet. Il lui était trop difficile de s'en séparer.

Ses doigts trouvèrent le petit pendentif d'ivoire, la matière dont elle avait besoin pour équilibrer son sort.

Elle récita silencieusement le sort pour l'illumination d'une forme magique. Les ingrédients lui revinrent en mémoire plus rapidement que ce qu'elle aurait pensé.

Un lever de soleil hivernal.
La douleur de l'abandon.
La connaissance de l'amour.

Elle plongea en son for intérieur, se rappelant les ingrédients, les ressentant plus profondément qu'un véritable souvenir, comme si elle les vivait de nouveau…

Le soleil se levant lors d'un matin glacial — alors que la neige accumulée était assez haute pour s'y enfoncer jusqu'aux genoux —, colorant le ciel d'un rose pâle, pendant que Nadia frissonnait sur le balcon.

Nadia, debout dans l'embrasure de la porte s'ouvrant sur la chambre de ses parents, abasourdie, pendant que sa mère faisait sa valise avant de lui dire : «Ton père et moi pensons que nous devrions vivre séparément pendant un certain temps.»

Son réveil lors d'un orage violent, quand elle avait trouvé Cole recroquevillé à côté d'elle, vêtu de son pyjama à pieds, avec l'assurance tranquille que sa grande sœur pouvait le protéger.

Les émotions et les images la parcoururent, résonnant dans ses pouvoirs, rebondissant contre l'ivoire jusqu'à ce que Nadia puisse voir... une barrière. Ils se dirigeaient tout droit vers... Qu'est-ce que c'était? Était-ce censé bloquer toute sorte de magie, ou prévenir quelqu'un si la magie pénétrait dans cet espace?

Nadia écarquilla les yeux. Elle pourrait franchir la barrière — les limites sur la magie ne s'appliquaient pas aux utilisateurs de celle-ci —, mais ce n'était pas son plus grand problème.

«Oh non! La voiture.»

Dans le coffre, à l'intérieur de sa valise, emballé dans ses vêtements se trouvait son Livre des ombres.

— Papa?

Sa voix était étranglée, aiguë à cause de la peur qui la submergeait alors qu'ils s'approchaient de la barrière. Elle pouvait presque la sentir, comme de l'électricité statique sur sa peau.

— Papa, est-ce qu'on peut s'arrêter?

Il était trop perdu dans ses pensées pour l'entendre.

— Qu'as-tu dit, chérie?

Puis... le choc.

La route sembla bouger sous les roues de la voiture, comme si la terre avait disparu sous leurs pieds. Nadia se cogna contre la vitre pendant que son père tentait de reprendre la maîtrise de la voiture… en vain. Elle entendit le crissement des pneus et le hurlement de Cole quand le monde se retourna plusieurs fois, la projetant dans tous les sens en même temps. Quelque chose frappa sa tête et ensuite, elle ne vit et n'entendit plus très clairement. Mais Cole criait toujours — ou était-ce elle? Elle ne savait plus trop…

Ils s'immobilisèrent brutalement et le choc la projeta si violemment d'avant en arrière que sa ceinture de sécurité sembla devenir une masse s'enfonçant dans sa poitrine.

Elle revint subitement à la réalité et le regretta.

Nadia cria quand la fenêtre à côté d'elle — maintenant sous elle — vola en éclats et que de la boue et de l'eau commencèrent à entrer dans la voiture. Au-dessus d'elle, Cole pendait à moitié de son rehausseur en gémissant, paniqué. Elle tendit une main tremblante pour le toucher, le réconforter, s'assurer qu'il n'était pas blessé. Mais elle était encore étourdie.

«Le Livre des ombres… Il s'est heurté à la barrière et c'était comme… comme une explosion ou quelque chose du genre…»

— Cole! Nadia!

L'intérieur de la voiture était plongé dans une quasi-obscurité, maintenant que les phares étaient morts, tout comme le moteur, mais Nadia put discerner l'ombre de son père qui essayait de se hisser sur la banquette arrière pour les rejoindre.

— Est-ce que vous allez bien ?

— Nous allons bien, réussit à souffler Nadia.

— L'eau...

— Je la vois !

La boue s'élevait déjà — ou était-ce la voiture qui coulait ? Nadia ne pouvait en être sûre.

Son père arrêta ses efforts pour les rejoindre à l'arrière. Il réussit à ouvrir la portière avant du côté passager en la poussant et à se hisser hors de la voiture. Pendant un instant, Nadia sentit une terreur folle la transpercer.

« Il nous a quittés. Où est papa, où est papa ? »

Mais la portière de Cole s'ouvrit, et son père tendit le bras à l'intérieur pour libérer son petit frère.

— Papa ! hurla Cole en jetant ses bras autour du cou de leur père.

Les gouttes de pluie dures et cinglantes tombaient maintenant dans la voiture. Nadia réussit à détacher les courroies du siège d'enfant pour que leur père puisse prendre Cole.

— Ça va. Papa est là. Nadia, je vais sortir Cole de ce fossé, puis je reviendrai te chercher. J'arrive tout de suite ! Tiens bon !

Nadia opina trop rapidement et son cou, victime du coup du lapin, lui fit mal. Elle lutta avec sa ceinture de sécurité, réussissant à se libérer au moment où l'eau recouvrait l'une de ses jambes. La ceinture l'avait maintenue hors de la boue, mais elle y tomba. Elle était froide, si froide que la toucher engourdit complètement Nadia. Une longue égratignure sur son avant-bras brûlait, amenant des larmes dans ses yeux. Elle était maintenant maladroite et encore plus effrayée qu'avant, mais ce n'était pas important tant qu'elle réussissait à grimper hors de la voiture.

Nadia appuya ses pieds sur l'accoudoir et essaya de se lever. Elle était étourdie, mais elle pouvait le faire. Où était son père ? Allait-il bien ? Un éclair déchira le ciel. Dans l'explosion de lumière, Nadia aperçut quelqu'un au-dessus d'elle.

Il devait avoir environ son âge. Cheveux sombres, yeux sombres, même si elle ne pouvait rien voir d'autre en pleine nuit, sous la pluie. Mais dans cet éclair, elle remarqua qu'il était beau, à un point tel qu'elle se demanda si l'accident l'avait abasourdie au point de voir des fantômes, des hallucinations, des anges. Le tonnerre gronda.

— Prends ma main ! cria-t-il en tendant le bras dans la voiture.

Nadia saisit sa main. Il enroula ses doigts autour de son poignet et elle se dit qu'ils étaient la seule source de chaleur dans le monde. Elle le laissa la tirer vers le haut, l'aidant à grimper tant bien que mal. La pluie éclaboussa son visage et ses mains quand elle sortit des décombres, et son sauveteur passa un bras autour de sa taille pour l'éloigner de la voiture et l'amener sur le flanc du fossé dans lequel ils s'étaient écrasés. Quand ils se laissèrent tomber sur le sol boueux, un nouvel éclair tomba, illuminant d'un bleu étrange le visage du garçon. Il dut la voir aussi plus clairement parce qu'il murmura :

— Ah ! mon Dieu, c'est toi.

Nadia inspira subitement. Ce garçon la connaissait ? Comment était-ce possible alors qu'elle ne le connaissait pas ? Son père et Cole se trouvaient à côté d'eux.

— Merci, souffla son père, tenant un de ses côtés comme s'il avait mal.

Ce n'est qu'à ce moment que Nadia comprit qu'il était blessé.

— Papa! Est-ce que ça va?

— Je vais bien, affirma-t-il, même si tout son corps était crispé de douleur. J'ai pu appeler le 9-1-1 pendant que notre nouvel ami — quel est ton nom?

— Mateo.

Nadia se retourna vers lui, mais Mateo avait déjà détourné la tête, comme s'il ne voulait pas croiser son regard. Il était aussi essoufflé : le sauvetage n'avait pas dû être beaucoup moins effrayant pour lui que ne l'avait été l'accident pour elle.

Mais comment pouvait-il la connaître? La connaissait-il vraiment? Imaginait-elle des choses à cause de l'accident?

— Pendant que Mateo t'aidait. Nous... Tout va bien aller.

— Qu'est-ce qui est arrivé? demanda Cole en reniflant.

Il était accroché à son père comme s'il avait peur de retomber dans le fossé.

Nadia s'approcha d'eux pour prendre la main de son petit frère.

— Ça va, mon grand. Nous allons bien. Nous avons eu un accident, c'est tout.

— Les voitures font parfois de l'aquaplanage lors de tempêtes, expliqua leur père en respirant par le nez, une main toujours posée sur ses côtes. Ça veut dire que les pneus touchent à l'eau au lieu de toucher à la route. Ça peut être dangereux. Je croyais vraiment... Je pensais que nous roulions assez lentement pour éviter ça...

— Tu n'as rien fait de mal, assura Nadia.

Elle aurait aimé pouvoir dire à son père qu'il n'était pas responsable, mais il ne pourrait jamais comprendre ce qui venait de leur arriver, ni pourquoi.

Elle se retourna pour voir son mystérieux sauveteur, Mateo, mais il avait disparu. En regardant dans la pluie et l'obscurité, Nadia essaya de le repérer. Il ne pouvait être loin, mais elle ne réussit pas à le trouver. Il semblait s'être volatilisé.

Son père, distrait par la douleur et la peur de Cole, ne sembla pas s'apercevoir que Mateo était parti.

— Nous allons bien, répétait-il continuellement en berçant son petit frère. Nous allons tous bien, c'est la seule chose qui importe.

Des sirènes hurlaient au loin et Nadia put apercevoir le scintillement des gyrophares bleus et rouges d'une voiture de police ou d'une ambulance lointaine. Les secours étaient en route. Elle frissonnait toujours à cause du froid, de l'adrénaline et de sa peur refoulée.

Quand elle leva les yeux, Nadia vit qu'ils avaient endommagé une pancarte lors de l'accident. Penchée sur le côté, tanguant sous le vent de la tempête, la pancarte portait les mots : « BIENVENUE À CAPTIVE'S SOUND ».

« Elle est réelle. »

Mateo se trouvait dans la forêt, le dos appuyé contre un arbre, et il observait la police s'occuper de la famille qu'il venait d'aider. Une ambulance était arrivée pour le père, mais il ne semblait pas urgent de les transporter à l'hôpital. Personne n'était blessé trop grièvement. Tant mieux.

Malgré la pénombre, il pouvait voir la fille assise à l'arrière de la voiture de police, une mince couverture autour des épaules. Il fut soulagé de pouvoir l'imaginer au chaud et en sécurité.

Un éclair déchira de nouveau le ciel, et Mateo se rappela vaguement que se tenir à côté d'un gros arbre n'était probablement pas la meilleure idée en ce moment. Mais le choc l'avait tellement engourdi qu'il était incapable de bouger. Et il savait qu'il ne serait pas frappé par la foudre ce soir.

Il le *savait*.

Il avait passé la journée à essayer d'ignorer le rêve qu'il avait fait. Il s'était même dit que c'était un simple cauchemar : la vision de l'orage, l'accident, la jolie fille prisonnière de la voiture. Mais quand le soleil s'était couché et que la pluie avait commencé à tomber, Mateo n'avait plus été capable d'ignorer son rêve.

Il était venu ici en espérant se prouver que ce n'était pas vrai. Il était resté sous la pluie pendant des heures, à regarder et attendre, furieux contre lui-même d'avoir cru que c'était possible, mais quand même plein d'espoir au fur et à mesure que le temps passait sans qu'il arrive quoi que ce soit.

Puis, au moment où il avait commencé à croire que c'était vraiment un simple rêve, tout était arrivé comme il l'avait vu.

« Elle est réelle. Si l'accident s'est déroulé comme je l'ai rêvé, alors toutes mes autres visions vont se réaliser. »

Tremblant et empli d'effroi, Mateo ferma les yeux pour chasser sa prise de conscience du fait qu'il était condamné.

Et si la fille de ses rêves ne gardait pas ses distances, elle serait également condamnée.

Chapitre 2

Malgré le traumatisme cervical et les bandages recouvrant son bras endolori, Nadia se mit immédiatement au travail pour vider les boîtes. Son père ne pouvait pas faire grand-chose à cause de ses côtes fracturées, Cole était beaucoup trop jeune pour l'aider à faire autre chose que ranger ses jouets, et en plus, elle devait s'assurer qu'ils ne voient pas certains objets.

Comme son matériel de magie, par exemple.

«Je pourrais trouver une explication pour les pots en verre, dire que c'est pour mon maquillage ou quelque chose du genre», se dit Nadia tout en les retirant des journaux.

«Mais la poudre d'os? Impossible. Papa penserait sûrement que je me drogue.»

Tout garder semblait stupide. Sans sa mère, elle ne pourrait jamais continuer sa formation; la sorcellerie était un secret bien gardé, transmis entre les femmes des rares lignées possédant des pouvoirs. La mère de Nadia ne lui avait jamais révélé le nom des autres membres de son cercle. C'était simplement la façon dont les choses fonctionnaient. Nadia ne s'était pas attendue à connaître leurs noms avant de devenir elle-même une véritable sorcière et pouvoir se joindre à part entière au cercle.

Elle avait quand même cru qu'une des membres du cercle se dévoilerait après le divorce, qu'elle viendrait la voir pour lui offrir de reprendre sa formation, ou au moins pour lui donner quelques conseils...

Mais rien. Sa mère ne leur avait probablement même pas avoué qu'elle avait abandonné sa propre fille à moitié formée, alors qu'elle possédait juste assez de connaissances pour se sortir du pétrin, mais pas suffisamment pour régler ses problèmes.

Même si elle avait été une excellente élève, même si elle avait toujours travaillé dur, Nadia ne pourrait désormais jamais devenir une sorcière. Encore une chose que sa mère avait emportée.

Sa gorge se serrant à cause de larmes refoulées, Nadia tenta de se maîtriser.

«Tu possèdes assez de connaissances pour faire *certaines* choses. C'est quand même utile, non? Assez utile pour causer un accident de voiture. Si je m'étais rendue à l'évidence et que j'avais jeté mon Livre des ombres...»

Mais non. Elle ne pourrait jamais le faire. Un Livre des ombres — même un exemplaire aussi nouveau que le sien — était rempli de pouvoir. On ne pouvait pas le laisser traîner. Et elle n'avait pas le cœur de le détruire.

Malgré tout, Nadia ne pouvait pas abandonner l'Art pour le moment.

Alors qu'elle repensait à l'accident, les images de ce soir-là lui revinrent si parfaitement qu'elle eut l'impression d'être de retour dans ce fossé. La façon dont l'orage avait grondé dans le ciel. La terreur quand elle s'était sentie glisser dans la boue froide sans savoir si elle pouvait en réchapper.

Et le visage de Mateo, découpé par l'éclair quand il avait tendu la main pour la sauver...

Nadia cessa de respirer. Qui était-il? Et comment avait-il pu savoir qui elle était? Mais ce n'était pas le plus grand mystère de cette nuit. Qui avait érigé la barrière magique autour de Captive's Sound?

Et pourquoi?

— Fais-en une en forme de Mickey Mouse!

Nadia versa la pâte à crêpes en trois cercles, deux petits pour les oreilles et un grand pour le visage de Mickey.

— Pas de crème fouettée pour le sourire, aujourd'hui, mon grand, mais tu vas manger trop rapidement de toute façon, n'est-ce pas?

— C'est sûr.

Cole se dirigea vers la table de la cuisine en portant un verre de lait. Nadia vit qu'il était beaucoup trop rempli, mais son frère n'en renversa pas une goutte.

— Qu'est-ce qui se passe? demanda leur père en entrant dans la cuisine de leur nouvelle maison.

Il se déplaçait maintenant facilement, sans douleur, mais ses bandages blancs étaient encore visibles sous sa chemise.

— J'allais faire votre petit déjeuner. Pour célébrer le grand jour.

— Personne ne célèbre le premier jour d'école, déclara Cole en s'asseyant, ses petits pieds chaussés de baskets se balançant maintenant au-dessus du plancher en bois.

Il était d'excellente humeur — si confiant et décontracté —, et Nadia et son père se regardèrent. Cole allait enfin mieux. Le nouveau départ se passait peut-être exactement comme ils l'avaient espéré.

— Faire le petit déjeuner n'est pas un problème, affirma Nadia. En plus, je cuisine mieux que toi, et tu le sais.

Son père opina pour lui donner raison avant de s'asseoir.

— Mais de quelle autre manière puis-je apprendre ?

Cuisiner n'était pas une corvée pour Nadia ; c'était un passe-temps, voire une passion. Elle avait comblé certaines des heures qu'elle avait jadis consacrées à ses cours de magie en étudiant des livres de cuisine et en faisant des essais. Pourtant, peu importe ce qui arriverait, elle ne serait plus tout le temps à la maison après la remise des diplômes, alors elle devrait peut-être enseigner quelques choses à son père pour s'assurer qu'ils ne mourraient pas de faim.

— Je vais te donner des cours. Tu verras bien.

Bien que son père eût l'air de vouloir protester, il avait aussi remarqué le bacon déposé sur la table. Il fut distrait et la discussion prit fin.

La cuisine était l'une des seules choses que Nadia n'aimait pas dans leur nouvelle maison. Dans leur appartement de Chicago, ils avaient eu les meilleurs appareils électroménagers haut de gamme que son père avait pu payer grâce au salaire qu'il gagnait à son grand cabinet d'avocats, ainsi qu'un espace de comptoir sans fin. Ici, tout était ancien et un peu minable. Mais ce que Nadia n'aimait pas dans la cuisine était exactement ce qui rendait le reste de la maison extraordinaire. C'était une vieille maison victorienne de deux étages, sans compter le grand grenier qu'elle s'était approprié pour y aménager son espace personnel — la cachette idéale pour son Livre des ombres et son matériel de magie. Elle avait cru que Cole ferait une crise, mais il avait été si excité d'avoir un vrai jardin à lui qu'il semblait ne plus jamais vouloir rentrer de son plein gré. Les planchers en lattes de chêne craquaient de façon réconfortante et une fenêtre en vitrail laissait entrer une lumière cramoisie dans la cage d'escalier. Même si toute la maison était légèrement délabrée, elle était magnifique, et à l'opposé de leur appartement situé dans un gratte-ciel.

Nadia ne voulait aucun souvenir de leur vie passée. Elle voulait enfermer sa famille dans un endroit où rien ne pourrait lui faire mal : ni les souvenirs, ni sa mère, ni aucune parcelle de la magie étrange en action dans cette ville. La maison semblait lui offrir cette chance et ses connaissances de l'Art étaient suffisantes pour l'aider.

Elle avait donc murmuré les sorts et entouré la maison de la meilleure protection qu'elle connaissait. Elle était sortie en pleine nuit pour enterrer des pierres de lune à côté des marches de l'entrée et elle avait commencé à peindre le plafond du grenier en bleu. «Pour faire joli», avait-elle dit à son père. Le véritable pouvoir de cette couleur, l'importance pour une maison d'être protégée par le dessus, voilà le genre de choses qu'il ne devait jamais savoir.

«Super... vraiment super», soupira Nadia en regardant sa nouvelle école, le lycée Isaac P. Rodman.

Le simple fait que ce soit un lycée était déjà assez déprimant. En plus, elle allait intégrer une nouvelle école pour la terminale. Nadia avait bien compris qu'ils devaient déménager, mais cela ne voulait pas dire qu'elle était impatiente de s'adapter à des gens, des enseignants et des cliques entièrement nouveaux pendant neuf mois et demi avant d'obtenir son diplôme et d'être de nouveau libre. Sa nouvelle école était beaucoup plus petite que celle de Chicago, mais c'est ce qui la rendait plus intimidante. Ici, tous les élèves se connaissaient, probablement depuis l'enfance. Ce qui faisait d'elle l'intruse.

Mais il y avait autre chose. Quelque chose qui rampait sous la surface. Une fois de plus, quelque chose de magique, mais différent de tout ce qu'elle avait connu auparavant. Nadia ne pouvait dire ce qui était différent, mais l'énergie qu'elle sentait était à la fois familière et inconnue. Elle la sentait partout dans l'air, toujours la même impression d'électricité statique.

C'était... une complication.

« Que se passe-t-il ici ? Ce n'est pas comme si quelqu'un utilisait de la magie à proximité — même si je pouvais le sentir, je ne crois pas que ce serait le même genre de sensation. On dirait plutôt qu'une source d'énergie magique se trouve ici, mais qu'elle est protégée — enveloppée — d'une façon que je ne comprends pas. »

Nadia serra les bretelles de son sac à dos et se dépêcha d'entrer dans le bureau de la secrétaire.

« N'y pense pas pour le moment. Tu pourras tout découvrir plus tard. En plus, tu ne peux rien faire sans l'aide de maman. Pour le moment ? Tu dois seulement survivre à la journée. »

Même attendre son horaire de cours était presque trop dur à supporter.

— Alors, genre, Jinnie se tient là comme si de rien n'était, même si on sait toutes les deux ce qui se passe. Alors, je lui dis, genre : « Hé ! Jinnie », et elle dit, genre : « Hé ! Kendall », et je dis, genre : « Quoi de neuf ? », et elle répond, genre : « Rien ». Je te jure, elle est tellement faux-cul.

La fille devant Nadia réussissait à parler au téléphone sans s'arrêter, même si elle mâchait au moins un demi-paquet de gomme en même temps.

— Et elle dit, genre : «As-tu passé un bel été?», et j'ai juste répondu : «Ouais», parce que je ne veux vraiment pas me battre avec elle.

Nadia pria que la vieille secrétaire derrière le comptoir, vêtue d'un tailleur en polyester lilas, trouve ce que voulait cette fille pour qu'elle parte enfin. Ou se taise. L'un ou l'autre.

La porte s'ouvrit et se referma derrière elle, mais Nadia ne prit pas la peine de se retourner. La fille devant elle le fit, ses cheveux blond cendré tombant sur son épaule. Son visage agréable, parsemé de taches de rousseur, changea immédiatement, devenant mauvais, son expression passant de fade à cruelle.

— Quand on parle de salopes complètement faux-cul, dit-elle dans son téléphone en parlant beaucoup trop fort. Cette saleté de Verlaine vient d'entrer.

Nadia ne put s'empêcher de se retourner pour regarder.

Le premier mot qui lui vint à l'esprit quand elle aperçut Verlaine fut *gothique*, mais ce n'était pas juste. La robe noire qu'elle portait n'était pas en cuir ou en dentelle ; elle avait des manches bouffantes et une grosse ceinture à la taille, comme si elle sortait tout droit d'un film des années 1950, et ses chaussures étaient des Converse couleur émeraude. Le teint de Verlaine était si pâle que Nadia crut d'abord qu'elle portait le maquillage que les gothiques utilisaient pour ressembler à des poupées de porcelaine ou à des fantômes — mais toute la peau de Verlaine était aussi pâle. Et ses cheveux longs n'étaient pas une perruque élaborée et ils n'étaient pas teints, à moins qu'elle ait été assez minutieuse pour teindre ses sourcils. Non, ses cheveux étaient vraiment argentés, même si elle ne semblait pas plus vieille que Nadia.

Son trait le plus frappant était à quel point elle semblait… sans espoir. Comme si les gens la traitaient toujours cruellement et qu'elle n'espérait rien de différent. Sa seule réaction fut de lever les yeux au ciel et de répondre :

— Kendall, ça devient lourd.

— Je dois y aller. Si je ne sors pas bientôt d'ici, la surdose de saleté va me tuer, dit Kendall.

Elle rangea son téléphone en lançant un autre regard méprisant à Verlaine. La personnalité pétillante de Kendall semblait avoir changé en un clin d'œil.

— Normalement, avoir deux tapettes en guise de pères devrait vouloir dire qu'au moins une personne te dirait quoi porter.

Nadia ne put se retenir un moment de plus.

— Logiquement, quiconque porte ces chaussures saurait qu'il n'a de conseils vestimentaires à donner à personne.

Prise de court, Kendall baissa les yeux vers ses chaussures comme si elle essayait de trouver ce qui clochait. Elles étaient correctes, d'après ce que Nadia pouvait voir, mais quand il était question de mode, l'attitude était primordiale. Le visage de Verlaine s'illumina ; elle arborait maintenant un sourire incertain, comme si elle n'avait pas souvent l'occasion de le pratiquer.

— Voilà, Mademoiselle Bender.

La secrétaire sortit en traînant les pieds, tenant un dossier que Kendall lui arracha des mains avant de partir d'un pas lourd.

— Et vous êtes ?

— Nadia Caldani. Je suis nouvelle. Vous devriez avoir reçu mon dossier de Chicago.

— Ah ! oui. Nous avons votre emploi du temps… juste ici…

La secrétaire se dirigea vers la pièce arrière sans se dépêcher.

— Merci, murmura Verlaine. Kendall se comportait en vraie sorcière.

Nadia essaya d'ignorer son irritation passagère.

— Je préfère *garce*, en fait. La plupart des sorcières sont des personnes sympathiques. Désolée... Bête noire.

— Aucun souci. Il était temps que quelqu'un au caractère trempé arrive ici. Captive's Sound est une sorte de cimetière pour les vivants.

— Ouah! ça semble super.

— J'exagère. Les cimetières sont plus amusants.

Nadia sourit, mais parler à Verlaine semblait... étrange. Elle ne voulait pas se faire d'amis. Après la façon dont tout le monde avait commencé à l'éviter à Chicago — comme si sa malchance était contagieuse —, eh bien, «l'amitié» avait perdu son sens pour Nadia. Et il y avait quelque chose chez Verlaine... Quelque chose sur quoi elle n'arrivait pas à mettre le doigt...

Nadia n'eut pas le temps d'y réfléchir. Quand la secrétaire se dandina enfin en apportant son emploi du temps, elle était presque en retard pour son premier cours. Elle fit un signe de la main à Verlaine, qui ne réagit pas vraiment, se contentant d'opiner, puis elle se dirigea rapidement vers ce qui semblait être le bon bâtiment. Il fallait oublier le casier : elle pourrait le trouver plus tard, et de toute façon, elle n'avait pas encore ses livres.

— Le voilà, murmura une fille, excitée. Bon Dieu, il est devenu encore plus beau pendant l'été. Je croyais que c'était impossible.

— Il est agréable à regarder, murmura une autre, mais il n'apporte que des ennuis. Tu le sais.

— Ce sont juste des rumeurs lancées par des vieux. C'est tout.

— Ah oui ? Eh bien, pourquoi est-ce que tu ne lui parles jamais ?

— Ferme-la.

Nadia ne put s'empêcher de tourner la tête pour voir qui était le sujet des murmures — et elle écarquilla les yeux.

Mateo. Il était là, dans son école, une veste sportive sur les épaules, ses cheveux sombres brossés vers l'arrière, encore plus beau en plein jour que dans la pénombre. Durant l'accident, elle avait cru qu'il avait quelques années de plus qu'elle, mais il étudiait apparemment au lycée Rodman.

De son côté, quand leurs regards se croisèrent, il s'arrêta net. On aurait dit que le simple fait de la voir... l'effrayait.

Mais c'était impossible. Il l'avait sauvée de l'accident, ce qui représentait l'action la plus brave que Nadia ait vue de sa vie. Pourquoi aurait-il peur d'elle ?

— Bonjour, Mateo. Je ne savais pas que tu venais ici, dit-elle.

Était-ce stupide de dire cela ? Ce n'était pas comme s'ils s'étaient beaucoup parlé, d'école ou de quoi que ce soit d'autre.

— Ouais. Salut. Est-ce que ça va ? Ta famille et toi ? demanda simplement Mateo.

Les gens les regardaient sans se cacher : la nouvelle fille et Mateo, qui, pour une raison quelconque, « n'apportait que des ennuis ».

— Ils vont bien, dit rapidement Nadia. Papa s'est fracturé quelques côtes, mais rien de trop grave. Il se sent déjà mieux. Il commence à travailler aujourd'hui.

Comme s'il se préoccupait du métier de son père. Les mots semblaient sortir de sa bouche sans aucune raison.

— C'est bien.

Mateo passa une main dans ses cheveux sombres, comme s'il était gêné. Maintenant qu'elle les voyait en plein jour, Nadia s'aperçut qu'ils n'étaient pas noirs comme les siens, mais brun très foncé, tout comme ses yeux. Il était aussi bronzé qu'elle, peut-être même plus, et il n'était pas très grand, mais il mesurait quelques centimètres de plus qu'elle — ce qui, bien entendu, était parfait...

— Bon. D'accord. On se reverra.

Nadia commença à s'éloigner avant de se rendre compte qu'elle avait oublié quelque chose.

— Je m'appelle Nadia, au fait.

— Nadia, répéta-t-il doucement.

Quelque chose dans l'étincelle soudaine de ses yeux lui fit comprendre qu'il s'était longtemps demandé son prénom.

« Il me connaît, je n'ai rien imaginé... Mais comment est-ce possible ? »

Il se détourna quand même et se fraya un chemin dans le couloir bondé, au milieu des murmures qui étaient presque aussi forts que les portes des casiers que les élèves refermaient.

Nadia savait qu'elle devait se hâter dans l'autre direction, mais elle le regarda jusqu'à ce qu'il atteigne les grandes portes menant à l'extérieur, jusqu'à ce qu'il les pousse et disparaisse dans la lumière.

Mateo traversa le terrain de l'école, accélérant le pas avant de commencer à courir. Il devait s'éloigner d'elle, pour son bien à elle plus que pour le sien. Mais quelque chose dans son esprit répétait continuellement son nom. Nadia.

— Hé !

Il s'arrêta en dérapant juste avant de foncer dans Gage Calloway, qui le dépassait de 10 centimètres et de 10 kilos de muscles. Le choc aurait été brutal. Son cerveau avait visiblement cessé de fonctionner.

— Désolé.

— Est-ce qu'il y a une raison en particulier pour laquelle tu t'enfuis comme si tu avais le diable aux trousses? demanda Gage en souriant. Ce n'est pas que je ne veux pas m'enfuir aussi, mais je crois que nous devons avoir un diplôme pour que ça fonctionne à long terme.

Mateo soupira et passa une main dans ses cheveux.

— J'ai besoin d'un moment.

— D'accord. Je vais prendre un moment avec toi.

Cela convenait à Mateo. Ils n'étaient pas des amis proches — ils s'étaient seulement rencontrés quand Gage avait commencé à étudier à Rodman, l'année précédente —, mais Gage le traitait comme une personne normale. Il ne savait pas qu'il n'était pas censé le faire; du moins, pas encore.

Mateo vit qu'au lieu de profiter de l'été pour couper ses dreadlocks comme certains professeurs l'avaient suggéré, Gage les avait soigneusement attachés à la base de sa nuque, ce qui lui permettait de respecter le règlement de l'école. Même s'il était beau et athlétique — et prêt à être lui-même à Captive's Sound, ville obsédée par la conformité —, Gage n'était pas l'un des garçons les plus populaires de l'école. Il était probablement trop indépendant pour ça, et trop perspicace pour côtoyer des cons comme Jinnie et Jeremy. Au lieu de cela, il était heureux de rester en retrait pour faire ce qui lui plaisait. Mateo appréciait cela : seul quelqu'un qui ne suivait pas le troupeau acceptait de le fréquenter.

À ce moment, Gage écarquilla les yeux et son expression, généralement insouciante, se transforma en adoration totale et misérable.

— Ce qui veut dire que je vais peut-être parler à Elizabeth.

Mateo regarda vers l'extrémité du campus, où se trouvait Elizabeth. Ses longues boucles châtain volaient dans la brise, tout comme la simple robe blanche qu'elle portait. Elle était totalement différente des autres filles de l'école : elle ne portait pas de maquillage, et ses vêtements étaient loin d'être à la mode, mais il était impossible de nier sa beauté.

Elle était sa plus vieille amie. Sa meilleure amie. Il n'aurait pu parler de Nadia à personne d'autre... Et jusqu'à ce moment, il n'avait pas su à quel point il avait besoin de parler.

Elizabeth s'approcha de lui et, même si elle parlait doucement, il entendit chacun de ses mots.

— Mateo. Tu sembles troublé.

— Ce n'est pas mon meilleur jour, avoua-t-il.

Gage essaya de les interrompre.

— Depuis quand est-ce que le premier jour d'école est un bon jour ? Est-ce que j'ai raison ?

Il rit un peu trop fort avant de lancer un regard à Mateo qui voulait clairement dire : « Pourquoi est-ce que je parle comme un imbécile ? » Le pauvre aimait tellement Elizabeth que cela grillait ses circuits. Mateo pensait parfois que Gage pourrait avoir une chance auprès d'elle s'il essayait de se taire de temps en temps.

Mais en ce moment, Elizabeth ne semblait même pas s'apercevoir que Gage était là. Elle était concentrée sur Mateo.

— As-tu besoin de parler ?

— Un peu. Mais je ne veux pas que tu sois en retard à ton cours.

— Toi aussi, tu vas être en retard, indiqua Gage. Tu te rappelles ce que je t'ai dit au sujet de s'enfuir grâce à la remise des diplômes ?

— L'administration s'est arrangée pour que je passe la première heure en salle d'étude. Au cas où La Catrina ferme tard.

Mateo parlait à Elizabeth plus qu'à Gage.

— À moins que vous ayez aussi une heure d'étude...

— Je peux manquer mon cours, insista Elizabeth.

Sa voix douce pouvait parfois être ferme.

— C'est important, reprit-elle.

Gage cherchait visiblement une raison de rester aussi, mais il ne trouva rien.

— D'accord. Bon. On se voit plus tard ?

— Tu peux y compter.

Mateo regarda Gage traverser le terrain de l'école en faisant de grandes enjambées, heureux de connaître un garçon avec lequel il pouvait traîner. Mais il n'avait qu'une seule véritable amie : Elizabeth. Elle était la seule à le comprendre. Elle connaissait son âme.

Pendant qu'ils se dirigeaient vers le grand orme à l'extrémité du terrain de l'école, Mateo se demanda une fois de plus pourquoi il n'était pas amoureux d'Elizabeth. Il aurait dû l'être. Au lieu de cela, elle était comme la sœur qu'il n'avait jamais eue. Au cours de leur enfance, quand les autres enfants l'évitaient parce qu'il était le fils de Lauren Cabot, Elizabeth avait joué avec lui. Ensemble, ils avaient grimpé aux arbres, fait des biscuits, regardé la télévision. Elle était la seule à lui être fidèle. La seule à l'accepter sans condition.

Ils s'assirent côte à côte, adossés à l'orme, au moment où la cloche sonna. Quand le silence revint, Elizabeth dit :

— As-tu encore fait les mêmes rêves ?

— Oui. Sauf que ce ne sont pas seulement des rêves, Elizabeth. Ils sont réels.

— Tu ne le sais pas.

— Si.

La suite semblait impossible, mais la preuve existait, ici même dans les couloirs du lycée Rodman, sous la forme d'une fille si belle que son cœur en tressaillait.

— Je l'ai vue. La fille dans le rêve dont je t'ai parlé.

— Ça aurait pu être n'importe qui, dans l'accident. Il faisait sombre et il pleuvait… Tu devais être sous le choc…

— Tu continues de dire ça, et j'ai essayé de te croire, mais elle est ici, au lycée Rodman. Aujourd'hui. Elle s'appelle Nadia.

— Nadia. Connais-tu son nom de famille ?

— Non.

Il s'arrêta tout juste avant d'ajouter «pas encore».

Elizabeth but une gorgée de sa bouteille d'eau, prenant visiblement un moment pour penser à ce qu'il venait de dire.

— Tu es sûr que c'est la même ?

— Positif. C'est elle. Sinon, comment est-ce que j'aurais su où je devais être avant l'accident ?

— Coïncidence.

— J'aurais pu le croire avant aujourd'hui. Plus maintenant.

Mateo donna un coup de talon sur le sol.

— Je vois le futur. Comme ma mère. Comme tous les autres Cabot.

— Ils *pensaient* seulement voir le futur…

25

— C'est ce que tout le monde a toujours cru. C'est aussi ce que j'ai toujours cru. Mais maintenant, je sais que c'est vrai.

Ce qui voulait dire que le reste de la «malédiction des Cabot» était également vrai.

Elle existait depuis des générations dans la famille de sa mère — des siècles, depuis l'époque où le Rhode Island était une colonie, quand les premiers Cabot s'y étaient installés. La malédiction remontait peut-être même jusqu'à l'Angleterre. Personne n'en était certain. Tout ce que les gens savaient, c'était qu'une fois par génération, un membre de la famille Cabot prétendait connaître le futur. Cela commençait toujours de la même façon. Cela se terminait toujours comme... Comme dans le cas de sa mère.

Au début, elle avait simplement été distraite, se couchant tard, grommelant au petit déjeuner, de gros cernes sous les yeux. Au cours des mois suivants, la mère de Mateo s'était... désintégrée. C'était le seul mot approprié. Son tempérament était devenu volatile et elle avait commencé à dire des choses qui n'avaient aucun sens. Sa mère avait cessé de s'habiller proprement et de se brosser les cheveux, et, quand elle venait le chercher à l'école, Mateo avait honte d'elle. Maintenant, il s'en voulait d'avoir ressenti cela. Elle était sa mère et il n'aurait pas dû se préoccuper de l'opinion des autres.

Sa mère avait bientôt commencé à oublier de venir le chercher à l'école. Son père avait tenté de lui parler, de lui demander d'aller chercher de l'aide, mais elle sanglotait toujours en lui disant qu'il était impossible de l'aider et qu'il le savait. Ils l'avaient su dès le début.

Elle était partie sur l'océan à bord d'une barque. Il était impossible de savoir si c'était un accident. Mateo pensait qu'elle avait tout planifié pour qu'il ne puisse pas savoir ce qu'elle avait vraiment fait. Il le savait quand même. Elizabeth se tourna vers lui, plus résolue qu'avant.

— Concentre-toi. C'est important. Si tu as vu cette fille... Qu'as-tu vu? As-tu vu quelqu'un d'autre que tu connais? M'as-tu vue?

— Pas toi. Pas depuis le rêve d'il y a quelques semaines.

Ce rêve avait été étrange : ils couraient dans une maison hantée. Mateo n'était même pas sûr qu'il s'agissait d'une vision parce que cela aurait pu être un rêve normal. Il appuya sa tête contre l'arbre. Les branches grêles de l'orme laissaient passer une faible lumière.

— J'ai vu une foule de choses que je ne comprends pas. Des déluges qui semblent durer des semaines. Des chambres d'hôpital — une foule de chambres. Jeremy Prasad qui essaie d'avoir une conversation sérieuse avec moi, ce qui n'arrivera jamais, pas vrai? Parce que c'est impossible. Cette fille aux cheveux gris — quel est son nom? —, mais peut-être qu'elle brillait? C'était probablement juste un rêve bizarre comme n'importe quel autre rêve. Mais Nadia... Je l'ai assurément vue, et plus d'une fois. Dans un rêve, elle est allongée à mes pieds après avoir affronté un brasier. Dans un autre, je la vois être aspirée par... de la boue, peut-être du sable mouvant, je ne sais même pas ce que c'est, mais elle en est prisonnière. Je la vois combattre quelque chose — une chose qui n'a rien d'humain. Mais dans beaucoup de rêves, elle est en danger. Elizabeth, parfois je la vois mourir. Et quand elle meurt, je suis avec elle.

Il chercha les yeux bleus de son amie.

— Et si c'est moi qui allais causer la mort de Nadia?

Elle secoua tristement la tête et il posa la sienne sur son épaule. Ils ne parlèrent plus; que pouvaient-ils dire d'autre?

Le futur arrivait à une vitesse folle : son futur et sa malédiction. Ni Elizabeth ni personne d'autre ne pouvaient faire quoi que ce soit.

Mais peut-être... Peut-être que s'il restait loin de Nadia, il aurait une chance de la sauver.

Un gros corbeau atterrit sur le gazon à proximité et pencha la tête. Il s'envola aussitôt, alors Mateo ne put en être sûr, mais pendant un instant, il avait semblé y avoir des toiles d'araignée à la place des yeux de l'oiseau.

«Fou, se dit-il. Tu deviens fou. Ça a déjà commencé.»

Chapitre 3

— Alors, voyons voir… Nadia Caldani, lut la conseillère d'orientation en feuilletant le dossier. Transfert de Chicago. Seulement pour la terminale.

— Sauf si je suis recalée.

La conseillère — la plaque nominative sur son bureau indiquait qu'elle se nommait FAYE WALSH — lui jeta un regard voulant vraisemblablement dire « nous pouvons faire des blagues, mais pas maintenant ».

— Je veux dire qu'il est inhabituel qu'un élève déménage dans un nouvel État et fréquente une nouvelle école lors de la terminale. Une question de travail pour tes parents ?

— Mon père ne voulait plus travailler pour un grand cabinet d'avocats. Il en avait marre des horaires de fous, des conneries liées aux entreprises, de tout ça.

Allait-elle avoir droit à un sermon pour avoir utilisé le mot *conneries* ? Visiblement pas. Madame Walsh ne fut pas ébranlée. Elle était étonnamment chic, pour une conseillère d'orientation, ou même pour toutes les personnes que Nadia avait vues jusqu'à présent à Captive's Sound : cheveux coupés ras, gros bijoux en argent et un fourreau blanc qui faisait ressortir son teint foncé. C'était quelqu'un qui avait une vie en dehors du lycée Rodman, ce que Nadia pouvait respecter.

— Il a accepté un emploi ici, à Captive's Sound : droit d'intérêt public. Représentation de travailleurs à faible revenu qui ont des différends avec leurs employeurs au sujet de rappels de salaire, de blessures sur le lieu de travail, des trucs du genre.

Son père avait toujours affirmé avoir l'âme d'un bon samaritain, mais Nadia avait été quelque peu surprise quand il avait cessé de parler et qu'il était passé à l'action.

— Et il va parfois pouvoir travailler de la maison, alors il pourra nous aider, mon frère et moi.

— C'est un avantage indéniable, dit madame Walsh.

Elle passa un ongle impeccable sur le bord des feuilles étalées sur son bureau.

— C'est ton père qui a signé tous les formulaires de consentement.

Ah! fantastique. C'était une de ces conseillères qui espèrent vraiment conseiller au lieu de simplement donner des brochures d'universités. Nadia décida que la façon la plus rapide d'en finir était de tout expliquer et de passer à autre chose.

— Ma mère a quitté mon père il y a plusieurs mois. Elle n'a pas demandé la garde, aucune pension alimentaire, rien. Elle a disparu de nos vies.

— Ne la revois-tu jamais?

— Jamais, répondit Nadia. Je ne la vois jamais. Elle ne veut aucun droit de visite. Elle ne répond pas au téléphone quand nous l'appelons, et je crois qu'elle n'écoute même pas nos messages. Avant, je lui envoyais parfois des courriels. Je crois que mon petit frère le fait encore. Mais elle ne répond jamais. Ma mère est… partie. C'est du passé. Alors, c'est mon père qui s'occupe de tout ce qui a trait à l'université. Avec un peu de chance, cela suffirait à faire taire madame Walsh.

Mais c'était rarement le cas. Ceux qui avaient entendu cette histoire, comme ses anciens amis de Chicago, avaient enchaîné les questions : «Vraiment? Jamais? C'est terrible. C'est vraiment étrange. A-t-elle fait une dépression? Est-ce que ton père la frappait quand il était en colère? Est-ce qu'il y avait, tu sais, quelqu'un d'autre?» Nadia avait envie de hurler quand elle entendait ces questions. Elle n'avait pas de réponses, aucune réponse, et elle ne voyait pas pourquoi c'était à elle d'expliquer pourquoi sa mère était si nulle.

Madame Walsh ne posa aucune autre question. Elle se contenta d'opiner.

— Tu n'as pas beaucoup d'activités extrascolaires inscrites dans ton dossier.

Nadia avait plus d'intérêts extrascolaires que la plupart des élèves, mais il était impossible d'inscrire «sorcellerie» dans les demandes d'inscription à l'université. Perfectionner ses pouvoirs magiques, lire les livres anciens que sa mère lui avait donnés… Cela laissait peu de temps pour participer à la chorale ou à l'équipe de débat.

— Je suppose que je n'aime pas me joindre à des groupes.

— Nous devrions essayer de t'inscrire à une activité cette année. Pour montrer aux universités que tu es équilibrée.

— Je ne suis même pas certaine d'aller à l'université. J'aimerais mieux regarder du côté des écoles culinaires.

— Un chef, hein? Tu aurais dû me le dire. Si j'avais su qu'il était question de viennoiseries, ça aurait tout changé.

C'était presque drôle. Nadia ne se permit pas de sourire.

— De toute façon, les activités extrascolaires ne comptent pas pour les écoles culinaires. Ce qui leur importe, ce sont nos pâtes feuilletées et notre sauce béarnaise.

— Tu pourrais toujours aller à l'université avant d'intégrer une école culinaire.

— Ah! oui, des années d'études. Fantastique.

Madame Walsh inclina la tête et observa attentivement Nadia.

— Je sais quelle impression tu dois avoir. Mais tu me sembles être une jeune femme remplie de potentiel. Si tu vas dans une école culinaire sans recevoir aucune autre instruction, tu te prives d'une foule de possibilités pour ton futur. Ne te limite jamais comme ça.

— C'est maintenant que vous allez me dire qu'il n'existe aucune limite à mes rêves?

Pitié.

Mais Madame Walsh se mit à rire.

— Ah! non, Nadia. Il existe une tonne de limites et, crois-moi, la vie va te faire trébucher et t'apprendre où elles se situent. Mais laisse la vie s'en charger. Ne le fais pas toi-même.

Elle ferma le dossier.

— C'est assez pour aujourd'hui. Reviens me voir bientôt, d'accord? Et dis-moi ce que je dois faire pour goûter à ta pâte à tarte.

Soudoyer des responsables de l'école avec de la tarte. Eh bien, il existait de pires façons d'éviter la chorale.

Le reste de la journée se déroula plus ou moins normalement. Juste avant le déjeuner, elle découvrit que Mateo se trouvait dans son cours de chimie. Il s'assit à l'autre bout de la pièce et ne regarda jamais Nadia — elle eut même l'impression qu'il l'ignorait —, alors elle n'apprit que deux choses sur lui pendant cette heure.

Premièrement, son nom de famille était Perez. Deuxièmement, il avait apparemment une petite amie.

Ce qui était décevant, même si elle n'avait pas eu l'intention de le séduire.

«Mais pas étonnant, se dit-elle, Mateo est superbe et c'est visiblement un athlète. En plus, il occupe son temps libre à sauver les gens. Il pourrait être avec n'importe quelle fille. Bien entendu, il a déjà une petite amie.»

Et Elizabeth Pike semblait être le genre de personne qu'il choisirait. Elle était belle — pas le genre de beauté superficielle que la majorité des gens se payaient à l'aide de vêtements élégants et de bon maquillage, mais le genre de beauté qui émanait d'elle malgré l'absence de maquillage et sa simple robe en coton. Les lampes fluorescentes des salles de classe qui semblaient donner une allure de zombie à tous les autres élèves lui donnaient un teint de pêche, et ses boucles châtain brillaient comme si elle jouait dans une publicité de shampoing. Mateo et elle partageaient une table de laboratoire, et elle lui portait une grande attention, le regardant presque continuellement, assise au pupitre voisin. Leur relation était assez claire.

Alors que Mateo refusait de la regarder, Elizabeth lui jeta une fois un regard. Ses yeux bleus fixèrent ceux de Nadia. Il n'y avait pas d'ondes du genre «tiens-toi loin de mon petit ami»; elle semblait seulement intéressée par la nouvelle élève. Mateo lui avait peut-être parlé de l'accident.

Et il n'avait rien dit pour qu'Elizabeth soit jalouse. D'accord. Nadia se dit qu'au moins, elle savait à quoi s'en tenir.

Le mystère entourant la raison pour laquelle Mateo semblait la connaître resterait donc non résolu.

«C'est probablement quelque chose que j'ai imaginé parce que j'ai été sonnée dans l'accident, décida-t-elle. Quelque chose du genre.»

Son cœur lui disait que tout n'était pas aussi simple... Mais son cœur lui disait une foule de choses stupides, ces derniers temps. Des choses comme «Maman va bientôt appeler», ou «tu réussiras à trouver un autre professeur de l'Art». Elle n'avait pas besoin d'ajouter à la liste : «Mateo va quitter sa splendide petite amie pour toi.»

En plus, elle avait encore cette sensation — cette impression d'électricité statique qui lui disait qu'une source de magie se trouvait près d'elle, très près...

Nadia baissa les yeux vers le plancher du laboratoire de chimie, comme si elle pouvait littéralement voir cette force, ce qui était ridicule : la magie n'émettait pas de lueur verte ou quoi que ce soit du genre, à moins d'être un Allié, ce qui n'était pas son cas. Mais la force était si proche — si nette —, comme si elle se trouvait juste sous ses pieds.

«Sous le plancher du laboratoire de chimie? Franchement. Tu es si bouleversée parce que tu n'as plus de professeur que tu... inventes des choses. Tu essaies de créer une crise là où il n'y en a aucune pour avoir quelque chose à dire à maman et la pousser à revenir.»

Mais elle pouvait quand même le sentir. Peu importe ce qu'était cet étrange pouvoir, il bouillonnait sous la surface et Nadia ne pouvait l'ignorer. Elle ne pouvait espérer qu'il disparaisse.

Après l'école, Mateo gara sa moto en bas de la colline... la Colline, toujours écrite avec une majuscule par les habitants de Captive's Sound. C'était là que les riches et les privilégiés vivaient, dans de grandes maisons aux portails en acier. Au sommet de la Colline, brillant comme si elle était en marbre, se trouvait la maison Cabot.

« La tienne, un jour », disait toujours son père, comme si c'était une bonne chose. Mais la maison Cabot donnait la chair de poule à Mateo et il s'y rendait le moins possible.

La plupart du temps, cela convenait parfaitement à sa grand-mère. Mateo se demanda si un autre visiteur avait franchi le seuil de cette maison ces cinq dernières années. Peut-être pas depuis l'enterrement de sa mère, et même à ce moment, les gens étaient plus venus pour observer que pour compatir. Il n'était jamais venu sans prévenir.

Aujourd'hui, pourtant, Mateo devait découvrir ce qui lui arrivait et personne d'autre ne pouvait le savoir.

Il monta la Colline. Si sa grand-mère n'entendait pas le moteur de la moto, elle ne saurait pas qu'il arrivait et elle n'aurait pas le temps d'ordonner au majordome de ne pas le laisser entrer. Le quartier était étrangement calme, comme si les habitants empêchaient le bruit d'entrer en même temps que les gens pauvres. Les Jaguar et les Mercedes brillaient dans les allées, et les haies taillées bizarrement n'étaient pas rares. Qui payait quelqu'un pour tailler un buisson en forme de cône ? Mateo se dit que, même s'il avait une tonne d'argent, il ne verrait pas le but de l'opération.

Sur la marche devant la gigantesque porte noire, Mateo inspira profondément avant de donner un, deux, trois lourds coups à l'aide du heurtoir en cuivre. Après une attente beaucoup trop longue, la porte s'ouvrit pour révéler le majordome, qui cligna des yeux.

— Le jeune monsieur Perez, dit-il de sa voix grinçante. Que nous vaut le plaisir ?

— Je viens juste voir ma grand-mère, répondit Mateo en entrant sans attendre de permission ou d'interdiction.

Le majordome hésita, mais il ne voulait visiblement pas offenser le soi-disant héritier Cabot.

— Elle est dans la salle de musique, dit-il. Suivez-moi.

Sa vie devait être nulle, pensa Mateo en marchant derrière lui. Un complet vieux jeu, sa grand-mère comme patron, presque rien à faire ; il n'était pas tant un majordome qu'un homme payé pour rester là, rigide, toute la journée, jusqu'à ce que sa grand-mère finisse par mourir. Il serait alors responsable de téléphoner à l'entrepreneur de pompes funèbres. Il espérait probablement hériter de quelque chose. Mateo eut soudain l'idée de céder la maison Cabot à cet homme, le moment venu. De cette façon, il ne devrait jamais y vivre.

La salle de musique était aussi aride et triste que le reste de la maison. Les plafonds de six mètres étaient couverts de lustres troubles et poussiéreux. De lourdes boiseries noires montaient sur tous les murs et colonnes comme une espèce de moisissure devenue folle. L'énorme piano à queue était encore plus poussiéreux que les chandeliers, et quelques pupitres en cuivre étaient regroupés dans un coin, oubliés. Aucune musique n'était sortie de cette pièce depuis très longtemps.

Sa grand-mère était assise devant la fenêtre du fond, regardant son jardin.

— Votre petit-fils, Madame Cabot, annonça le majordome.

Sans tourner la tête, elle leur lança un regard noir et la température de la pièce sembla tomber de 10 degrés. Le majordome recula immédiatement, laissant Mateo seul face à sa grand-mère. Finalement, Mateo ne lui donnerait peut-être pas la maison.

— Mateo, dit-elle, sa voix enrouée parce qu'elle parlait peu. Quelle est la raison de cette visite? Ce n'est pas déjà ton anniversaire. Je n'ai aucun bon de caisse pour toi.

— Mon anniversaire n'est pas avant janvier, répondit-il.

Elle l'examinait généralement une fois par an, le jour de son anniversaire, et c'était tout.

— Je, euh... Je voulais parler.

— Avec moi?

Ce fait sembla l'amuser, pour toutes les mauvaises raisons. Même si elle ne tourna pas la tête, ne lui montrant que son profil parfait digne d'un camée blanc, sa grand-mère sourit froidement.

— Ce serait une première. Ne me dis pas que le restaurant de ton père n'a pas été assez rentable pour te bâtir un fonds d'études.

Mateo serra les poings dans les poches de sa veste de sport. Plus tard. Il pourrait laisser s'exprimer son tempérament plus tard.

— Nous nous en sortons très bien.

Très bien était une exagération : Captive's Sound n'avait jamais attiré le genre de revenus estivaux qu'elle aurait dû avoir, mais ils réussissaient facilement à payer leurs factures. Mateo aidait son père et s'occupait de la comptabilité depuis l'année dernière.

— Alors, pourquoi es-tu ici? Le plaisir de ma compagnie?

L'acidité dans sa voix lui fit clairement comprendre qu'elle savait à quel point elle était déplaisante et qu'elle aimait cela.

Ce que Mateo était venu dire était plus difficile à avouer que ce qu'il avait pensé. Il déglutit, transféra son poids d'un pied à l'autre et déglutit de nouveau.

— Je... je voulais te parler de... de la malédiction.

Sa grand-mère se raidit sur sa chaise.

— Est-ce qu'elle t'est tombée dessus?

— Non! mentit Mateo.

Elle le jetterait dehors s'il répondait autre chose.

— Pas du tout. Je n'y crois même pas. Tu le sais.

Jusqu'à ce qu'il voie Nadia lors de cette nuit orageuse, il n'y avait pas cru.

— Alors, pourquoi en parler? Ce n'est qu'une histoire, comme tu le prétends.

— Parce que je veux comprendre. Parce que tous les élèves de l'école me traitent comme si j'avais le sida ou un truc du genre.

Seuls Elizabeth et Gage le traitaient comme un être humain et, dans le cas de Gage, c'était seulement parce qu'il était arrivé à Captive's Sound trop tard pour grandir entouré de toutes les histoires au sujet des fous et dangereux Cabot.

— Les enfants ont entendu les histoires de leurs parents, qui les ont entendues de leurs parents. C'est toujours la même chose.

Elle rit jaune.

— Ils ont peur des Cabot. Ensuite, ils vieillissent et décident que les histoires ne sont que des légendes. Des récits pour effrayer les idiots. Et un autre Cabot devient fou, et les gens découvrent la vérité. Comme quand ta mère s'est dégradée si rapidement et qu'elle s'est noyée dans la mer. Comme quand ton grand-père m'a fait ceci.

À ce moment, elle se tourna vers lui, lui dévoilant tout son visage, pas juste son profil. Alors que le côté gauche de son visage était pâle et normal — lisse pour une femme de son âge, peut-être parce qu'elle ne sortait jamais —, le côté droit était ravagé. De profondes entailles rouges sillonnaient sa peau comme des failles et des plis de tissu cicatriciel entouraient les entailles dans sa peau qui n'avait jamais guéri. Son œil droit, aveugle, était laiteux, mais il restait un point rouge de sang qui n'était jamais parti et qui tressaillait.

— Tu es pâle, dit-elle en souriant.

C'était un sourire horrible.

— Je pensais que tu y serais habitué, après tout ce temps. Mais je n'y suis toujours pas habituée, alors comment pourrais-je t'en vouloir?

— Qu'est-il arrivé? demanda Mateo en essayant de continuer. Qu'est-ce qui a poussé grand-père à faire ça?

Il n'avait jamais connu son grand-père, qui avait été interné bien avant sa naissance. Mais sa mère avait toujours affirmé que c'était un père aimant... Du moins jusqu'à cette dernière année-là.

— La malédiction est arrivée. Moque-toi tant que tu veux. C'est ce que je faisais aussi. Franklin Cabot était beau, riche, gentil, courtois... Tout ce qu'un jeune homme devrait être. Alors, j'ai ignoré les histoires que j'avais entendues en grandissant, les avertissements de mes parents, et je l'ai épousé. J'ai eu son enfant. Pendant la première décennie, tout s'est bien passé.

Sa voix s'adoucit pendant un moment, comme si elle se souvenait de ce qu'était le bonheur.

— Puis les rêves ont commencé.

Mateo aurait aimé que le majordome apporte une autre chaise pour qu'il puisse s'asseoir.

— Les rêves ?

— Il croyait qu'ils lui montraient le futur. Du moins, c'est ce qu'il prétendait. J'ai remarqué qu'il ne parlait jamais de ces prédictions avant qu'elles se soient réalisées. Au début, j'ai cru que c'était simplement une manie, la peur de devenir comme sa mère, et qu'il la surmonterait. Je lui ai dit que tout irait bien. Mais il est devenu de plus en plus obsédé par ses rêves. Il restait éveillé pendant des jours pour éviter de rêver.

Mateo se rappelait cela : la façon dont sa mère faisait les cent pas pendant des heures la nuit. Il restait éveillé dans son lit, prétendant qu'il ne pouvait pas l'entendre, que tout allait bien.

Sa grand-mère, inconsciente de son malaise, continua de parler.

— Les frénésies de ton grand-père sont devenues de plus en plus graves. Et un jour, alors qu'il était au grenier avec la vieille lanterne à huile, j'ai osé interrompre ses élucubrations et ses allées et venues. C'est ce jour-là qu'il a fait ceci et qu'il a mis le feu au plafond.

Elle posa deux doigts sur sa joue défigurée.

— Ils ont agi plus rapidement pour sauver la maison que mon visage.

Mateo se dit que le manque de sommeil pouvait rendre n'importe qui fou. C'était peut-être aussi simple que ça.

— Ça ne prouve rien.

— Génération après génération, les Cabot tentent de se convaincre de la même chose. Et génération après génération, ils se trompent. J'ai essayé d'y mettre un terme, avec ta mère, tu sais. Je lui ai dit de ne jamais se marier et de ne pas avoir d'enfant, et elle m'a obéi pendant longtemps. Puis ton père a déménagé en ville quand elle avait 40 ans. Je pensais le danger passé... mais tu es là.

Sa grand-mère se cala dans sa chaise, comme si elle était épuisée ; elle n'avait probablement pas autant parlé depuis un an.

— Tu peux mettre un terme à ce cercle vicieux, Mateo. Tu peux y mettre fin en refusant d'avoir des enfants. N'en adopte pas non plus. Ce sera seulement pire pour eux quand tu deviendras fou.

— Je ne le deviendrai pas.

Les mots sortirent plus fort que ce qu'avait voulu Mateo. Ils étaient si forts que sa grand-mère écarquilla les yeux. Il se reprit.

— Je veux dire que ça ne m'arrivera pas.

— Mais si, répondit-elle calmement. Tu es le seul de ta génération. Il est impossible de te sauver.

Elle tendit une main émaciée pour faire sonner la petite cloche argentée qui appelait le majordome.

— C'est vraiment dommage. Tu étais un enfant si charmant.

À ce moment, elle se retourna vers la fenêtre et le major-dome arriva, ne laissant d'autre choix à Mateo que de partir, encore plus bouleversé que lorsqu'il était arrivé.

Alors qu'il sortait en trébuchant sous la lumière du soleil, qui semblait maintenant trop forte pour ses yeux, de multiples questions le submergèrent.

«Pourquoi maman a-t-elle tenu bon pendant si longtemps sans que ça lui arrive ? Quand est-ce que ça a commencé ? Quels étaient les premiers signes ?

» Et pourquoi Nadia était-elle mêlée à tout ça ? »

Mais il n'avait aucune réponse à part la certitude que ce soir, quand il allait dormir, il rêverait de nouveau. Une fois que la folie s'installait, elle ne partait jamais.

Nadia traîna aussi longtemps que possible après les cours, ne parlant à personne, espérant pouvoir se faufiler dans le laboratoire de chimie. Bien entendu, elle n'avait pas ses livres ni les multiples poudres et os nécessaires pour de la magie compliquée... Mais il devait exister un sort simple pour dévoiler davantage la force sous le local.

— Hé !

Étonnée, Nadia regarda derrière elle et aperçut Faye Walsh à l'autre bout du couloir, un dossier en cuir verni dans une main.

— Ah ! Bonjour.

— Cherches-tu quelque chose ?

En d'autres mots : « As-tu une raison pour traîner sur le terrain de l'école ou veux-tu te mettre en route ? »

Elle devrait essayer de nouveau un autre jour.

— Je... je finissais juste quelque chose. Je m'en vais.

Madame Walsh opina.

— Passe une bonne soirée.

Au moins, elle eut la courtoisie de ne pas regarder Nadia jusqu'à ce qu'elle soit dehors.

Nadia se mit donc en route vers sa maison ; elle ne se trouvait pas loin et, même si elle n'avait fait le trajet qu'une fois, elle se dit que cette ville n'était pas assez grande pour s'y perdre. C'était quand même un peu bizarre d'être entourée d'arbres et de tranquillité au lieu de l'agitation de la ville. Nadia se sentait plus en sécurité dans les foules. Elle associait ce genre de cadre — rien sauf le ciel au-dessus de sa tête, presque personne aux alentours — aux émissions de télévision nulles sur de véritables crimes. Ils présentaient toujours les reconstitutions d'enlèvements dans des lieux comme celui-ci, avec le téléphone cellulaire ou le sac à main abandonné sur le sol.

« Personne ne va t'enlever. En plus, tu pourrais te défendre si quelqu'un essayait de le faire. »

Nadia connaissait ce genre de sorts par cœur ; elle aurait pu les lancer même si elle était droguée ou assommée, peu importe la situation. C'était de l'autodéfense magique de base.

Elle traversa la piste de course pour atteindre la route menant à sa maison. Il y avait un petit groupe d'arbres dans ce coin — probablement le lieu de rassemblement des camés, même si, pour le moment, il n'y avait personne. La vieille voiture de quelqu'un, une énorme voiture bordeaux des années 1970 ou quelque chose du genre, était garée à proximité, mais elle était vide. Aucun son ne vint briser la tranquillité étrange qui l'entourait.

« Ce n'est pas étrange, se rappela Nadia. En dehors de Chicago, il est possible d'entendre des choses comme le vent dans les arbres. Ou... un instant, qu'est-ce que c'est que *ça* ? »

Le grondement ressemblait à un tremblement de terre, ou du moins c'est le son que Nadia imaginait être associé à un tel événement. À ce moment, le sol se mit à trembler sous ses pieds.

« Un tremblement de terre dans le Rhode Island ? »

Nadia s'agrippa au tronc de l'arbre le plus proche, en périphérie du bosquet, afin de garder l'équilibre.

Mais ce n'était pas un tremblement de terre.

Le sol... s'enfonça. Devant elle, une tranchée s'ouvrit, ce qui fit voler la terre et pencher les arbres, et le tout tomba vers le nouveau fossé. Nadia eut un hoquet quand la voiture abandonnée pencha sur le côté avant de glisser dans la tranchée.

Et aussi rapidement qu'il avait commencé, l'événement prit fin.

Haletante, Nadia ne lâcha pas l'arbre; elle ne pouvait manifestement pas faire confiance au sol des alentours. Qu'est-ce que c'était? Qu'est-ce qui venait de creuser un trou dans la terre?

Elle pensa immédiatement aux explications surnaturelles. Nadia repensa à l'étrange sensation qu'elle avait eue, celle que quelque chose se cachait sous le laboratoire de chimie... Mais elle ne sentait pas la même énergie ici. Il ne semblait y avoir personne d'autre aux alentours, donc aucune sorcière pour lancer un sort. Nadia ne connaissait aucun type de magie capable d'arracher la terre par en dessous, mais cela ne voulait pas dire qu'une telle sorte de magie n'existait pas, bien que cela semble improbable. De plus, à quoi servirait un tel sortilège? Une sorcière se donnerait-elle la peine de détruire le vieux tacot de quelqu'un?

Nadia soupira, maintenant irritée plus qu'effrayée. Était-ce une simple doline? Un tunnel souterrain ou une caverne qui s'était effondré? Fantastique, elle vivait maintenant dans un endroit perdu *et* il s'effondrait sur lui-même.

«Je plains le propriétaire de cette voiture», pensa-t-elle. Seul le pare-chocs arrière était encore visible. «Quand il va revenir, il va être furieux.»

Elle se dit alors qu'il n'avait peut-être pas à le savoir.

Peut-être avait-elle espéré qu'il y ait autre chose derrière tout ce qui arrivait, quelque chose de magique pour qu'elle puisse tester ses compétences. Peut-être que c'était parce que madame Walsh lui avait fait promettre de ne pas se limiter. Peut-être que lancer des sorts lui manquait, tout simplement.

Et beaucoup de sa frustration avait à voir avec le fait que c'était ce qu'elle avait voulu faire lors de l'accident, mais c'était impossible, avec son père et Cole à côté, à moins que leurs vies soient vraiment en danger.

Peu importe la raison, Nadia prit une décision.

« Je vais sortir cette voiture du fossé. »

Il était étonnamment difficile de bouger des objets. La magie était plus une question de perspicacité et d'influence qu'une question de force brute dans le monde physique. Nadia n'avait encore jamais soulevé, ni même tenté de le faire, un objet aussi lourd qu'une voiture, mais elle connaissait le sort.

Les gens afflueraient bientôt pour voir ce qui s'était passé. Si elle comptait le faire, elle devait essayer tout de suite.

Nadia jeta un coup d'œil aux alentours. Non, il n'y avait encore personne en vue. Le terrain de l'école était désert et aucun trafic n'était visible dans la rue. Elle saisit donc le morceau d'ivoire sur son bracelet et rassembla les ingrédients.

Une terreur si grande qu'elle paralyse.
Un espoir si désespéré qu'il est douloureux.
Un courage si fort qu'il survit.

Nadia ferma les yeux pour faire pénétrer ces ingrédients dans son esprit, essayant d'enfouir le souvenir et la voiture dans sa conscience. Étrangement, elle eut l'impression de pouvoir sentir la masse et le métal de la voiture en équilibre dans son esprit...

Étendue dans la voiture accidentée, cette nuit-là, elle entendait les cris de Cole, ne sachant pas, pendant un moment, si son petit frère était blessé et si c'était grave.

Cette première nuit après le départ de sa mère, quand le téléphone avait sonné et que son père et elle s'étaient regardés, espérant contre toute attente avant qu'elle se précipite pour répondre... Mais ce n'était pas sa mère, seulement un sondage pour savoir s'ils comptaient acheter une nouvelle télévision cette année.

Le lendemain matin, quand elle s'était levée sans pleurer et qu'elle avait préparé le petit déjeuner pour son père et Cole, comme sa mère en avait l'habitude, et qu'ils avaient mangé tous ensemble comme si tout était normal, comme si tout allait bien, parce qu'ils allaient réussir à s'en sortir sans elle.

Nadia entendit un bruit sourd et le craquement de vieux amortisseurs. Elle ouvrit les yeux avec hésitation pour voir... la voiture, qui se balançait toujours à sa nouvelle place à côté du fossé. Elle sourit, triomphante.

Puis son visage se décomposa... quand quelqu'un se redressa sur le siège du conducteur.

Verlaine.

Qui regardait maintenant Nadia d'une façon voulant clairement dire que, même si elle ne savait pas exactement ce qui venait d'arriver, elle savait qui en était la responsable.

Nadia venait d'être vue en train d'utiliser sa magie.

Chapitre 4

Pendant une minute, Verlaine avait été tranquille dans sa voiture, étendue sur la vieille banquette avant, essayant de démêler un nœud dans ses cheveux tout en regardant des vidéos sur son téléphone. Elle avait compté rester assez longtemps pour que ses oncles Gary et Dave pensent qu'elle avait des amis avec qui passer du temps ; de cette façon, ils s'inquiéteraient moins, ou du moins ils arrêteraient de lui faire des réflexions parce qu'elle était souvent seule. L'instant d'après, le sol avait englouti sa voiture. Elle avait été trop étonnée pour crier.

Et ce n'était même pas la chose la plus bizarre qui lui était arrivée aujourd'hui… comparée au moment où sa voiture *était ressortie du fossé en volant.*

Ou au fait que la nouvelle en soit responsable.

Elle laissa immédiatement tomber sa main comme si, de cette façon, Verlaine ne la soupçonnerait pas. C'était peut-être fou d'en soupçonner quelqu'un. Mais, hé ! la voiture venait de voler, alors bienvenue à Folleville, et en plus… Elle *savait.*

La nouvelle parla.

— Hé ! est-ce que ça va ?

Verlaine dut déglutir avant de pouvoir répondre.

— Comment as-tu fait voler la voiture ?

La première fraction de seconde… C'était l'indice. Oui, la nouvelle, Natalie ou quelque chose du genre, tentait de se couvrir, mais sa première réaction avait été la culpabilité et l'horreur, ce qui rendit son sourire gêné encore moins convaincant.

— Ouah ! tu as dû te cogner la tête.

— Je ne me suis pas cogné la tête.

— Si, certainement ! Parce que, tu sais, les voitures ne volent pas. Bien entendu.

Verlaine essaya d'ouvrir la portière ; elle fonctionnait toujours, alors elle sortit, les jambes tremblantes.

— Alors, comment est-elle sortie du fossé ? As-tu un chariot élévateur ou une grue, ou une machine du genre cachée dans le coin, Natalie ?

— C'est Nadia. Et bien sûr que non. Ta voiture n'est jamais tombée dans le fossé.

— Euh… Si, elle y est tombée.

— Elle a seulement penché sur le côté !

Nadia semblait… étrange. Comme si elle venait de siffler un blizzard au beurre de cacahuètes avant de monter dans un manège. Mais elle essaya de toutes ses forces de se montrer réconfortante.

— Tu as probablement eu *l'impression* de tomber dans le fossé, mais ce n'est pas le cas. Je suis sûre que c'était terrifiant. Je n'arrive pas à croire que tu n'aies pas crié ! J'aurais vraiment cru que l'occupant de la voiture, qui soit-il, aurait crié. Sans aucun doute. Mais toi… Non.

— Si ma voiture n'est pas tombée dans le fossé, alors pourquoi y a-t-il de la terre dans mes cheveux ? demanda

Verlaine en saisissant les pointes de ses cheveux, qui lui arrivaient presque à la taille.

Il y avait des brindilles et des feuilles dans ses mèches.

— Pourquoi la banquette arrière est-elle couverte d'aiguilles de pin ? Et, ah oui, pourquoi est-ce que je me *rappelle* être tombée dans le fossé ?

Nadia passa à l'attaque.

— Pourquoi prétends-tu que les voitures peuvent voler ? Comment pourrais-je faire cela ?

Deux excellentes questions.

— Je sais ce que je sais, se contenta de répondre Verlaine.

— Quand tu rentreras chez toi et que tu y penseras, que tu en parleras à tes pères, tu comprendras tout, répliqua Nadia, comme si elle espérait vivement que ce soit vrai. Si tu vas bien, eh bien, je vais rentrer chez moi.

Verlaine l'observa s'éloigner en silence. À aucun moment Nadia ne regarda derrière elle. Une personne normale ne se retournerait-elle pas après une histoire pareille ?

Verlaine se demanda si Nadia était vraiment anormale. Elle ne ressemblait pas à une fille bizarre : elle était belle, même un peu chic, portant le genre de jeans griffés et de bijoux originaux et uniques qui étaient rarement vus au lycée Rodman. Mais faire sortir les voitures d'un fossé en volant ? Cela n'était assurément pas normal.

À cet instant, elle douta… La lévitation, le vol, tout cela ressemblait à des trucs tout droit sortis des bandes dessinées ou des contes de fées. Il semblait impossible que Nadia puisse faire cela… En plus, pourquoi supposer qu'elle en était la responsable ? Oui, elle se trouvait au bon endroit et elle tenait son bracelet et ses mains dans une position étrange, mais cela ne voulait pas nécessairement dire qu'elle pouvait modifier la pesanteur. C'était aussi la première personne que Verlaine avait rencontrée depuis longtemps, peut-être la seule, qui avait été... gentille. Normale. Elle ne savait pas pourquoi Nadia l'avait traitée ainsi, tout comme elle ignorait pourquoi tous les autres la traitaient comme une moins que rien. Ce qu'elle savait, c'est qu'elle avait été soulagée de parler à quelqu'un comme si de rien n'était, et peut-être que la politesse voulait qu'elle laisse le bénéfice du doute à Nadia.

Mais la voiture avait volé. C'était certain. Verlaine n'en doutait pas le moins du monde.

Et Nadia n'avait aucune raison de le nier, à moins qu'elle soit la responsable.

Verlaine avait peut-être rêvé. Tout imaginé.

Mais elle en doutait.

Il se passait quelque chose d'étrange. De très étrange. Et Nadia était au cœur de toute cette affaire.

En d'autres termes, il se passait *enfin* quelque chose d'intéressant.

Debout à côté de sa voiture amochée, de la terre et des feuilles dans les cheveux, Verlaine se mit à sourire.

Nadia s'éloigna précipitamment, ses idées embrouillées.

«Elle est au courant. Ne sois pas stupide, elle ne sait rien. À moins d'être stupide, elle sait tout. Tu as utilisé la magie devant quelqu'un ne pratiquant pas l'Art, et tu as été trop bouleversée pour couvrir tes arrières, et maintenant, tu t'es dévoilée.»

Mais elle devait rester calme. Sa mère avait toujours dit que la majorité des gens qui voyaient de la magie finissaient par trouver une explication. Ils ne croyaient pas aux forces surnaturelles, alors en faire l'expérience les poussait à se demander s'ils étaient fous. Pas une seule personne ne voulait penser qu'elle devenait folle, alors les gens inventaient des mensonges plausibles.

«J'ai tout imaginé. C'était un artifice de la lumière. Seulement le vent.»

Maintenant plus calme, Nadia ajusta son sac à dos et essaya de trouver à quelle distance de sa maison elle se trouvait… Mais elle se rendit compte qu'elle ignorait où elle était.

Elle avait cru qu'il serait facile de rentrer chez elle, et cela aurait dû l'être. Mais Nadia n'avait pas fait attention quand elle avait fui Verlaine, alors elle avait tourné au mauvais endroit et elle se trouvait maintenant dans une zone inconnue. Ce n'était pas surprenant, puisque presque tous les endroits de Captive's Sound lui étaient encore inconnus, mis à part sa maison, le lycée et l'épicerie. Mais elle avait pensé que la ville était trop petite pour s'y perdre. Apparemment, elle s'était trompée.

«D'accord, se dit-elle. Ce n'est pas grave. La ville entière pourrait rentrer dans le parc Lincoln. Si tu marches assez longtemps, tu vas trouver un endroit que tu reconnais.»

Bien entendu, à Chicago, elle aurait pu sauter dans un autobus ou prendre un taxi…

Aucun souci. Dans le pire des cas, elle pouvait appeler son père pour qu'il vienne la chercher, mais il aurait alors l'impression de devoir s'inquiéter pour elle. Son père avait déjà assez de choses à faire. Elle était censée s'occuper de Cole et de lui, pas l'inverse.

Elle déambula donc dans les rues de Captive's Sound. C'était la première fois qu'elle explorait la ville à pied.

En marchant, elle comprit de plus en plus que… quelque chose clochait. La bizarrerie qu'elle ressentait dans ce lieu ne concernait pas seulement la barrière magique ou ce qui se trouvait sous le laboratoire de chimie. Non, toute la ville était... malade.

Le gazon jaunâtre semblait presque mort et tous les arbres avaient l'air sur le point de mourir, leurs branches emmêlées et fendues, leur écorce, grisâtre. Le ciel était plus sombre qu'il aurait dû l'être en plein milieu de l'après-midi, même si c'était peut-être parce que la pluie semblait imminente. Il y avait des signes de délabrement partout : la chaussée était fissurée, et le bord des trottoirs, couvert de mauvaises herbes enchevêtrées. L'atmosphère froide et humide semblait même avoir affecté les habitants : seules quelques maisons avaient l'air d'avoir été peintes ces dernières 20 années. La plupart d'entre elles, bien que grandes et élégantes, étaient fendillées et fades. Personne ne se préoccupait de leur apparence. Personne ne se souciait de Captive's Sound.

Nadia se rappela la barrière magique à l'entrée de la ville. Elle regarda de nouveau les environs délabrés et déprimants.

Depuis l'accident, elle savait que cette ville abritait quelque chose de puissant. Mais si cette force puissante était en train de... vider Captive's Sound ? De la détruire ?

Dans son esprit, elle revit le sol s'ouvrir sous la voiture de Verlaine et elle frissonna.

Le moteur d'une moto rugit derrière Nadia, ralentit en s'approchant avant de s'arrêter à côté d'elle. Elle écarquilla les yeux quand le conducteur retira son casque et qu'elle reconnut Mateo.

— Hé ! dit-il. Tu as l'air... perdue, je suppose.

— C'est si flagrant, hein ?

Étant donné tout ce qu'elle devait gérer, il aurait dû fal-
loir plus qu'un beau garçon pour la faire sourire, mais
Nadia savait qu'elle souriait.

Mateo ne semblait pas très heureux de la voir. En fait, il
ne la regardait pas vraiment dans les yeux, comme s'il
essayait d'éviter son regard. Mais il s'était arrêté pour elle,
n'est-ce pas ?

— D'accord, dis-moi où tu habites. Je pourrais… Je peux
t'y conduire. Ensuite, tu sauras comment rentrer chez toi.

Nadia glissa une mèche de cheveux derrière son oreille.

— Alors, secourir les gens est ton emploi à plein temps ?

Cette remarque le fit sourire… Mais seulement pendant
un instant avant qu'il détourne rapidement le regard.

— J'allais passer voir Elizabeth, dit Mateo en indiquant
une maison un peu plus loin sur la route, isolée et encore
plus grise et seule que les autres. Mais j'ai un moment de
libre.

Bien sûr, il allait voir sa petite amie. En plus d'être beau
et courageux, Mateo était un super petit ami. Bien sûr.

Mais il aurait été stupide de refuser qu'il la raccompagne
jusque chez elle, non ?

— D'accord, dit Nadia. J'habite rue Felicity, à côté du
parc. Et merci.

— Aucun problème. Monte.

Mateo hésita avant de lui tendre son casque noir.

— Tu devrais mettre ça, dit-il.

— Merci.

Nadia glissa le gros casque sur sa tête en se demandant
s'il lui donnait l'air ridicule, mais il était hors de question de
refuser une offre si galante. Elle passa ensuite une jambe
par-dessus la moto pour s'installer sur le siège derrière

Mateo. Ses jambes étaient appuyées contre les siennes, son ventre contre son dos.

— Tiens-toi, dit-il juste avant de faire rugir le moteur.

Nadia posa les mains sur sa taille, glissant ses doigts dans les passants de ceinture du jean de Mateo. Un moment plus tard, ils roulaient et elle eut l'impression de voler. Les cheveux bruns de Mateo flottaient dans le vent et Nadia aurait aimé habiter plus loin pour que le trajet dure plus longtemps.

Beaucoup plus loin. Par exemple en Californie.

«Arrête», se sermonna-t-elle quand ils tournèrent un coin. Elle glissa les bras autour de la taille de Mateo pour se tenir.

«Il n'est pas libre.»

Et il ne risquait pas de le devenir, à en juger par son grand dévouement à sa magnifique petite amie.

Mais au moins, elle pouvait profiter de la balade.

Malheureusement, Mateo trouva rapidement sa maison et il arrêta sa moto juste devant.

— Vous avez acheté cette maison, hein? observa-t-il quand Nadia enleva le casque en espérant que ses cheveux ne soient pas plaqués. Je l'ai toujours aimée.

— Ouais, elle est super. Un peu vieille et grinçante, mais ça la rend douillette.

Leur maison était aussi quelque peu décrépite, mais elle semblait plus chaleureuse que miteuse, contrairement au reste de Captive's Sound. Bien sûr, les maisons des autres avaient probablement la même allure à leurs yeux.

Son père apparut à la porte et, même s'il ne fit rien de gênant comme sortir pour demander à être présenté, il fit un signe de la main.

— Je dois y aller, dit rapidement Nadia. Merci de m'avoir sauvée. Encore.

— Maintenant tu pourras trouver ton chemin.

Quelque chose dans la façon dont Mateo dit cela sembla terriblement définitif. Mais il leva une main pour lui dire au revoir avant de remettre son casque et de partir.

Le père de Nadia arriva à côté d'elle pendant qu'elle regardait Mateo s'éloigner.

— Chérie, je n'approuve pas le fait que tu montes sur une moto.

— Je portais un casque, protesta Nadia. Nous n'allions pas vite.

Il opina de façon à lui faire savoir qu'il était prêt à passer l'éponge... cette fois.

— Alors, je vois que tu t'es déjà fait un ami. Un *garçon*.

Son père eut un petit sourire bête, comme s'il la taquinait au lieu d'évaluer le garçon en question. En fait, c'était un peu des deux.

— C'est Mateo. De la nuit de l'accident.

— Il va à ton école ? demanda son père en le regardant s'éloigner. Tu aurais dû lui demander d'entrer, chérie. J'aurais aimé le remercier. Ce qu'il a fait cette nuit-là était fantastique.

— Il était pressé, répondit Nadia en se dirigeant vers la porte en compagnie de son père. Il m'a seulement reconduite.

— Eh bien, si c'est le genre de garçon que tu comptes ramener à la maison, je suis d'accord.

— *Papa*. Mateo... Ce n'est pas ce que tu crois. Il a déjà une petite amie.

Nadia remarqua alors que son père portait un tablier.

— Hé! je t'ai dit que je serais rentrée à temps pour faire le dîner.

— Je te répète que je suis capable de cuisiner.

Nadia fronça les sourcils.

— Alors, pourquoi est-ce que je sens de la fumée?

Son père grimaça.

— Disons que la dinde tetrazzini était peut-être un plat... trop ambitieux.

Malgré tout ce qu'elle avait en tête, Nadia ne put s'empêcher de rire.

— Viens. Allons voir si nous pouvons la sauver.

Nadia.

Debout sur le bord de la route, ses cheveux virevoltant sous la brise, si noirs qu'ils étaient presque bleus, brillant même dans la faible lumière. Derrière lui sur la moto, son corps mince pressé contre lui, si chaud...

Mateo grogna en retombant sur son lit. Son père pensait qu'il dormait depuis des heures — il était assez tard pour être sûr que le réveil allait être extrêmement difficile —, mais de cette façon, il pourrait éviter de rêver.

Mais quand il passait des heures à penser à Nadia, ce n'était qu'un autre genre de torture.

Ses rêves lui avaient montré qu'elle était belle, qu'elle possédait le genre de beauté tranquille que la plupart des gens ne voyaient pas au premier coup d'œil. Il avait su qu'elle aurait de grands yeux sombres et un visage en forme de cœur. Certains rêves lui avaient même permis de connaître la sensation de ses cheveux soyeux entre ses doigts.

Tant de rêves lui avaient montré la façon dont elle risquait de mourir.

«Pourquoi me suis-je arrêté pour elle aujourd'hui?»

Il avait cédé à la tentation, alors qu'il savait à quoi s'en tenir. Aucun rêve ne l'avait montrée mourir à moto, alors Mateo avait décidé que c'était probablement peu risqué. Tout s'était bien passé. Mais quand finirait-il par trouver une excuse de trop pour être près d'elle, la mettant ainsi en danger?

Puisque les rêves montraient qu'il était présent lors de la mort de Nadia, s'il refusait de rester près d'elle, elle se porterait bien. Au moins, aucun des rêves ne se réaliserait... Pas s'il empêchait que cela se produise.

Mateo tira sa couverture par-dessus sa tête, ferma les yeux et s'interdit de penser encore à elle. Il l'avait fait une bonne douzaine de fois cette nuit.

Cette fois, il était finalement assez fatigué pour que sa tactique fonctionne. Il s'endormit.

Et il rêva.

Les alentours étaient si obscurs qu'il pouvait à peine la voir à travers les tourbillons vert-gris. Nadia flottait au-dessus de lui, ses cheveux noirs ruisselant autour d'elle. Dans ce premier instant, Mateo put seulement voir à quel point elle était belle, un genre d'ange descendu du ciel, jusqu'à ce qu'il aperçoive les chaînes.

Étaient-ce des chaînes? Peu importe ce que ces choses étaient, elles étaient lourdes et sombres, enroulées autour de ses chevilles. Les bras de Nadia étaient ouverts vers le ciel, les doigts tendus vers quelque chose d'invisible au-dessus d'elle, mais elle ne pouvait s'échapper.

Elle croisa son regard, le suppliant silencieusement de l'aider, de la sauver. Mateo attrapa les chaînes, mais elles étaient lâches, glissantes, et elles lui glissèrent des doigts...

Il se réveilla en sursaut, haletant, cherchant de l'air. Sa tête et ses oreilles bourdonnaient. Mateo se rendit compte qu'il avait retenu sa respiration en dormant.

Le lendemain, pendant le cours de chimie, Nadia était déterminée à ignorer Mateo.

D'accord, pas *ignorer*. Il serait impoli d'ignorer un camarade de classe qui l'avait reconduite chez elle, sans parler du fait qu'il l'avait sauvée, ainsi que toute sa famille, une semaine et demie plus tôt. Elle allait se montrer aimable. Dans le genre *simplement amis*. C'était la façon de traiter un garçon qui avait une petite amie.

Elle sut néanmoins l'instant où il entra. Elle leva la tête de sa table à ce moment, ses yeux attirés par Mateo comme par une force irrésistible. Peu importe la raison, il le sentit aussi. Leurs regards se croisèrent et, dans cette première seconde, elle fut incapable de respirer.

Elle détourna le regard et Mateo se dirigea rapidement vers sa table de laboratoire, où Elizabeth l'attendait.

Nadia ignora sa déception pour essayer de se concentrer... Pas sur la chimie, mais sur le pouvoir magique qu'elle sentait dans cette pièce. Sous la pièce.

«Quelque chose est enterré ici, pensa Nadia. Enterré profondément sous les fondations de l'école, alors il n'y a aucune chance que je découvre de quoi il s'agit.»

Quoi que ce fût, son pouvoir était presque surnaturel, un peu comme l'étrange barrière qu'ils avaient frappée en bordure de la ville. Une magie dont la vraie nature avait été tordue. Ce n'était pas un pouvoir que Nadia ou une autre sorcière pouvait maîtriser. C'était un pouvoir qui... vidait. Éliminait. Flétrissait. Un pouvoir qui voulait quelque chose qu'il n'avait pas.

Elle repensa encore au ciel gris et aux arbres morts de Captive's Sound. Était-ce la raison? La proximité de la ville de... cette chose, peu importe ce que c'était?

Et, bien sûr, s'il y avait quelque chose d'enterré, quelqu'un était responsable de cet enfouissement. Il y avait déjà eu des sorcières à Captive's Sound. Elles n'étaient certainement plus là, mais dans l'histoire de la ville, il avait dû y avoir des sorcières puissantes. Peut-être même un cercle.

Nadia se redressa sur sa chaise, soudainement stimulée.

« Cet endroit doit posséder une longue histoire de magie. J'ignore encore comment la découvrir, mais il doit y avoir un moyen et... C'est quelque chose que je pourrais apprendre, n'est-ce pas ? Quelque chose que je peux m'enseigner. »

C'était la première fois, depuis le départ de sa mère, que Nadia pensait à voler de ses propres ailes. Avant, l'idée de se former seule aux dernières étapes de la magie, les plus compliquées, avait toujours semblé impossible. Elle pensait toujours que ça l'était. Et pourtant... Même si elle ne parvenait pas jusqu'au bout, elle pouvait progresser.

Oui, il devait y avoir eu de nombreuses sorcières ici, et des sorcières douées, pour pouvoir maîtriser, capturer et enterrer quelque chose de si puissant et sombre...

Des sorcières, ou une enchanteresse.

Un frisson parcourut Nadia, mais elle se dit que c'était stupide. Il n'y avait eu que quelques enchanteresses dans l'histoire de la magie, qui remontait jusqu'à l'aube de la civilisation, à Uruk. Une enchanteresse était une sorcière qui brisait la Loi absolue. Elle était un paria, sans âme, pire que ce qui pouvait être décrit comme étant « maléfique » ou « diabolique » à cause de son dévouement total à la destruction.

Une enchanteresse prêtait serment au Très-Bas.

Une fois de plus, Nadia frissonna.

— Tu as froid ? murmura un grand garçon séduisant assis près d'elle.

Avant qu'elle ait le temps de répondre, il afficha un sourire suffisant.

— Ton beau t-shirt mince le montre bien. J'aime ça.

Dégoûtant.

— Étouffe-toi, grommela Nadia.

Elle serra ses bras autour d'elle-même et essaya, tardivement, de se concentrer sur le professeur de chimie, même sur le con ricanant à côté d'elle, sur tout, sauf la possibilité qu'il existe une enchanteresse et sur l'horrible pouvoir caché sous ses pieds.

Chapitre 5

Verlaine se plaqua contre le mur, où elle était cachée par les casiers, puis elle se demanda si elle semblait folle.

Bon, ce n'était pas comme si les gens de l'école risquaient de la détester encore plus si elle était folle. Tout le monde savait que Mateo Perez était une bombe à retardement pleine de folie, mais personne ne se pliait en quatre pour être cruel envers *lui*.

Elle était peut-être *vraiment* folle, mais il n'existait qu'un moyen de le découvrir.

En jetant un coup d'œil de derrière les casiers, Verlaine put de nouveau voir Nadia Caldani qui rangeait ses livres. Elle ressemblait à toutes les autres filles de l'école, se préparant à rentrer chez elle comme tout le monde. La seule chose qui ressortait vraiment était ses magnifiques cheveux. Verlaine baissa les yeux vers sa propre chevelure prématurément grise et soupira.

Allait-elle vraiment affronter Nadia au sujet de ce qui était arrivé ? Était-elle prête à se tenir debout et à avouer qu'elle croyait un truc aussi étrange ?

« Ma voiture a volé », pensa Verlaine en décidant de faire confiance à son instinct.

Alors qu'elle se précipitait dans la foule d'élèves remplissant le couloir, Nadia leva la tête et l'aperçut. À ce moment, elle se détourna de Verlaine, visiblement impatiente de s'enfuir, mais celle-ci accéléra le pas pour la rattraper.

Soudain, Jeremy Prasad apparut. Verlaine réagit de la même façon que chaque fois qu'elle le voyait : son cœur eut un mouvement furtif, semblant se retourner et se serrer en même temps. Ce n'était pas comme si elle aimait ce garçon : la personnalité de Jeremy défiait toute réaction autre que le mépris absolu. Mais, bon Dieu, son visage... ses épaules...

— Alors, c'est toi, la nouvelle, dit-il à Nadia, dont les yeux allaient de Verlaine à Jeremy comme si elle se sentait prise au piège. As-tu besoin que quelqu'un te fasse visiter ? On devrait être amis, tu sais. Les bénéfices... On en reparlera plus tard.

Voyant sa chance, Verlaine fonça.

— Désolée, Jeremy. Nadia et moi partions justement.

Elle passa son bras de façon possessive sous celui de Nadia, et cette dernière fut soit trop surprise pour résister, soit trop impatiente de s'éloigner du mielleux Jeremy Prasad.

— Tu traînes déjà avec les tarés ? demanda Jeremy à Nadia.

Il haussa les épaules et, bon sang, chaque mouvement de ses muscles était visible sous le t-shirt qu'il portait.

— Comme tu veux.

Alors qu'il s'éloignait, Nadia grommela :

— Qui est ce nul ?

— Jeremy Prasad ? C'est à peu près le roi de la montagne, ici, et il en est conscient. Avec une famille aussi riche et un tel visage, je suppose qu'il se dit qu'il peut draguer n'importe quelle fille, peu importe à quel point il est répugnant.

Verlaine détestait avoir dit quelque chose de gentil à son sujet.

— Ne va pas penser que je l'*aime* ou quelque chose du genre. J'aimerais seulement — parfois — qu'il soit possible de transposer l'âme de quelqu'un d'autre dans ce corps. Tu comprends?

— Ça serait une amélioration.

Nadia se raidit soudain et Verlaine sut qu'elle allait tenter de s'esquiver de nouveau. Elle devait peut-être la prendre de court.

— Aimes-tu le Piranha?

— Le Piranha… Ah! Est-ce le surnom que les gens donnent à madame Purdhy? Je peux comprendre. Ses dents…

Nadia grimaça pour représenter la mâchoire serrée de madame Purdhy. Elle semblait avoir décidé que parler de tout sauf des événements de la veille était une bonne idée… Comme si Verlaine allait oublier, tout simplement.

— Hé! j'aime ta robe.

— Ah… merci. Je suis contente qu'elle te plaise, dit Verlaine, sincèrement étonnée.

La plupart des habitants de Captive's Sound ne comprenaient pas le style rétro, mais cela voulait dire que Verlaine pouvait passer au peigne fin les friperies du coin et les magasins d'occasion sans devoir se battre pour les trésors qu'ils recelaient. Aujourd'hui, elle portait une robe mode des années 1960 ornée de carreaux blancs et noirs, précisément le genre de vêtement dont la plupart des gens se moquaient ici. Verlaine s'était dit que le ridicule ne la dérangeait plus, mais il était quand même reposant de trouver quelqu'un qui la comprenait.

Apparemment, Nadia pensait être hors de danger, parce qu'elle commença à se détendre.

— Les chaussures, en revanche, sont différentes.

— Je ne porte que des Converse.

Aujourd'hui, elles étaient noires.

— Les vraies chaussures d'époque coûtent cher et elles n'existent jamais dans des pointures assez grandes pour mes paquebots. En plus, si je portais des talons, je ne serais plus la troisième plus grande personne de l'école, mais la plus grande et oui, j'inclus tous les membres de l'équipe masculine de basket-ball.

Elles étaient maintenant dehors, dans la cour, loin des autres étudiants. Verlaine décida qu'il était temps de foncer.

— Alors, hier, qu'est-ce qui s'est passé ?

Nadia se retourna brusquement vers elle, trop surprise pour cacher son choc. Elle essaya quand même de se reprendre.

— De quoi parles-tu ?

— Hier soir, j'ai réduit le nombre de possibilités à trois.

Verlaine les compta sur ses doigts.

— Un, tu possèdes un genre de super pouvoir, mais tu essaies de le cacher parce que tu as une identité secrète ; il y a peut-être un lien avec la Ligue de justice, etc. Deux, c'est plus surnaturel ou occulte, par exemple de la magie. Trois, tu es une extraterrestre. Je sais, ça vaut ce que ça vaut, mais toutes ces possibilités semblent peu probables, même si ce sont les seules explications possibles. Alors, je ne peux pas exclure les extraterrestres. Si tu viens d'une autre planète, je veux te souhaiter la bienvenue sur Terre et, si tu possèdes un vaisseau spatial ou un faisceau de téléportation ou un truc du genre, tant que je peux toujours appeler mes pères de temps en temps, je suis prête à quitter cette planète pour tenter ma chance ailleurs.

Après un long moment pendant lequel elles se regardèrent, le cœur de Verlaine battant la chamade, Nadia soupira.

— Pas ici, d'accord?

— D'accord.

Un instant. Qu'est-ce que ça voulait dire... Elle avait raison? Ce qui s'était passé sortait vraiment de l'ordinaire? Le surnaturel était enfin devenu réel? *Oui.* Verlaine se retint difficilement de sauter dans les airs en criant.

Nadia balaya nerveusement les alentours du regard.

— Y a-t-il un endroit où on peut parler?

— Pas à l'école. Laisse-moi réfléchir... un endroit tranquille...

— Non. Un endroit bruyant, coupa Nadia, visiblement sûre d'elle. Les gens peuvent entendre par hasard dans les endroits tranquilles. Ça n'arrive jamais dans le vacarme. Ma mère... Ma mère préférait les discussions dans les centres commerciaux, ou à un match des Cubs, des endroits du genre.

Sa mère était une... peu importe ce qu'elle était... aussi? C'était de mieux en mieux. Et pour une fois, Verlaine était certaine de savoir quoi suggérer.

— Si tu veux du bruit, on devrait aller à La Catrina.

La Catrina était le seul restaurant mexicain en ville, ou du moins, le plus fréquenté. Même si Nadia n'avait pas encore goûté à la nourriture, elle pouvait comprendre pourquoi tout le monde venait ici : c'était sans aucun doute le premier endroit gai qu'elle voyait à Captive's Sound. Le restaurant était chaleureux et accueillant, décoré de métal gaufré au plafond, de murs ocre et d'une tonne de boiseries teintes en rouge foncé. Des sculptures aux couleurs vives étaient accrochées aux murs — toutes représentaient des squelettes, mais des squelettes joyeux qui souriaient, portant des sombreros ou des habits colorés, s'amusant visiblement comme des fous dans l'Au-delà.

Verlaine se pencha au-dessus de la table, commençant visiblement à digérer tout ce que Nadia lui avait raconté.

— Alors, tu ne ressembles pas à une sorcière, dit-elle avant de jeter un coup d'œil aux alentours, mais le bruit des rires, des conversations et de la musique du juke-box empêchait quiconque de les entendre. Ni aux vieilles sorcières vertes et pleines de verrues ni aux bombes sexuelles païennes et mystiques.

— Euh, merci, enfin je crois.

— Tu ne vas pas me recruter, n'est-ce pas ? Est-ce que c'est le genre de chose où tu découvres l'existence de la magie et ensuite tu en es prisonnière pour l'éternité ?

— Non. Je peux t'en parler, il n'y a aucun problème. Mais il faudrait vraiment que tu ne le dises à personne.

Il existait des sorts que Nadia aurait pu utiliser pour s'assurer que Verlaine ne dise rien, des sorts pour la réduire au silence ou la pousser à oublier, mais ces mesures étaient draconiennes. Jouer dans la tête d'une personne de cette façon était un sale boulot, quelque chose qu'il fallait faire en dernier recours.

— À qui pourrais-je en parler ? Personne ne me croirait, répondit simplement Verlaine avant de froncer les sourcils. Attends. Tu peux m'enseigner des sorts, pas vrai ? Sans que je prête serment à la magie pour l'éternité ou un truc du genre. Je dois vraiment insister sur la dernière partie.

— Il est trop tard pour que je t'enseigne, dit Nadia.

— Tu veux dire… trop tard aujourd'hui ?

— Je veux dire, trop tard pour toujours.

Nadia essaya de rendre les mots aussi doux que possible. Elle se demanda ce qu'elle ressentirait si elle découvrait que la magie existait, mais qu'elle en était exclue.

— Il faut commencer son apprentissage quand on est enfant. Ma mère a toujours dit que plus on commence tôt, mieux c'est. Et toutes les filles ne peuvent pas être des sorcières. Si la magie n'est pas transmise dans ta famille, tu n'as probablement pas les capacités de l'utiliser. Et même si c'était le cas, à ton âge tu aurais perdu ton potentiel.

— Oh, dit Verlaine en fronçant les sourcils. Alors, tu possèdes des pouvoirs, n'est-ce pas ?

— En gros, oui.

C'était la vérité. Pourquoi devrait-elle s'en excuser ?

— Et comment est-ce que je peux savoir que tu ne vas pas me transformer en triton ou autre chose ?

— Honnêtement, où vas-tu pêcher ces idées ? Écoute. La majorité de ce qui est dit sur les sorcières dans la culture populaire est ridicule. La magie que je pratique n'a pas non plus de lien avec la Wicca, qui est une religion à part entière. Je crois que l'Art que je pratique avait peut-être un lien avec la Wicca il y a très longtemps, mais les deux magies se sont séparées depuis. Et dans une forme de magie comme dans l'autre, on ne transforme pas les gens en tritons.

Verlaine ne sembla aucunement rassurée.

— Je ne parlais pas précisément de tritons. Je voulais dire qu'il est un peu bizarre de connaître quelqu'un qui a du pouvoir sur nous, un pouvoir qu'on ne peut pas comprendre.

Nadia haussa les épaules.

— Ouais. Ça déconcerte beaucoup de gens. C'est précisément pour ça qu'on essaie de garder le secret. Mais tu voulais savoir. Et maintenant, c'est le cas.

Après une pause gênante, Verlaine répondit.

— D'accord, pas de triton. Mais quel genre de truc est-ce que tu peux faire ?

Nadia eut l'impression qu'il était étrange — plus qu'étrange — de parler de ce sujet à une personne qui n'était pas une sorcière. Sa mère était la seule sorcière qu'elle avait bien connue : sa grand-mère avait pratiqué l'Art, bien entendu, et elle avait tout appris à sa mère, mais elle était morte quand Nadia avait huit ans, ne lui enseignant que la base. Toutes les sorcières n'étaient pas si isolées — certaines villes, grandes et petites, possédaient des communautés actives —, mais la mère de Nadia s'était limitée à son cercle secret de Chicago. Nadia n'avait jamais rencontré ses membres et elle n'avait pas espéré que cela arrive. En général, les femmes ne rencontraient les sorcières ne faisant pas partie de leur famille que lorsqu'elles étaient adultes et possédaient leur plein pouvoir. Et même s'il n'était pas interdit de dévoiler l'existence de la magie aux femmes qui ne la pratiquaient pas, c'était quelque chose qui devait rarement arriver… Ce que Nadia comprenait maintenant très bien.

« La discrétion est importante, disait toujours sa mère. Le secret est ce qui nous protège des ignorants et des gens haineux. Le secret est la première règle, et la plus importante. »

« Eh bien, maman a toujours dit qu'elle nous aimerait pour l'éternité, pensa Nadia férocement. Alors, je me fiche de ses règles. »

— La seule vraie limite sur ce qu'une sorcière peut faire est ce qu'elle connaît, expliqua Nadia. Enfin, ça et les Premières Lois, bien entendu.

— Quelles sont les lois? demanda Verlaine au moment où le serveur s'approchait de leur table.

— Bonjour et bienvenue à…, commença Mateo avant de s'interrompre quand il les reconnut et d'écarquiller les yeux en regardant Nadia, ce qui n'occasionna qu'une brève pause dans son baratin. La Catrina.

— Tu travailles ici? demanda Nadia, se sentant stupide dès que les mots furent sortis.

Il ne s'était pas approché de leur table vêtu d'un tablier noir pour essayer de lancer une nouvelle mode.

— C'est le restaurant de mon père. Je l'aide après les cours, les fins de semaine, ce genre de truc.

Mateo sortit son calepin de commandes et le fixa, comme s'il refusait de croiser son regard une seconde de plus.

— Qu'est-ce que je peux vous servir?

— Pas de repas, désolée. Mais peut-être de la salsa et des tortillas, proposa Verlaine avec entrain. Ah! et deux Margaritas sans alcool? Qu'en penses-tu, Nadia?

— D'accord.

Nadia ne détourna pas les yeux de Mateo, qui ne la regarda jamais.

— C'est noté, dit Mateo en griffonnant. Je vous apporte ça tout de suite.

Alors qu'il s'éloignait, Nadia dit :

— As-tu l'impression que Mateo, je ne sais pas, essayait de m'ignorer?

— Il m'ignore toujours. Ce qui fait de lui quelqu'un de gentil. Je veux dire qu'il n'a jamais été cruel avec moi.

Verlaine s'arrêta.

— Attends. Comment connais-tu Mateo ? Je croyais que tu venais d'arriver en ville.

— Je ne le connais pas vraiment, mais je l'ai rencontré quand... quand il m'a sortie d'un accident de voiture.

— *Quoi ?*

Nadia raconta l'histoire pendant que Verlaine la fixait du regard, bouche bée. Quand elle eut terminé, Verlaine parvint à dire :

— C'est *fou*.

— J'aimerais savoir pourquoi il a agi comme s'il me connaissait, ce soir-là, dit Nadia. Ou pourquoi il agit maintenant comme s'il voulait ne pas me connaître.

— Eh bien, c'est probablement parce qu'il est fou.

Nadia haussa les épaules avant de répondre.

— Comme tous les autres garçons ?

Ceux qu'elle aimait ne semblaient jamais être ceux qui l'aimaient.

— Non, je veux dire vraiment fou, répondit Verlaine en regardant par-dessus son épaule à la recherche de Mateo. Je ne voudrais pas le blesser. Comme je te l'ai expliqué, il a toujours été assez gentil pour me laisser tranquille. Mais sa mère était une Cabot, et tout le monde sait que les Cabot finissent par perdre la raison. C'est la malédiction familiale.

Nadia n'entendit pas ces mots ; elle les sentit. Elle les sentit littéralement comme un coup en plein ventre, comme si elle se trouvait sur une montagne russe qui commençait à descendre rapidement.

— Que viens-tu de dire ?

— Ils deviennent tous fous. Apparemment, c'est héréditaire ou quelque chose du genre. Ils vivent dans cette ville depuis le début des temps… Eh bien, les années 1600. Et ils deviennent fous depuis ce jour. Je me sens mal pour lui, mais ce n'est pas comme s'il pouvait modifier ses gènes.

Verlaine lança un coup d'œil vers le bar, où Mateo prenait un plateau de sodas pour une autre table.

— Pourquoi est-ce que ça arrive toujours aux gars séduisants ?

— La malédiction familiale, répéta Nadia.

C'était peut-être juste une expression, la version provinciale d'une légende urbaine. Pour le bien de Mateo, elle espérait que ce soit le cas.

Verlaine était manifestement prête à revenir à leur sujet.

— Alors, vas-y. Parle-moi des lois de la magie.

Nadia connaissait si bien les Premières Lois — elles lui avaient été si souvent répétées qu'elles faisaient partie d'elle — que les mots semblèrent sortir presque sans qu'elle y pense.

— La plus importante est qu'il ne faut jamais prêter serment au Très-Bas ou suivre ses ordres. Il ne faut pas non plus parler de l'Art à quiconque le trahirait. Il ne faut jamais parler de magie aux hommes. Il ne faut pas essayer de découvrir son propre futur. Il ne faut jamais avoir d'enfant avec le fils d'une autre sorcière. Il ne faut jamais commander la volonté d'une autre personne. Il ne faut jamais laisser un démon marcher parmi les mortels.

Elle chercha Mateo du regard en prononçant la dernière loi.

— Il ne faut jamais lancer de malédiction.

— Accepterais-tu d'échanger de table avec moi, Melanie ? Je t'échangerais la 8 contre la 18.

Melanie Sweeney, la serveuse en chef de La Catrina, regarda derrière Mateo avant de froncer les sourcils.

— La 18 est seulement occupée par 2 jeunes. Des filles. Mignonnes, en plus. Alors, pourquoi veux-tu servir les six cons de la table huit ? Attends, ne dis rien. Tu as demandé à l'une des deux filles de sortir avec toi et elle t'a rejeté.

— L'amour fait mal, répondit Mateo, ce qui s'approchait assez d'une réponse positive sans être un mensonge.

— Ne t'inquiète pas, mon grand, je m'occupe d'elles, dit Melanie en souriant. Mais tu ferais mieux d'apporter leurs empanadas à ces gars au plus vite.

Tout en se dirigeant rapidement vers la table huit, Mateo continua de penser à une seule chose : Nadia. Si ses rêves lui montraient le futur — et l'accident prouvait qu'ils étaient au moins partiellement vrais, n'est-ce pas ? —, alors le danger guettant Nadia était réel. Et peu importe ce que c'était, Mateo en faisait partie.

Mais son plan, celui de rester loin de Nadia pour son propre bien, était manifestement inutile. À quoi avait-il pensé ? Il habitait Captive's Sound, une ville grande comme une clé USB. Il voyait presque tous les habitants au moins une fois par semaine, et Nadia se trouvait dans son cours de chimie, alors il allait la voir presque tous les jours. Et maintenant, elle aimait la nourriture mexicaine… C'était fini. Il avait perdu.

Alors, que diable allait-il faire ?

Nadia le croirait-il s'il essayait de tout expliquer ? Ce ne serait pas le cas de la plupart des gens, même s'ils n'avaient pas grandi à Captive's Sound, convaincus que Mateo était condamné à devenir fou. Et même si elle le croyait, avait-il assez de connaissances pour la protéger ? S'il effrayait Nadia, s'il la convainquait que sa vie était en danger, mais qu'il ne pouvait empêcher la réalisation de ses cauchemars, ce serait pire que tout ce qu'il pouvait faire.

«Non, décida-t-il. Ce n'est pas la pire chose que je pourrais faire. La pire chose que je pourrais faire serait de ne pas agir.

» Il doit exister un moyen de la protéger sans lui parler des visions. Je peux… regarder de loin. La protéger du mieux que je peux sans la mettre en danger.

» Mais est-ce possible ? »

Alors qu'il essayait de tout résoudre, les occupants de la table huit décidèrent qu'ils voulaient tous des commandes compliquées — pas de haricots frits pour l'un, un supplément de guacamole pour un autre, etc. — et Mateo fut trop occupé pour faire quoi que ce soit d'autre que courir entre ses tables et la cuisine pendant la demi-heure qui suivit. Quand il put enfin regarder la table de Nadia, elle était partie, et Melanie nettoyait la table afin de la préparer pour les clients suivants.

D'accord, aucun problème. Elle était chez elle. L'endroit devait être sûr, n'est-ce pas ? Peut-être pas, par contre. Mateo n'avait pas examiné la maison d'assez près la dernière fois pour voir si elle ressemblait au cadre de l'un de ses rêves. Pourquoi n'y avait-il pas pensé ?

— Hé ! Mateo, dit Melanie en brandissant un téléphone cellulaire. Une des filles a oublié ça. As-tu le cœur trop brisé pour le lui rendre demain à l'école ?

— Je peux m'en occuper, répondit-il.

Il aurait peut-être l'occasion de protéger Nadia, après tout.

Nadia ne s'était jamais aperçue qu'il existait tant de questions au sujet de la magie. Elle ne pensait pas en avoir posé autant, même quand elle était petite. Il faut dire qu'elle avait grandi en côtoyant constamment les pouvoirs de sa mère, comprenant tant de principes de façon naturelle que les questions avaient été inutiles.

À l'opposé, Verlaine sentait le besoin de tout demander.

— Peux-tu voler ? demanda-t-elle alors que Nadia et elle remontaient la rue principale de Captive's Sound.

Nadia faisait de son mieux pour s'assurer qu'elle connaissait le chemin pour rentrer chez elle.

— Je ne veux pas dire sur un balai comme les membres de Gryffondor. Ce serait stupide. À moins que tu utilises vraiment des balais.

— Aucun balai, affirma Nadia. Je ne peux pas voler. Il existe des sorts, des sorts très compliqués, qui permettraient, je ne sais pas, de défier les lois de la physique pendant un moment. Un peu comme des versions améliorées de ce que j'ai fait à ta voiture. Mais je ne suis pas encore assez douée. Loin de là.

— Alors, ta mère était une sorcière ?

— Oui. C'est elle qui m'a enseigné.

— Va-t-elle être fâchée que tu m'en aies parlé ?

— Ma mère n'est plus présente dans nos vies. Elle a quitté mon père au printemps, et depuis, elle s'est plus ou moins débarrassée de Cole et moi.

Les faits étaient déjà assez durs, mais ils semblaient encore pires lorsqu'ils étaient mentionnés de cette façon.

Verlaine se mordit la lèvre, moins agressive que précédemment au cours de cet interminable interrogatoire.

— Je suis désolée. C'est vraiment nul. Je veux dire, je ne me souviens même pas de ma mère et de mon père, mais ç'aurait été pire de m'en rappeler et de les perdre. Du moins, c'est ce que je crois.

« Alors, en fait je ne suis pas la seule à en avoir bavé. »

Nadia eut l'impression d'être une abrutie.

— C'est nul de toute façon. Mais ça va. Nous sommes toujours là, n'est-ce pas ?

— C'est vrai.

— Et ici nous sommes à... trois pâtés de maisons de chez moi, si je tourne à gauche dans cette rue ?

— Exactement ! Félicitations. Tu as appris à naviguer parmi les trois mètres carrés de Captive's Sound. Une fois que tu connaîtras tous les ragots, personne ne pourra te distinguer des indigènes.

La seule rumeur que Nadia avait entendue — au sujet de Mateo Perez — lui revint à l'esprit. *La malédiction familiale.*

Une brise fraîche se leva, emmêlant les cheveux argentés de Verlaine, qui ressortaient déjà dans la pénombre du début de soirée. Après avoir passé la majeure partie de sa vie à Chicago, Nadia avait cru être à l'épreuve de l'hiver, mais le froid arrivait tôt, ici, et il la glaça jusqu'aux os.

— La ville a-t-elle toujours été comme ça ? demanda-t-elle lentement.

— Comme quoi ?

— Malade.

À ce moment, Nadia dit ce qu'elle pensait vraiment :

— Morte à l'intérieur.

Verlaine s'arrêta. Elles restèrent pendant un long moment sous l'un des lampadaires, les premières feuilles automnales glissant sur les trottoirs lézardés.

— J'ai toujours cru... Je me disais que c'était seulement parce que je détestais la ville. De la même façon qu'une foule de gens rêvent de quitter leur ville natale, tu sais ? Quand je regardais autour de moi et que je voyais seulement le mauvais côté de la ville, je pensais que c'était parce que j'étais de mauvaise humeur. Mais ce n'est pas le cas, n'est-ce pas ?

— Non. Ce n'est pas le cas.

— Alors, qu'est-ce qui se passe ?

— Je n'en suis pas sûre. Mais je pense qu'il y a un lien avec ce qui est enterré sous le laboratoire de chimie.

Quand elle vit Verlaine écarquiller les yeux, Nadia ajouta :

— Je n'en ai aucune idée. Tout ce que je sais, c'est que c'est sombre et étrange, et qu'une autre sorcière doit l'avoir enterré là il y a très longtemps. Ce pouvoir est assez sombre pour empoisonner la ville. Pour la vider.

Verlaine prit un moment pour assimiler cette information.

— Est-ce que c'est... dangereux ? Je veux dire, à part aspirer la vie de Captive's Sound, si on présume que la ville avait une vie au départ.

Étrangement, son teint fantomatique réussit à pâlir.

— Est-ce que ça peut empirer ? J'aurais pensé que c'était impossible, mais... Tu sais, les dolines...

— Je ne sais pas s'il y a un lien, dit Nadia.

En revanche, elle ne pouvait pas non plus affirmer le contraire. Était-il possible qu'elle soit arrivée au moment où les choses avaient empiré ? Au moment où la chose enterrée sous Captive's Sound était finalement... sortie ?

— Existe-t-il un sort qui nous permettrait de le découvrir ? demanda Verlaine en tapotant son cahier de notes, la nervosité émanant d'elle comme de l'électricité statique.

Nadia répondit lentement.

— On pourrait essayer de prédire le futur.

— Tu peux prédire le futur ? *Super*. Est-ce que je... Attends. Non. Tu ne peux pas voir le futur. C'était une des Premières Lois, n'est-ce pas ? Tu n'es pas censée le faire.

— Tu as une bonne mémoire. Oui, c'est l'une des lois. Mais il existe quelques moyens de la contourner.

Perdue dans ses pensées, Nadia essaya de se rappeler ce que sa mère avait dit au sujet de la possibilité de manipuler cette règle, de la contourner sans complètement l'enfreindre.

— Si j'essayais de voir mon propre futur, ou le tien, je briserais la loi et ça nous bousillerait psychologiquement, mais... Oublie ça. On pourrait prédire le futur de la *ville*. Voir ce qui arrive à Captive's Sound. C'est assez loin de nous pour être permis, et ça nous permettrait de voir si... Si quelque chose de sérieux est en marche ou si l'état de la ville est permanent. S'il n'évolue pas.

— C'est la dernière possibilité, connaissant ma chance, dit Verlaine. Rien ne change jamais, dans le coin.

Il existait des choses pires que l'absence de changement, se dit Nadia.

— Je ferais probablement mieux de lancer ce sort seule.

Verlaine fronça ses sourcils sombres et argentés quand elle grimaça.

— Ah ! voyons. Je sais que la magie existe, tu te rappelles ? Alors, pourquoi est-ce que je ne peux pas regarder ? Je veux voir ! Au moins quelque chose d'autre que des voitures volantes, même si c'était super.

— Tu ne devrais pas regarder parce que c'est dangereux.

Au grand étonnement de Nadia, Verlaine sourit.

— Sais-tu depuis quand j'attends qu'il m'arrive quelque chose d'intéressant ? Je me fiche de savoir si c'est dangereux. Je me fiche de ce que c'est. Je suis prête.

Chapitre 6

Le corbeau survola Captive's Sound, les ailes étendues. Ses yeux couverts de toiles d'araignée voyaient tout et rien à la fois.

Ils voyaient deux filles marchant ensemble dans la rue, l'une avec des cheveux noirs et l'autre avec des cheveux presque blancs; l'une petite et l'autre grande, même si elles n'étaient pas opposées. Pas séparées comme elles auraient dû l'être.

Ils voyaient les filles se diriger vers une grande maison peinte de la même couleur que le ciel d'aurore au printemps. De l'intérieur de cette maison émanait une force qui vacillait comme la lueur d'une chandelle, mais qui possédait le potentiel de se transformer en flamme.

Mais, plus que tout, les yeux voyaient les ondulations sombres dans la terre, qui traçaient des cercles sous chaque rue, chaque maison, chaque habitant de Captive's Sound. L'énergie bondissait et jetait des étincelles en touchant les profonds sillons de pouvoir qui se trouvaient sous la ville, mais ces sillons ne pouvaient empêcher la toile d'être tissée. Ils augmentaient seulement sa force.

Quelque chose d'autre regardait à travers les yeux volés du corbeau, enregistrant tout. L'oiseau poursuivit son vol, inconscient, esclave, aveugle.

— Est-ce que je peux partir, maintenant? demanda Mateo en mettant les derniers pichets dans le lave-vaisselle.

— Tu n'as pas passé l'aspirateur et je ne vois aucun poivron émincé dans le réfrigérateur, lui dit son père en croisant les bras. Que t'arrive-t-il? Tu essaies de partir depuis 20 minutes alors que tu sais que tu finis de travailler dans un quart d'heure. Ce n'est pas ton genre d'abandonner ton poste.

C'était le problème de travailler pour son père : non seulement il le jugeait aussi durement que tout autre patron, mais en prime, il voulait le psychanalyser.

Et le père de Mateo était la dernière personne à laquelle il pouvait parler de ce qui arrivait.

Au moins, il avait une raison de vouloir partir que son père pourrait comprendre.

— Une cliente a oublié son téléphone cellulaire. Une fille de l'école que je connais. Je voulais le lui ramener chez elle.

— Ah! Il y a une femme dans l'histoire. J'aurais dû m'en douter.

— *Papa*. Elle a vraiment oublié son téléphone. Tu vois?

Mateo le brandit pour prouver ses dires.

— C'est pour ça qu'on a une boîte d'objets trouvés, répondit son père, qui semblait surtout amusé. Il était temps qu'une fille attire ton attention.

Mateo se dirigea vers le couteau et les poivrons. Plus vite il finirait ses tâches, plus vite il pourrait fuir son travail et l'interrogatoire.

— Et moi qui pensais que tu allais passer ta vie à sortir avec plusieurs filles, reprit son père tout en continuant à remuer la *sopa Azteca*. Pas qu'un beau gars dans ton genre ne devrait pas s'amuser, hum? Mais la vie ne se résume pas à ça.

Les filles étaient prêtes à «jouer», oui. Mateo l'avait découvert assez tôt. Elles étaient attirées par lui, elles flirtaient avec lui. Lors de soirées, elles allaient parfois le trouver, l'embrassant juste assez longtemps pour que Mateo commence à espérer que les choses changent enfin. Mais c'était tout. Les filles de Captive's Sound pensaient qu'il était *dangereux*. L'embrasser, le laisser les toucher, tout cela était quelque chose qu'elles faisaient pour avoir une poussée d'adrénaline. Aucune n'était assez téméraire pour rester avec lui, pour éprouver des sentiments. Après un feu de camp sur la plage au début de l'été, quand il s'était aperçu qu'une fille en particulier était sortie avec lui seulement parce que ses amies lui avaient lancé un défi, Mateo avait décidé de ne plus tenter sa chance.

— J'ai passé mon temps à être célibataire, dit son père.

«Ah! Super.»

Mateo pria pour ne pas vomir sur les poivrons.

Mais son père n'allait pas se mettre à raconter des histoires de sa super vie de célibataire. Non, c'était pire.

— La première semaine où je suis arrivé à Captive's Sound — le jour où j'ai rencontré ta mère — tout a changé. Elle était si belle. Si seule. Dans cette satanée ville, personne ne lui avait jamais donné de chance.

L'amertume imprégnait maintenant sa voix. C'était souvent le cas quand ils parlaient de la mère de Mateo.

— Les gens disaient qu'elle était folle. Ils l'ont *rendue* folle, avec leurs stupides histoires de malédiction. C'est ce qui l'a tuée, Mateo. En ce qui me concerne, toutes les commères de cette ville ont son sang sur leurs mains.

C'était le moment du discours où Mateo articulait silencieusement les derniers mots en même temps que son père les prononçait : « sang sur leurs mains ».

Aujourd'hui, toutefois, sachant quels rêves sa mère avait faits, se souvenant du visage défiguré de sa grand-mère, le sang semblait beaucoup trop réel.

Nadia avait espéré que Verlaine et elle puissent se rendre au grenier sans être vues, mais le fait que son père travaille de la maison avait un inconvénient.

— Eh bien, à qui ai-je l'honneur ?

Il sourit en se levant derrière son bureau. Des piles de feuilles étaient déjà éparpillées autour de lui, comme s'il construisait un nid. Dans une semaine, le chaos serait complet.

— Verlaine Laughton, se présenta Verlaine.

Rencontrer le père de Nadia ne semblait pas la déranger. Son habituelle attitude défensive avait disparu.

— Nadia et moi allons à l'école ensemble. Merci de me recevoir. Cette maison est fantastique. Elle a, quoi, 100 ans ?

— Cent quinze, selon l'agent immobilier. As-tu dit que tu t'appelais…

— Verlaine.

Elle était apparemment habituée à répéter son prénom.

— Une de mes grands-mères s'appelait Vera, l'autre s'appelait Elaine, alors mes parents ont fusionné les noms, expliqua-t-elle avant que son expression joyeuse ne s'assombrisse. J'aime me dire qu'ils auraient choisi autre chose s'ils avaient su que Verlaine était aussi le nom d'un célèbre poète mort de la syphilis il y a longtemps. Du moins, je l'espère.

— Au moins, c'est original.

Le père de Nadia rit, même s'il était visiblement distrait. Nadia voyait bien qu'elle devrait lui rappeler le nom de Verlaine.

— Nous allons en haut, d'accord, papa ?

Nadia fit rapidement sortir Verlaine de la pièce, aussi doucement que possible. De son côté, son père se remit à travailler. Quand il se plongeait dans des questions juridiques, il ne resurgissait généralement pas avant des heures. Quant à Cole, il avait détourné les yeux de la chaîne Disney juste assez longtemps pour faire un signe de la main.

Verlaine suivit Nadia jusqu'au grenier, visiblement méfiante, mais une fois arrivée, sa réaction fut presque déçue.

— Je croyais que ça serait, tu sais, effrayant et mystérieux.

— Désolée de te décevoir.

Nadia déposa son sac d'école dans un coin. Elle avait déjà installé quelques tables pliantes. Un de ces jours, vers la fin du mois, elle irait faire les poubelles pour essayer de trouver quelque chose de plus solide pour les remplacer. Tous ses ingrédients étaient rangés dans des éprouvettes et des flacons qu'elle avait commandés dans des catalogues de matériel médical. Il y avait aussi quelques pots d'apothicaire qui appartenaient à sa famille depuis longtemps et que sa mère avait laissés lors de son départ, probablement par accident. Son Livre des ombres finirait peut-être par avoir un aspect mystique : apparemment, en acquérant du pouvoir, il pouvait changer d'apparence, devenir presque vivant. Mais pour le moment, le sien ressemblait à un simple journal en cuir posé sur un appui de fenêtre.

Tout dans la pièce n'était pas dédié nécessairement à la science : Nadia avait des coussins surdimensionnés sur lesquels s'asseoir, le plafond bleu de protection ressemblait à un ciel sans nuage, et il y avait aussi une réserve secrète de chocolat. Certains objets et ingrédients pouvaient conduire et concentrer la magie et, étrangement, merveilleusement, le chocolat était l'un des meilleurs.

— Alors, tu dois bien écouter ce qui suit, d'accord ? dit Nadia en lançant une mini barre chocolatée à Verlaine. Réfléchis bien avant de dire que tu veux rester. C'est sérieux.

— Qu'est-ce qui est sérieux ? demanda Verlaine, la bouche pleine de chocolat.

— Si tu es présente quand je lance un sort prophétique — et je dois admettre que je ne l'ai encore jamais fait —, il est possible que tu fasses plus que simplement me regarder. La magie pourrait... te changer. Nous changer. Tu pourrais devenir mon Alliée.

Verlaine s'approcha.

— Qu'est-ce qu'une Alliée ? Ça semble important.

— C'est le cas.

Nadia devait tout passer en revue pour s'assurer que Verlaine ait une chance de savoir dans quoi elle s'embarquait.

— Une Alliée est une femme qui n'est pas une sorcière, mais qui possède le pouvoir de rehausser les pouvoirs d'une sorcière par sa présence. Une Alliée ne possède aucun pouvoir magique, mais elle amplifie la magie des autres personnes. Et je parle de tout le monde, de toutes les sorcières à proximité de l'Alliée, qu'elles connaissent son existence ou non, mais l'effet est beaucoup plus puissant pour la sorcière à laquelle elle est liée.

— Ouah.

Le visage de Verlaine s'illumina et Nadia sut que ses explications n'étaient pas assez claires.

— C'est fantastique. Plus que fantastique. As-tu, genre, des douzaines d'Alliées ?

— Quoi ? Non. Jamais. On peut seulement en avoir une, et c'est quelque chose de très sérieux. Une sorcière et son Alliée sont liées très profondément. Très souvent, c'est la sœur d'une sorcière qui ne possède pas de dons, ou sa fille. Quelqu'un qui sera toujours là, quoi qu'il arrive.

C'était fou de prendre un tel risque pour quelqu'un qu'elle connaissait seulement depuis quelques jours. Bien entendu, ce n'était pas un gros risque. Certaines sorcières pouvaient lancer des sorts prophétiques des dizaines de fois en compagnie de leurs amies proches, espérant créer un lien d'Alliée sans que cela se produise.

Mais sa mère lui avait toujours dit : «Tu ne sais jamais. Quand tu t'ouvres à la magie prophétique, tu t'ouvres aux forces primitives de l'univers. C'est imprévisible, dangereux, et ton âme s'étire, comme si tu jetais une ancre dans un port en pleine tempête...»

Mais Nadia n'avait pas besoin d'une ancre. Elle n'avait pas besoin de Verlaine, elle n'avait besoin de personne. D'accord, de son père et de Cole, oui... Mais c'était surtout eux qui avaient besoin d'elle.

— Que veux-tu dire par rehausser tes pouvoirs ? demanda Verlaine en attrapant quelques barres chocolatées.

— Ça veut dire que si je lance un sort quand mon Alliée se trouve à proximité, celui-ci sera plus fort. Plus efficace. Il durera plus longtemps. La présence de cette personne me permettrait de lancer des sorts qui, autrement, seraient hors de ma portée pour le moment. De plus, je progresserai probablement plus vite si nous passons suffisamment de temps ensemble, expliqua Nadia avant d'inspirer profondément. Alors, pour moi, ça n'apporte que du positif. Pour l'Alliée, ce n'est pas le cas. Les Alliées peuvent voir la magie d'une façon qui m'est inaccessible — d'une façon unique. Apparemment, ça peut être, eh bien, dérangeant.

Nadia soupira.

— Ça n'arrivera probablement pas avec toi. Sérieusement. On vient de se rencontrer.

— On ne sait jamais. Je n'ai vraiment pas de chance, alors si c'est vraiment dangereux et mauvais, je parie que je vais réussir du premier coup.

Même si Verlaine plaisantait, Nadia perçut un changement dans son expression quand elle pensa sérieusement aux possibilités.

— Comment de temps est-ce que ça dure? Quand on devient une Alliée.

— Jusqu'à ce que la sorcière ou son Alliée y mette un terme, ou meure. Donc, avec un peu de chance, longtemps. Et le lien est à son plus fort lorsqu'il est nouveau; il serait donc très difficile de le briser dans les premières années.

Ce serait peut-être difficile même après 10 ans. Ou davantage. C'était un des éléments sur lesquels sa mère ne s'était pas étendue.

La partie concernant les Alliées sur laquelle la mère de Nadia avait insisté était le fait que la personne devait compter aux yeux de la sorcière. Profondément. Le pouvoir que l'Alliée donnait à une sorcière était proportionnel à la capacité d'amour et de loyauté entre elles. C'était un lien plus profond que tout autre, aussi durable que le lien entre les parents et leurs enfants…

Alors, peut-être pas si profond…

— Ça ne va pas nous arriver, affirma Nadia, essayant d'ignorer la colère soudaine qu'elle ressentait. Alors, oublie ça. N'y pense plus. Ne sois pas effrayée.

Verlaine était passée de l'excitation à l'idée d'être une Alliée au soulagement que ce soit improbable.

— D'accord, je comprends, tu ne faisais que… me tenir le discours « en cas d'urgence ». Comme en avion. Ils indiquent toujours où se trouvent les gilets de sauvetage et montrent comment mettre *calmement* les masques à oxygène, comme si, en voyant ces masques tomber du plafond de l'avion, on ne crierait pas tous au meurtre.

Nadia ne put réprimer un rire.

— Oui, c'est ça.

Elle fit des signes avec ses mains ouvertes, comme les hôtesses de l'air.

— La sortie d'urgence se trouve dans cette direction.

— Je comprends. D'accord, alors… Montre-moi ce que tu sais faire.

Nadia n'avait plus qu'à commencer le sort.

Elle alla chercher son Livre des ombres parce qu'elle avait besoin des instructions pour un sort prophétique. Il devait être assez impressionnant de la voir éparpiller un cercle de poudre grisâtre sur le plancher. La flamme purifiante le serait encore plus : elle était violette et flottait légèrement au-dessus de la poudre, brillant avec éclat.

— Qu'est-ce que c'est ? murmura Verlaine.

— Une flamme purificatrice.

— Qu'est-ce qu'elle purifie ?

— L'air. Et l'os.

— L'os ?

Nadia indiqua la poudre sur le plancher.

— On peut en acheter dans certains magasins de jardinage.

— Beurk. Euh, sans vouloir t'offenser.

— Ça va. Il y a beaucoup de truc un peu dégoûtants dans la magie.

La flamme purificatrice commença à agir. La poudre d'os ne changea pas d'aspect, mais la lumière de la pièce sembla disparaître. En fait, elle fut attirée par la flamme violette, qui s'agrandit, devenant plus brillante, entourée de nouvelles langues de feu. C'était maintenant un brasier qui illuminait les deux filles. Nadia s'assit en face de Verlaine, qui s'aperçut que le moment approchait.

— Nous sommes presque prêtes, dit Nadia. Les sorts sont généralement lancés en silence. Il est possible de prononcer les sorts à voix haute si on doit vraiment se maîtriser, mais ça fonctionne souvent mieux quand on se concentre sur soi-même. Alors, je vais lancer le sort sans parler. D'accord ?

— D'accord, dit Verlaine avant d'hésiter. Si je deviens ton Alliée, comment est-ce que je vais le savoir ?

— Tu ne seras pas mon Alliée. J'en suis sûre à, disons, 99 %.

— OK, mais au cas où on atterrirait sur l'eau, indique-moi où se trouve mon gilet de sauvetage.

Nadia ne put réprimer un sourire.

— Il y aurait un… flamboiement. Une poussée de la flamme. Et tu commencerais à le sentir peu de temps après.

— D'accord.

Verlaine se redressa, visiblement prête. Nadia espéra qu'elle l'était aussi.

Elle regarda les yeux noisette de Verlaine et ferma les doigts autour de la breloque en argent de son bracelet avant de commencer à penser aux ingrédients du sort de divination.

La vue d'une chose merveilleuse, jamais vue auparavant.
La rupture d'un lien qui n'aurait jamais dû se briser.
Un froid qui dépasse le désespoir.
Une loyauté qui dépasse la vie.

C'était principalement des ingrédients puissants. Nadia prit conscience qu'elle n'aurait pas eu la chance, avant ce moment, de lancer ce sort. Elle rassembla ses souvenirs en y pensant, les revivant aussi fort que possible :

La première fois où elle avait vu Cole, alors qu'il était encore dans le ventre de sa mère, la seule fois où ses parents l'avaient laissée les accompagner à l'échographie, puis toutes les discussions ennuyantes sur ce petit frère qu'elle ne voulait pas vraiment étaient devenues réelles, Cole était devenu réel, son frère lui faisant presque signe avant même de naître.

Sa mère, debout devant la porte, une valise à côté d'elle, lui disant : « C'est mieux comme ça. » La vue horrible de son père, les larmes l'empêchant de parler.

Chicago, l'année de l'« orage de neige », quand le vent avait été aussi fort que lors d'un ouragan, qu'il était tombé 60 centimètres de neige au milieu des éclairs et que Nadia avait ouvert la porte du balcon pour sentir la fureur de la tempête, le vent l'emportant presque…

Son père, le soir de l'accident, rampant à travers le métal tordu et le verre brisé pour atteindre Cole, n'hésitant pas malgré ses côtes fracturées et la douleur immense qu'il devait ressentir…

La magie tourbillonna en elle. Ondula autour d'elle. Nadia traça une ligne dans le reste de la poudre d'os et imagina Captive's Sound — chaque rue qu'elle avait vue, chaque moment passé là —, recréant l'endroit aussi bien que possible dans son esprit, exigeant que le destin lui montre ce qui allait arriver.

Elle écarquilla les yeux quand la poudre d'os s'obscurcit, commençant à émettre une chaleur surnaturelle qui brûla sa main tendue…

La porte du grenier s'ouvrit.

— Nadia ?

Surprise, elle se tourna et vit la tête de Mateo apparaître dans son grenier.

La flamme violette flamboya… et disparut. Immédiatement, la lumière de la pièce sembla normale ; la magie que Nadia avait sentie avait disparu… quelque part. La poudre d'os n'était plus que du magma noir sur le plancher. Verlaine recula en sursautant, ne sachant visiblement pas quoi faire.

Mateo fronça les sourcils.

— Ouah. Qu'est-ce que c'était ?

— Qu'est-ce que c'était que quoi ? demanda Nadia trop rapidement.

Elle plaça une mèche de cheveux derrière son oreille avant de jeter un coup d'œil à la pile de poudre d'os sur le plancher, se déplaçant légèrement pour essayer que Mateo ne la voie pas. Donnait-elle l'impression d'agir bizarrement ? Probablement.

— Désolé de l'intrusion. Ton père a dit que ce n'était pas un problème.

Mais Mateo resta concentré sur ce qu'il avait vu.

— Ce que je voulais dire, c'est qu'est-ce que c'était, la… lumière mauve et toutes les étincelles ?

Verlaine réussit beaucoup mieux que Nadia à agir de façon naturelle.

— Quelle lumière mauve?

Il fit une pause avant de hausser les épaules.

— Je suppose que c'était quelque chose comme… Tu sais, le couloir est sombre et j'arrive ici…

— Comme quand on voit des points rouges après le flash d'un appareil photo, concorda Nadia. Absolument. Ça m'arrive tout le temps. Au fait… Que fais-tu ici?

La question semblait-elle froide? Nadia espéra que ce n'était pas le cas. Mais c'était une bonne question.

— Est-ce que tu reconnais ceci? demanda Mateo en levant un téléphone cellulaire identique au sien…

«Un moment.»

— Je ne l'ai jamais sorti de mon sac à dos! protesta Nadia en allant chercher celui-ci pour prouver ses dires.

À ce moment, elle découvrit un nouveau trou dans la poche de côté.

— Ah! super. Oh là là! Je suis contente qu'il soit tombé à La Catrina et pas sur le bord de la route ou quelque chose du genre.

Nadia lança un regard en coin à Mateo en rougissant — peut-être à cause de la gêne, du choc d'avoir presque été prise sur le fait, de la présence de Mateo, ou pour une dizaine d'autres raisons.

— Merci.

Il sourit de façon gênée.

— Bon. Je devrais y aller. Il est tard. J'ai dit à mon père que je serais de retour pour l'aider à fermer. Mais on devrait, euh, parler un jour. Ouais. OK?

Mateo semblait si gêné, mais complètement différent des gars de l'école qui ignoraient comment inviter une fille à sortir. Son hésitation cachait autre chose, quelque chose de lourd. Nadia pouvait sentir la barrière qu'il dressait entre le monde et lui-même, et la difficulté qu'il éprouvait à la franchir. Et ses yeux contenaient quelque chose... Quelque chose de perdu, de pourchassé.

Quelque chose qu'elle ne comprendrait pas ce soir, alors elle ferait peut-être mieux d'arrêter de fixer Mateo.

— Absolument. On parlera. À un de ces jours, dit Nadia.

L'instant d'après, Mateo avait disparu, descendant l'échelle du grenier, et la porte se referma sur lui.

— Avez-vous généralement cet effet l'un sur l'autre ? demanda Verlaine.

— Quel effet ?

— Tu sais... les grands yeux de biche, l'air timide, un peu mièvre...

— Ce n'était pas mièvre, protesta Nadia en se rasseyant à côté de Verlaine. Attends. Penses-tu que Mateo était, euh, mièvre ?

— On le découvrira plus tard, dit impatiemment Verlaine. La flamme a absolument flamboyé. Complètement. Tu l'as vue, n'est-ce pas ? Est-ce que je suis ton Alliée, maintenant ?

— Je... ne sais pas. J'en doute.

Mais Verlaine avait raison : Nadia avait vu le flamboiement de ses propres yeux.

— Est-ce que je ne serais pas censée le sentir ? Je ne me sens pas différente.

Nadia haussa les épaules.

— On va devoir vérifier pour en être sûres.

Quelque chose de simple et rapide serait idéal. Rallumer la flamme purificatrice, peut-être ? Nadia prit une pincée de poudre d'os, qui était encore chaude. Les os avaient un certain côté graisseux qui les distinguait du sable et des cendres, un rappel que c'était une ancienne substance vivante.

Si Verlaine était son Alliée, même si c'était tout nouveau, alors la flamme allait flamboyer immédiatement, plus fort que jamais auparavant. Nadia claqua des doigts, sentant l'os s'effriter et étinceler…

Mais elle obtint seulement une étincelle.

— La flamme ne s'est pas rallumée, dit-elle. On va devoir réessayer.

Verlaine secoua la tête, paniquant soudain.

— Et si ça a fonctionné, mais que ton Allié est Mateo Perez ?

— Impossible.

— Comment peux-tu en être sûre ? Il est arrivé juste au moment où la flamme a fait du bruit avant de flamboyer. Il pourrait maintenant être ton Allié !

Nadia secoua la tête.

— C'est impossible. Aucun homme ne peut être un Allié et aucun homme ne peut posséder de pouvoirs. Ils ne voient pas la magie, aucun d'eux ne le peut.

— Aucun ? demanda Verlaine, ne semblant pas convaincue. Tu ne peux pas en être sûre.

— Je peux en être absolument sûre, et toi aussi. C'est l'une des vérités universelles de la sorcellerie. C'est le cas depuis que les sorcières existent, donc depuis le début de l'histoire humaine. Aucun homme. Aucun. Jamais. Certaines personnes disent que c'est parce qu'une sorcière est devenue maléfique et qu'elle les a maudits au début de la civilisation, mais ce serait une malédiction puissante. Il existe une foule de théories. Mais les vieux livres indiquent tous qu'« aucun homme né d'une femme » ne peut connaître l'existence de la magie ou l'utiliser. Et c'est vrai.

Verlaine fronça les sourcils.

— Et ce n'est pas sexiste ? Tu sais, comme du sexisme inversé ?

— Je ne sais pas et je m'en fiche. Nous avons de plus gros problèmes, d'accord ?

Nadia garda les yeux baissés vers les taches noires et huileuses sur ses doigts.

— Le sort.

— Ah oui ! c'est vrai. Tu as vu le destin de Captive's Sound et... Ton expression n'est pas rassurante.

Nadia secoua lentement la tête.

— Je dirais que c'est une mauvaise expression. Très mauvaise.

Verlaine commença à tourner l'extrémité de ses longs cheveux argentés entre ses doigts, ses ongles tirant sur un petit nœud.

— Mais... Tu n'as vu grand-chose. Tu n'en as pas eu l'occasion. Tout est devenu noir, c'est tout.

— C'est devenu noir, confirma Nadia. Rien de plus. Ça veut dire que c'est la seule chose qui attend cette ville.

Verlaine écarquilla les yeux.

— Ce qui est mauvais.

— Ce qui veut dire la *destruction*. Complète, totale.

Nadia baissa les yeux vers la suie huileuse et noire sur sa main, qui était tout ce qui resterait de Captive's Sound quand tout serait terminé.

— Je ne sais pas quand ça arrivera. Et je ne sais pas pourquoi. Mais ça arrivera.

Impatient de terminer son travail du jour, Mateo ferma un sac-poubelle dans la cuisine de La Catrina avant de sortir dans la ruelle.

Il écarquilla les yeux et le sac-poubelle lui glissa des mains, atterrissant sur l'asphalte dans un craquement.

Mateo ne pouvait y prêter attention, pas plus qu'à quoi que ce soit d'autre, hormis le fait que le monde était apparemment devenu fou.

Chapitre 7

Mateo regardait quelque chose qui ne venait pas de cette Terre.

Il n'aurait pu dire ce que c'était. Le premier mot qui vint à son esprit sidéré fut « bœuf », et le deuxième fut « loup », mais cela ressemblait aussi à un homme. Alors que la bête était accroupie sur l'asphalte humide de la ruelle, elle leva sa grosse tête cornue. Ses yeux, dans lesquels brûlait une flamme blanche, observèrent Mateo — regardant à travers lui — et il sentit un froid si intense qu'il fut convaincu qu'il allait geler. Même si la bête se trouvait dans l'ombre, Mateo put voir sa fourrure se hérisser.

Avant qu'il puisse faire ou dire quoi que ce soit, la chose… disparut. C'était la seule façon dont Mateo pouvait décrire la façon dont elle passa d'un état solide à transparent avant de disparaître.

Cinq secondes plus tard, Mateo se retrouva seul dans la ruelle totalement silencieuse à part le bruit d'une boîte de conserve roulant sur la chaussée dans la brise du soir. La lumière vive du lampadaire se trouvant à proximité jetait ses grandes ombres habituelles. Il n'avait pas pensé à vérifier si la créature cornue possédait une ombre.

Mateo rentra dans La Catrina, ferma la porte arrière et s'appuya dessus.

« Je ne suis pas fou. Je ne le suis pas. »

Facile à dire. Difficile à croire, étant donné qu'il venait de voir un monstre qui s'était volatilisé d'une manière que Mateo associait aux films de science-fiction, et non à la réalité.

Mais peu importe ce qu'il avait vu, cela n'avait pas *ressemblé* à l'un de ses rêves. Il était réveillé. Conscient. Il n'avait eu aucune vision du futur, fait aucun cauchemar. La créature avait été solide. Très proche.

« Sauf quand elle a disparu, se dit-il. Allons. Ça ne pouvait pas être vrai. »

Il tourna rapidement son attention sur ses dernières corvées du soir à La Catrina. S'il se concentrait sur son travail, il ne penserait pas à ce qu'il avait vu. Ou pas vu. Il pourrait même l'oublier.

Une fois ses tâches enfin terminées, Mateo plia son tablier et se dépêcha de se rendre à sa moto. En cet instant, il voulait seulement rentrer chez lui. Il ne revit pas la créature cornue. Au début, il se dit que, quel que fût l'événement étrange s'étant passé dans son cerveau, c'était terminé.

Mais les choses ne revinrent pas à la normale.

Quelque chose avait… changé, à Captive's Sound.

Quand il leva les yeux, il eut l'impression qu'une pellicule se trouvait entre les étoiles et lui, comme une fenêtre sale entre la ville et le ciel. Et il crut apercevoir une profonde ligne noire au sol, suivant la route à perte de vue dans les deux sens. Mateo aurait voulu dire que c'était une ligne de fracture, mais elle était à la fois visible et invisible. Il étira un pied vers elle, une sorte d'essai, mais la route semblait parfaitement lisse sous ses pieds. Il ressentait malgré tout une sensation étrange, un peu comme une vibration, qui provenait de cette ligne.

Un chat errant lui cracha dessus avant de s'enfuir. Mateo laissait souvent du lait ou des restes de tacos au poisson à l'extérieur du restaurant à la fin de la journée. Les chats errants le connaissaient, s'enroulant parfois autour de ses jambes de façon si affectueuse qu'il devait les chasser avant de pouvoir enfourcher sa moto. Est-ce que même les chats pouvaient voir que quelque chose clochait chez lui ?

« Est-ce que ça ressemble à ça ? Le début de la folie ? »

Mateo enfila son casque, enfourcha la moto et démarra le moteur. Il devait rentrer chez lui. Une fois à la maison, il se sentirait mieux. Il le fallait.

Le retour fut encore plus étrange que ce qui avait précédé. Plus il roulait dans Captive's Sound, pires étaient les choses. Les étranges lignes dans la chaussée… Elles étaient partout et il dut se rappeler de se concentrer sur la circulation, pas sur le sol, pour ne pas avoir d'accident. Et certaines maisons étaient entourées d'une étrange lumière diluée, comme si elles fondaient. Mateo avait l'impression de se trouver au cœur d'une toile de Van Gogh : des couleurs trop vives, une perspective faussée, et l'impression que tout était brisé en morceaux.

Mais c'était en cours d'histoire de l'art que Mateo s'était mis à aimer Van Gogh. Van Gogh était magnifique. Captive's Sound était grotesque.

« Tout a commencé chez Nadia. »

Mateo se rappela de nouveau ce qu'il avait vu dans le grenier : une sorte d'éclair, un éclair de lumière mauve entouré d'étincelles rouges, puis un incroyable frisson au moment où il avait croisé le regard de Nadia. Mais le frisson... Eh bien, c'était seulement à cause des yeux sombres de Nadia. La lumière, en revanche...

«Sérieusement, qu'est-ce que la lumière mauve aurait à voir avec tout ça? Pourquoi est-ce que tu te sentirais aussi bizarre à cause d'elle? Soit tu deviens fou, soit tu couves une grippe. Ou alors tu deviens fou *et* tu vas avoir la grippe pour ajouter au plaisir.»

Il réussit miraculeusement à rentrer chez lui, se garant devant la maison au moment où il ne pouvait plus supporter ce qu'il voyait. L'océan rugit dans ses oreilles. Ou était-ce son sang martelant ses tempes? Son cœur battait la chamade, il transpirait, tout cela à cause d'une surcharge d'adrénaline.

Au moins, son père n'était pas encore à la maison. Mateo claqua la porte derrière lui et tituba jusqu'à la salle de bain pour s'asperger le visage d'eau froide. Ce n'était pas grand-chose, mais cela sembla l'aider.

Du moins jusqu'à ce qu'il se relève et regarde dans le miroir.

Son visage n'avait pas changé, mais autour... Mateo aurait appelé ce qu'il voyait une auréole, sauf qu'elle était sombre au lieu d'être claire. À l'intérieur de l'objet, des formes tournoyaient, trop embrouillées et indéfinies pour les identifier, même si son esprit lui souffla des suggestions. «Des serpents. Du verre brisé. Des ronces.»

L'eau dégoulinant de son front et de son menton, Mateo leva ses mains tremblantes pour essayer de toucher l'auréole. Aurait-elle la même texture que la vase? Que des lames de rasoir? Ça ne pouvait être rien de bon; ça devait faire mal, mais, d'une façon ou d'une autre, il devait se prouver que l'auréole était vraiment là.

Ses mains passèrent à travers la forme. Mateo sentit un léger froid sur ses doigts, mais rien d'autre.

Dans son reflet, il vit l'auréole tourner autour de ses doigts, semblant y coller comme du goudron.

Mateo s'enfuit de la salle de bain et de sa maison, descendant précipitamment la colline rocheuse qui reliait leur jardin à la plage. Du sable graveleux fut entraîné par ses bottes quand il trébucha vers l'océan, vers la vaste pénombre où rien n'avait changé, où rien n'était malade, et où tout était encore sensé.

« Est-ce que c'est ce que tu as fait, maman ? Est-ce pour ça que tu as décidé de te noyer ? Est-ce le dernier endroit où tu pouvais trouver la paix ? »

Mais les vagues ne restèrent pas longtemps sombres. Au loin, à proximité du phare, un faisceau lumineux sortit de l'eau comme un projecteur dirigé vers les étoiles. Il brillait d'un vert pâle et vif, plus stable que la normale pour un objet se trouvant sous l'océan.

Mateo serra les bras autour de son corps pour ne pas avoir froid et regarda l'étrange lumière, essayant de ne pas vomir. La peur qui le hantait depuis le début des rêves l'enserra comme un rapace saisit sa proie, et il eut l'impression d'être paralysé. Il se dit d'un air hébété qu'il devrait appeler Elizabeth — un des rares numéros sauvegardés dans son téléphone, et celui qu'il composait le plus souvent. Elle saurait quoi faire. Elle le savait toujours.

Mais Elizabeth croyait toujours qu'il était sain d'esprit, et il ne pouvait supporter l'idée qu'elle l'abandonne comme tout le monde.

Bientôt, tous les gens seraient au courant. Son père, Gage, même Nadia…

Nadia, la fille que Mateo avait cru pouvoir garder en sécurité. Quelle farce. Sa folie serait peut-être la cause de sa mort.

À ce moment, il se rappela une fois de plus la lumière dans son grenier, la lumière qui l'avait entourée.

C'était stupide de penser à cela. Sauf que quelque chose, dans cette lumière… Elle possédait une qualité que Mateo ne pouvait nommer, un peu comme l'auréole qu'il avait aperçue dans le miroir. La différence était que l'auréole était affreuse, alors que la lumière avait été magnifique. Mais les deux objets se *ressemblaient*.

Et ils étaient tous deux semblables à la lueur verte qu'il voyait au loin dans le détroit.

Comment était-ce possible ?

Et qu'est-ce que Nadia Caldani avait à voir avec tout ça ?

Même si elle avait pris le temps de faire des gaufres à Cole et de vérifier deux fois qu'il avait tout son matériel d'art, Nadia arriva à l'école en avance, espérant pouvoir se faufiler dans le laboratoire de chimie.

Quelque chose était enterré là… Enterré depuis long-temps, profondément enfoui. Peu importe ce que c'était, cela possédait un immense pouvoir.

Ce pouvoir était-il lié au destin sombre que Nadia avait vu pour Captive's Sound ? Il lui avait fallu presque une heure pour calmer Verlaine, lui expliquer que la dévastation qu'elle avait vue pouvait arriver dans une semaine ou un siècle, ou à un moment entre les deux. Mais comme Verlaine l'avait indiqué, cela signifie qu'« une semaine » était une possibilité et qu'elles feraient mieux de découvrir certaines choses le plus rapidement possible.

Le lycée Rodman n'était pas désert, même à cette heure : quelques professeurs chargés de la surveillance matinale étaient debout, thermos de café en mains, et quelques meneuses de claques étaient occupées à coller des affiches pour la première partie de football américain. Mais personne ne porta attention à Nadia quand elle entra. Malgré l'incertitude qui la dévorait, elle poursuivait son plan consistant à examiner le laboratoire de chimie.

«Super. Je dois seulement ranger mes affaires dans mon casier et trouver une question à poser au Piranha si elle arrive tôt dans sa salle... »

Au milieu du couloir, Nadia se figea. Là, assis sur le sol, le dos contre son casier, se trouvait Mateo. À en juger par ses cheveux en bataille et les cernes sous ses yeux, il était peut-être là depuis des heures, ou il y avait même passé la nuit.

En entendant le bruit de ses pas, Mateo leva la tête.

— Nadia. Hé.

— Salut.

Elle commença à s'approcher de lui, ne sachant pas quoi penser, mais quand elle revit à quel point il semblait fatigué, elle lui demanda :

— Est-ce que ça va ?

— Non, répondit Mateo avant de se lever. Écoute. Je sais ce que tu vas penser. J'ai tout passé en revue dans mon esprit un bon millier de fois pour essayer de trouver un sens à tout ça. Je n'y suis jamais parvenu. Mais je dois te le demander.

Il inspira profondément quand elle arriva devant lui et qu'ils se retrouvèrent face à face.

— Hier soir... Quand j'ai regardé dans ton grenier et que j'ai vu cette lumière...

«Oh! merde.»

Nadia essaya de trouver une meilleure explication que celle qu'elle lui avait offerte la veille.

Mais à ce moment, Mateo dit :

— Est-ce que tu m'as fait quelque chose?

— Te faire quelque chose? Est-ce que... Est-ce que la lumière du grenier t'a fait mal aux yeux?

La flamme purifiante était peut-être dangereuse pour les gens qui n'y étaient pas préparés. Nadia n'avait jamais rien entendu de tel, mais c'était peut-être l'une des nombreuses choses que sa mère n'avait pas eu l'occasion de lui expliquer.

— Quand je suis parti de chez toi, pendant un moment, je me suis senti étourdi... Désorienté...

Ce qui pouvait arriver à un Allié, mais cela devait être une coïncidence.

— ... Puis j'ai commencé à voir des choses.

Mateo serrait et relâchait ses poings le long de son corps, comme s'il devait se forcer à parler.

— Comme d'étranges animaux imaginaires dans la ruelle. Des lumières bizarres et des trucs autour des maisons. Et le ciel... Ces choses sont partout en ville et je croyais que ça serait mieux en plein jour, mais ce n'est pas le cas. On dirait que Captive's Sound est entourée par quelque chose de sale, de nébuleux et... de *maléfique*.

«C'est impossible. Complètement impossible.»

C'était comme si les choses tombaient vers le haut. Ou comme si elle devait respirer de l'eau et non de l'air. Les hommes ne possédaient aucune magie. Ils ne le pouvaient pas. Cette règle était absolue.

— Est-ce que tu... Je ne sais pas... Est-ce que tu préparais de la drogue? Quelque chose qui fait halluciner? La flamme mauve... Ça pourrait être une hallucination.

Mateo leva les mains.

— Je jure que je ne dirai rien à quiconque, ou quoi que ce soit du genre, mais si c'est vrai, dis-moi la vérité, s'il te plaît, pour que je sache que cette substance va disparaître de mon système.

Nadia secoua la tête, même si sa meilleure porte de sortie aurait été de mentir. Alors qu'elle s'exécutait, le bref espoir visible dans les yeux de Mateo s'évanouit.

— Tu penses que je suis fou, dit-il en souriant d'un air grave. Bien sûr. Tu es en ville depuis quoi, presque deux semaines maintenant ? Alors, les gens sont déjà allés te voir pour te raconter que je suis... Que ma famille... Ils te l'ont dit, n'est-ce pas ?

— La malédiction familiale, murmura Nadia.

Mateo passa une main dans ses cheveux bruns, essayant visiblement de se reprendre... Et échouant.

— Alors, tu crois que je suis fou, comme tous les autres. C'est peut-être le cas. Je suppose... Je suppose...

Il sembla se rappeler où il se trouvait et le regret lisible sur son visage la toucha en plein cœur.

— Je suis désolé de t'avoir dérangée. Est-ce que tu pourrais ne parler de tout ça à personne ?

Elle opina. Mateo commença à s'éloigner, les épaules voûtées, complètement abattu.

Non, il ne pouvait pas être devenu son Allié. Mais s'il existait vraiment une malédiction sur sa famille, était-il possible qu'il y ait eu une étrange réaction entre la malédiction et le sort de l'Allié ? Cela n'avait aucun sens selon la théorie magique que Nadia connaissait, mais les visions que Mateo avait décrites étaient trop familières. Elle savait déjà que ce qu'il avait vu — le voile maléfique planant sur toute la ville — était bien réel.

Et s'il existait une possibilité qu'elle soit responsable de ce qu'il voyait, alors elle ne pouvait pas laisser Mateo partir en pensant qu'il devenait fou.

— Mateo ?

Il ne se retourna qu'à moitié, alors elle s'approcha de quelques pas.

— Ce que tu as vu… dans le grenier…

— Oui ?

« Tu ne dois jamais parler de magie à un homme. »

C'était l'une des Premières Lois. Mais il existait peut-être un moyen de contourner cette règle sans la transgresser.

— Ce n'était pas des drogues. Mais ce… n'était pas seulement la lumière.

Il revint lentement vers elle.

— Alors, qu'est-ce que c'était ?

— Je ne peux pas te le dire.

Avant qu'il puisse protester, Nadia leva une main.

— Je suis sérieuse. Je ne peux pas.

— Est-ce responsable de ce que je ressens ? Quoi que ce soit ?

— Je n'en suis pas sûre. Mais je peux le découvrir. Si c'est le cas, je peux inverser ce qui est arrivé.

Les yeux de Mateo s'illuminèrent d'un espoir désespéré. Même s'il ignorait visiblement ce dont elle parlait, il s'accrochait à toute possibilité.

— Allez. Tu dois me le dire.

— Je ne peux pas, insista Nadia. Mateo, s'il te plaît. Je sais que c'est difficile pour toi…

— Penser que je deviens fou comme ma mère ? Celle qui s'est noyée dans l'océan ? Tu ne peux pas imaginer à quel point c'est difficile pour moi.

Presque instinctivement, Nadia posa une main sur la poitrine de Mateo pour le réconforter. Il s'immobilisa dès qu'elle le toucha. Il était extraordinaire d'imaginer qu'elle pouvait avoir cet effet simplement en le touchant.

Elle dit rapidement :

— Nous devons nous faire confiance pour le moment, d'accord ? Nous devons… croire certaines choses sur parole. Tu dois seulement comprendre… Je te crois quand tu dis que tu as vu des choses. *Je crois en toi.*

Mateo écarta légèrement les lèvres. Était-ce si étonnant de penser que quelqu'un pouvait vraiment lui faire confiance ?

— Alors, je vais te demander de croire en moi, maintenant. Laisse-moi examiner tout ça. Si j'ai quelque chose à voir avec ce qui t'arrive, je le saurai bientôt, termina Nadia.

Il opina.

— Aujourd'hui ? Cette semaine ?

« Tout de suite », voulut dire Nadia, mais les gens commençaient déjà à déambuler dans les couloirs… Seulement quelques personnes, mais suffisamment pour qu'elle sente qu'il n'était plus prudent d'expérimenter dans le laboratoire sans interruption.

Mais il y avait quelque chose qu'elle pouvait essayer même en plein cours — quelque chose de silencieux, de simple, un sort que personne ne la verrait lancer — et elle devait le faire immédiatement, pendant le prochain cours qu'ils avaient en commun.

Elle regarda Mateo et lui offrit le sourire le plus encourageant qu'elle put.

— Pendant le cours de chimie.

— Nous devons visiblement revoir comment écrire un rapport de laboratoire, dit le Piranha alors que tous les élèves commençaient à rassembler leur matériel. J'ai mis un résumé au tableau, ce qui devrait être utile à ceux d'entre vous qui savent lire. Et c'est apparemment une minorité.

On avait finalement assigné un partenaire de laboratoire à Nadia, ce qui aurait, dans tous les cas, été une mauvaise nouvelle aujourd'hui. Le fait qu'elle soit coincée avec Jeremy Prasad ne faisait qu'empirer les choses. Elle se fichait des propos de Verlaine. En ce qui la concernait, la vue n'en valait pas la peine, peu importe à quel point il était beau.

— C'est vraiment une salope, dit Jeremy en tendant le bicarbonate de soude à Nadia pour leur expérience.

— Le Piranha ?

Nadia haussa les épaules. Elle lançait continuellement des coups d'œil à Mateo, qui semblait aussi exténué que ce matin, même s'il était apparemment réconforté de se trouver à côté d'Elizabeth. Dès que leurs regards se croisaient, il lui souriait.

« Ils doivent vraiment s'aimer. C'est super pour eux. »

— Simple sentiment de supériorité professoral, si tu veux mon avis.

— Elle ne devrait pas nous prendre de haut, dit Jeremy. Quelqu'un devrait remettre cette femme à sa place. C'est nous qui payons son salaire.

Nadia se demanda combien de chèques Jeremy avait faits à l'ordre du conseil d'administration ces derniers temps.

— Nous sommes censés écrire nos impressions sur l'équipement et le matériel pour l'expérience.

— On doit écrire notre avis sur des petits sacs en plastique ? C'est censé être une bonne façon de passer notre temps ?

— Si tu t'occupes de cette partie, je me chargerai ensuite des trucs plus difficiles, promit Nadia.

Jeremy ne méritait pas qu'elle l'aide ainsi, mais elle avait d'autres choses à faire.

Elle retourna son attention vers le pouvoir qu'elle sentait sous ses pieds. Le lieu d'enfouissement se trouvait loin sous la terre, ce qui voulait dire qu'elle ne l'atteindrait probablement pas sans employer la magie. Cela signifiait que, si elle voulait utiliser la magie pour déterrer ce qui était enfoui, elle devrait le faire à l'aveugle, sans savoir quelle était la source de cette puissante magie. C'était un très mauvais plan. La personne qui avait enfoui ce... truc... devait probablement avoir une excellente raison de le faire.

Cependant, elle était curieuse. Nadia mourait d'envie de découvrir ce qui était enterré, même si cela risquait de lui exploser en plein visage comme la boîte de Pandore.

Elle rêvait de posséder du pouvoir — un véritable pouvoir — plus fort que tout ce que sa mère avait connu, de pouvoir se lever et dire : « Tu vois ce que tu as perdu ? Je suis plus forte que toi. Plus forte que quiconque. Tu n'aurais pas dû m'abandonner. »

Nadia cligna des yeux et secoua la tête. Le frisson de fureur vengeresse qui l'avait parcourue disparut en un clin d'œil, mais le malaise qu'il laissa derrière lui s'attarda.

Elle comprit que cette fureur n'avait pas été la sienne. Elle appartenait, en partie, à ce qui se trouvait sous le laboratoire.

Nadia comprenait maintenant la présence mystérieuse mieux que jamais auparavant. Elle n'attendait pas simplement là. Elle se tapissait. Elle *bouillonnait*. Elle rêvait d'être libre...

… Et de se venger.

Se venger de quoi, Nadia l'ignorait et elle ne voulait plus le découvrir. Elle comprenait seulement que cette chose ne pouvait être la cause directe de la dévastation de Captive's Sound. Elle ne possédait pas ce pouvoir, ce qui soulagea Nadia.

Ce qui était emprisonné sous l'école avait été placé là pour une bonne raison. L'entité qu'elle sentait était enterrée trop profondément pour la libérer, et les habitants ne risquaient rien à cause d'elle, ce qui était tout ce que Nadia devait savoir pour le moment.

En plus, pour le moment, elle devait se concentrer sur ce qu'elle avait fait à Mateo.

Bien sûr, Nadia ne pouvait pas jeter de sort compliqué au beau milieu du cours, mais quelque chose de simple pourrait être efficace si le problème de Mateo était celui auquel elle pensait.

S'il était maudit — vraiment maudit, l'héritier d'une magie noire vieille de plusieurs siècles —, alors cela voulait dire qu'il réagissait peut-être à la magie différemment des autres personnes. Nadia ne savait pas très bien comment cela était possible, mais sa théorie semblait plausible.

Et un simple sort de libération permettrait peut-être à la magie de… décoller.

Cela valait la peine d'essayer, en tout cas.

Nadia posa les doigts sur la breloque en ivoire de son bracelet, et elle rassembla les ingrédients.

Un rire désarmé.
Le lavage de ce qui ne peut être nettoyé.
Un moment de pardon.

Les deux premiers étaient faciles…

Son treizième anniversaire, quand ils avaient enfilé une couche de Cole au terrier de Boston de sa meilleure amie et qu'ils avaient éclaté de rire, roulant sur le plancher.

Sa première douche dans la nouvelle maison, à trois heures du matin la nuit de l'accident, alors qu'elle avait de la boue sous les ongles et un éclat de verre de la voiture dans les cheveux, et qu'elle avait l'impression que l'eau ne rincerait jamais tout.

Mais le pardon ? Nadia dut puiser au fond d'elle-même.

Des semaines à se demander si son père avait poussé sa mère à partir, s'il avait eu une liaison ou quelque chose que Nadia n'avait pas su. Ces spéculations avaient pris fin quand elle était arrivée dans la cuisine sur la pointe des pieds, tard le soir, et qu'elle avait aperçu son père penché sur la table, la tête dans les mains, tellement misérable qu'elle avait su, sans l'ombre d'un doute, qu'il n'avait rien vu venir.

C'était suffisant. Nadia sentit le sort s'éloigner en tournoyant, invisible, mais puissant…

… Très puissant…

— Tu sais quoi ? demanda Jeremy bruyamment. J'en ai marre de tout ça.

Sur ce, il poussa l'équipement de leur table et celui-ci tomba lourdement au sol.

— Vous savez de quoi j'ai marre ? demanda le Piranha en posant les mains sur ses hanches. Vous. Vous tous. Cette école. Je pourrais être dans un cours de yoga en ce moment au lieu d'essayer de remplir de connaissances les passoires que vous appelez des cerveaux.

De nombreux étudiants éclatèrent de rire. Une fille commença à pleurer et une autre mit les mains dans son dos pour détacher son soutien-gorge à travers son gilet, grognant de soulagement quand il se détendit.

«Qu'est-ce que...»

Une autre fille et un garçon commencèrent à s'embrasser. Ils furent suivis par deux garçons dans un coin. Jeremy se mit à arracher les pages de son manuel de chimie, les prenant en paquets avant de les déchiqueter l'une après l'autre. Le Piranha enleva ses chaussures et se plaça sur un pied, dans la posture de l'arbre, que Nadia se rappelait avoir faite dans son cours de yoga.

Mateo se redressa.

— Qu'est-ce qui leur prend?

— Je ne sais pas, répondit Nadia.

Mais elle commençait à faire le rapprochement. Un sort de libération pouvait rendre les gens un peu désinhibés. Mais ce n'était généralement qu'un léger effet secondaire, seulement assez puissant pour les faire glousser, mais pas assez pour que tous les gens d'une pièce oublient où ils se trouvaient. Le sort avait été plus puissant que d'habitude... Non, plus puissant que *jamais*.

Ce n'était pas dû à ce qui se trouvait sous le laboratoire. Au contraire, cela aurait diminué la puissance du sort, pas le contraire.

C'était... C'était le genre de stimulation qui ne pouvait provenir que d'un Allié.

Verlaine ne se trouvait pas dans le coin, et en plus, Nadia savait déjà que le sort n'avait pas fonctionné sur elle. Ce qui voulait dire que la seule option... La seule possibilité...

«C'est impossible», pensa frénétiquement Nadia. Toutes ses connaissances sur la magie étaient basées sur quelques principes fondamentaux, et le plus fondamental d'entre eux était que les hommes ne possédaient pas de pouvoir magique. Une malédiction était une chose : on ne pouvait pas la posséder, c'est elle qui possédait les gens. Les hommes pouvaient donc être maudits. Mais il était aussi impossible pour un homme d'être un Allié qu'il était impossible que le soleil tourne autour de la terre.

— Que se passe-t-il? demanda Mateo.

Il n'était visiblement pas affecté par le sort... Un autre signe. Les Alliés n'étaient pas aussi sensibles à la magie simple. Il se tourna vers Elizabeth, qui était toujours à côté de lui, et s'exclama :

— Mon Dieu. Mon *Dieu*.

Mateo commença à s'éloigner d'Elizabeth à reculons et son expression était la dernière chose que Nadia se serait attendue à voir : l'horreur absolue.

Elizabeth fit un léger mouvement rapide d'une main. Pour la première fois, Nadia remarqua qu'elle portait de petits anneaux sur chaque doigt, des anneaux faits de la même matière que celle du bracelet de Nadia. Mateo chancela une fois avant de se secouer et de se tourner vers Nadia.

— Que se passe-t-il?

Autour d'eux, les baisers, les rires et le chant continuaient, toujours aussi intenses. Au lieu de demander le calme, le Piranha était au sol, dans la position du cobra. Nadia ne regarda rien de tout ça, ne pouvant qu'observer Elizabeth. Cette dernière avait placé sa main au-dessus du plancher — parallèle au sol —, comme si elle tentait de calmer un animal ou un jeune enfant.

«Ou ce qui est enterré sous l'école», pensa Nadia.

C'était absurde, n'est-ce pas? Ça devait l'être. Nadia paniquait probablement parce qu'elle avait complètement perdu la maîtrise de son sort et qu'elle venait de découvrir le fait incroyable que Mateo était son Allié. Son imagination lui jouait des tours.

Mais elle n'imaginait pas la réaction d'Elizabeth.

Celle-ci, ne semblant aucunement désorientée par ce qui se passait, prit une gorgée d'eau de sa bouteille. Un sourire loin d'être amical apparut ensuite sur son visage sympathique et frais.

Cela semblait être... un défi.

L'estomac de Nadia se noua quand elle comprit qu'Elizabeth n'était pas simplement une fille de sa classe.

Elle était une sorcière.

Chapitre 8

Avant la fin du cours, un garde de sécurité dut convaincre une fille de descendre du sommet des meubles de rangement, et presque tous les élèves reçurent un avertissement. Un rapport fut fait sur le Piranha, et les gens commencèrent à se plaindre de maux de tête ou à rougir en comprenant ce qu'ils avaient fait. Nadia saisit le bras de Mateo pour le faire sortir aussi vite que possible.

— Que vient-il de se passer? demanda-t-il, la bouche si proche de l'oreille de Nadia qu'elle put sentir son souffle.

— Commençons par sortir d'ici, d'accord?

Elle se dépêcha de partir, Mateo sur les talons. Quand Nadia regarda par-dessus son épaule, elle vit Elizabeth debout au milieu du désordre, qui les regardait s'éloigner, un léger sourire aux lèvres.

Elle savait que Nadia était au courant, et elle s'en fichait.

Alors qu'ils se dirigeaient vers la cantine, Nadia marmonna :

— Dis-moi. Qu'as-tu vu, en regardant Elizabeth?

— De quoi parles-tu?

— Quand tu l'as regardée, juste après que tout le monde soit devenu fou. Tu as semblé… presque affolé.

Mateo fronça les sourcils et poussa la porte.

— Je ne me rappelle pas avoir regardé Elizabeth. Il y avait bien d'autres choses à voir.

Il éclata de rire.

— Le Piranha est… très souple. Et Erik a affirmé son identité sexuelle en seconde, mais j'ignorais que Charles était gay.

Il avait oublié. Quoi qu'ait fait Elizabeth pour qu'il arrête de voir, cela lui avait aussi fait perdre la mémoire. Elle avait agi rapidement, et son contre-sort avait été très efficace.

«La magie noire, en ville… c'est elle! C'est Elizabeth, ça doit être elle», pensa Nadia, submergée par l'horreur.

Mais non. Comment Elizabeth pouvait-elle être derrière tout ce qui se passait à Captive's Sound? Selon les recherches de plus en plus inquiètes que Nadia menait sur Google, les problèmes de la ville semblaient remonter loin… Bien avant la naissance d'Elizabeth, bien avant qu'elle commence à pratiquer la magie. En plus, Nadia et elle devaient avoir environ le même âge, ce qui voulait dire qu'elles commençaient seulement à développer leurs pouvoirs.

Cependant… Toute autre sorcière aurait cherché à l'aider à ce moment. Quand Elizabeth avait vu que le sort de Nadia partait en vrille, elle aurait dû aider à calmer le jeu, et elle aurait dû venir voir Nadia après coup. Le secret qui entourait l'Art n'allait pas jusqu'à de telles extrémités.

Au lieu de cela, Elizabeth lui avait souri de façon froide et calculatrice; elle avait couvert ses traces du côté de Mateo, puis elle avait disparu.

Elle n'était peut-être pas la cause de tout ce qui clochait à Captive's Sound, mais Nadia savait au plus profond d'elle-même qu'Elizabeth se trouvait en plein cœur de ce qui tordait toute la ville.

Quand ils se mirent dans la file de la cantine, Mateo murmura :

— D'accord, soit tu cuisinais des drogues qui peuvent faire halluciner toute l'école en même temps, soit il se passe quelque chose de vraiment étrange. Parce que je n'ai *pas* imaginé ce qui est arrivé. Vas-tu m'expliquer le lien avec ce qui s'est passé hier soir ?

Nadia tendit automatiquement une main vers un plateau, réfléchissant à toute vitesse.

Une des Premières Lois était de ne jamais, *jamais* dévoiler le secret de l'Art à un homme. N'importe quel homme.

Tous les principes de l'Art indiquaient également qu'il était impossible pour un homme de devenir un Allié, mais elle ne pouvait nier que c'était exactement ce qui était arrivé à Mateo.

Nadia ne comprendrait peut-être jamais comment c'était possible, mais tant que c'était le cas, il devait être mis au courant. Il était injuste que cela lui soit arrivé sans qu'il le sache ni qu'il l'accepte, injuste qu'une personne déjà si accablée soit obligée de porter ce fardeau. Elle lui devait au moins la vérité.

— Je vais te le dire, promit-elle, se sentant presque étourdie.

Elle avait l'impression de sauter en parachute. C'était à la fois terrifiant et libérateur.

— Je vais tout t'expliquer.

Elizabeth rentra chez elle.

Ses professeurs se rappelleraient qu'elle était en classe, que ce soit ou non le cas. En fait, aller au lycée Rodman était quelque chose qu'elle faisait uniquement pour se trouver à proximité de la Chambre de temps en temps et, ces derniers temps, pour garder Mateo Perez calme et obéissant. Aujourd'hui, elle avait enfin de nouveaux éléments auxquels réfléchir.

Nadia Caldani était une sorcière. Elizabeth l'avait soupçonné, étant donné l'arrivée en ville de la famille après la nuit de la tempête, quand sa barrière avait hurlé lorsqu'elle avait été percée et tordue. Elle n'avait pas soupçonné que Nadia possédait une si grande magie.

Puissante… Mais indisciplinée. Elizabeth sourit en se rappelant la scène ridicule qui s'était déroulée en cours de chimie. Nadia avait dû croire que Mateo Perez se trouvait sous une emprise magique. Son béguin était si visible, ses yeux le cherchant de façon continuelle pendant les cours. Avait-elle cru pouvoir le libérer à l'aide d'un sort de libération?

La malédiction des Cabot était beaucoup trop ancienne et puissante pour être détruite par des méthodes si faibles. Elizabeth sourit autour du goulot de sa bouteille d'eau.

Et cet excès ridicule. Il était maladroit et stupide d'avoir lancé ce sort si fort qu'il avait affecté toute la classe. Nadia était visiblement une débutante et elle ne possédait pas beaucoup d'expérience dans la pratique de l'Art. Ses capacités inhérentes n'étaient pas égalées par la technique nécessaire.

Elle avait tout de même, bien que brièvement, permis à Mateo de percevoir la véritable emprise qu'Elizabeth avait sur lui, et cela était inacceptable. Elizabeth n'en avait pas tout à fait fini avec lui.

Elle arriva devant la maison gris pâle, ouvrit la porte et entra. Ses rares visiteurs — Mateo ou le livreur apportant ses caisses de bouteilles d'eau — voyaient ce qu'ils s'attendaient à voir. Mateo avait déjà parlé des tableaux — sa mère avait toujours parlé de la douceur de la moquette.

En réalité, les lattes en bois du plancher grinçant étaient peintes en bleu depuis longtemps et elles étaient recouvertes par des décennies de verre brisé. Elizabeth naviguait facilement entre les éclats de verre, les espaces pour ses pas aussi familiers que tout le reste de Captive's Sound. Les murs jaunes en plâtre étaient presque nus, mais un miroir se trouvait sur l'un d'eux, drapé par un lourd velours rouge qu'elle pouvait arracher en cas d'urgence. Quelques meubles provenant de divers siècles étaient posés contre les murs, leur bois s'effritant, leur tissu râpé. Elizabeth ignorait si l'un d'eux pouvait encore supporter son poids. Dans un coin se trouvait le vieux réchaud en fonte, qui avait toujours produit une chaleur vive et constante, même magnifique, de la même manière qu'un oiseau tropical pouvait être beau même s'il était dans une cage trop petite pour ses ailes. Entre les deux murs était accroché un hamac en cordes sur lequel étaient empilés des édredons et des couvre-lits. Les charmes d'emprisonnement les plus puissants fonctionnaient toujours en partant du sol et Elizabeth ne comptait pas se faire surprendre dans son sommeil.

Des bouteilles vides recouvraient toutes les surfaces : c'était principalement des bouteilles d'eau, mais il y avait quelques bouteilles de soda et d'autres de thé vert, boisson visiblement populaire actuellement. Une fois tous les quelques mois, Elizabeth s'en débarrassait, mais elle les accumulait si rapidement qu'il ne valait pas la peine de les jeter chaque fois. La soif — une soif terrible — l'asséchait à chaque moment, depuis aussi longtemps qu'elle pouvait s'en souvenir. Elle jeta la bouteille qu'elle avait vidée sur le chemin du retour et elle en prit une autre, engloutissant l'eau avidement.

Elizabeth avait essayé de boire presque tout, au fil des années, afin de voir ce qui l'aiderait. Elle avait bu de la boue. Elle avait bu du vin. Elle avait même essayé le sang à quelques reprises, avant de se rendre compte que c'était trop salé pour aider.

«Ça ne sera plus long, maintenant», pensa Elizabeth. C'était son seul réconfort.

Elle posa une main sur la poignée de la porte menant à l'antichambre, la seule pièce de la maison qu'elle ne considérait plus comme la sienne. Cette pièce appartenait à quelque chose d'autre.

Elizabeth regarda à l'intérieur et elle eut l'impression que son Livre des ombres l'observait à son tour.

Il se libéra difficilement des toiles d'araignées. Cela faisait longtemps qu'Elizabeth n'avait pas consulté ses pages au lieu d'utiliser son pouvoir inhérent. Pendant un instant, elle se demanda s'il était devenu illisible, s'il avait finalement cessé d'être un livre, mais les pages fragiles s'ouvrirent immédiatement au bon endroit. Son Livre des ombres était toujours désireux de suivre ses ordres, quoi qu'il arrive.

Mateo était assis à une table de la cantine, sa pizza intacte sur le plateau, et il regardait Nadia Caldani, qui s'était révélée être plus folle que lui.

Magnifique. Convaincante. Mais folle. Elle lui racontait des choses que personne ne croirait.

Mais il la croyait quand même.

— Je suis désolée que tu sois devenu mon Allié, dit-elle encore une fois en piquant sa lasagne avec sa fourchette en plastique, comme si la nourriture était responsable de ce qui arrivait. Si j'avais eu la moindre idée que ça pouvait t'affecter — affecter un homme —, je n'aurais jamais lancé de sort prophétique dans ma propre maison. Et je ne comprends toujours pas comment ça pourrait être toi.

— Ouais, ouais, dit-il, répétant les mots qu'elle avait prononcés à quelques reprises, comme s'il était sur pilote automatique. Aucun homme né d'une femme ne peut posséder de pouvoir magique. Je me souviens de cette partie.

— C'est un peu comme découvrir que toute action ne provoque pas de réaction égale et contraire, protesta Nadia. Mais bon. Voilà. Tu es mon Allié et c'est un lien assez puissant, alors on va devoir apprendre à faire avec.

— Hé !

Verlaine Laughton, toujours aussi maigre et étrange, se dirigea vers Nadia. Elle avait utilisé deux crayons pour attacher en chignon ses cheveux argentés dans son cou, et elle portait le même genre de vêtements bizarres qu'elle semblait toujours privilégier : aujourd'hui, c'était une tunique et un jean à pattes d'éléphant aux appliqués orange en forme de fleurs. Elle semblait tout droit sortie de 1972. C'était à peu près tout ce que Mateo avait remarqué chez elle. Quelque chose en Verlaine empêchait presque les gens de lui prêter attention. Un peu comme si elle ne se trouvait jamais là où il se passait quelque chose d'intéressant. Mais elle semblait bien connaître Nadia. Le visage de Verlaine s'assombrit quand elle vit Mateo.

— Ah ! Désolée, est-ce que je vous dérange ?

Nadia leva les yeux vers elle.

— Mateo est mon Allié.

Verlaine frappa presque son plateau sur la table en signe de victoire.

— J'en étais *sûre* !

— Es-tu aussi une sorcière ? demanda Mateo.

Y avait-il des sorcières partout ? Le monde était-il mille fois plus étrange que dans ses rêves les plus fous ?

— Non. C'est aussi nouveau pour moi que pour toi.

Verlaine fronça les sourcils en regardant Nadia.

— Attends. Je croyais t'avoir entendue dire que les hommes ne pouvaient pas être des Alliés. Qu'ils ne pouvaient pas connaître l'existence de la magie.

— Eh bien, il semble qu'ils puissent être des Alliés, expliqua Nadia, alors je me suis dit que Mateo devait connaître l'existence de la magie. On est en terrain inconnu.

— Aucun homme, jamais, selon toi.

Verlaine se pencha au-dessus de la table pour le regarder.

— Mateo, es-tu… peut-être… Eh bien… Transgenre ? Je n'ai aucun préjugé. Je te soutiens.

Mateo aurait commencé à frapper sa tête contre la table en signe de frustration si sa pizza ne s'était pas trouvée sur son chemin.

— Je suis un gars.

— On va te croire sur parole, dit Verlaine avant de commencer à manger sa salade. J'étais la seule personne censée prendre le risque de devenir une… Alliée, ou peu importe le terme. Je voulais même que ça arrive, dans un sens. Et maintenant, tu m'as volé ma chance. Par accident. Mais quand même.

— Je préférerais que ce soit toi, affirma Mateo. C'est vraiment… bizarre.

Il regarda autour de lui, se demandant si quelqu'un pouvait les entendre. La dernière chose dont il avait besoin, c'était que les étudiants aient de nouvelles raisons de considérer qu'il était fou. Mais le vacarme de 100 élèves mangeant et parlant en même temps couvrit leurs paroles. En plus, la cantine semblait plus normale que tous les endroits où il s'était rendu depuis le… début du truc d'Allié. Apparemment, la cantine était dénuée de magie. Ce ne serait pas une surprise pour les personnes qui avaient goûté au pain de viande.

À ce moment, Nadia tendit le bras au-dessus de la table et hésita avant de poser la main sur son avant-bras. Ce lien le sortit de sa confusion. Pendant un instant, Mateo ne put que regarder ses yeux sombres, qui étaient plus bienveillants que ceux de la plupart des gens.

— Donne-moi plus de détails sur ce que tu as vu. On va découvrir ce que ça signifie. Ça ne sera pas aussi effrayant si tu comprends.

Elle ne le culpabilisa pas parce qu'il avait peur, agissant comme si c'était une réaction tout à fait naturelle. Mateo ne s'était pas rendu compte à quel point cela pouvait aider.

Par où commencer ? Le pire en premier, décida-t-il.

— Ce qui m'effraie le plus, c'est cette… auréole autour de ma tête. Auréole n'est pas le bon mot parce que c'est quelque chose de magnifique et de sacré, et la mienne est terrible. Mais je ne sais pas quel autre nom lui donner.

— Quelle auréole ? demanda Verlaine en regardant sa tête.

— Je la vois dans le miroir, expliqua Mateo. Depuis le… sort d'hier soir.

Parmi toutes les choses terrifiantes qu'il avait vues, dont l'étrange créature cornue, l'auréole était de loin la chose la plus troublante parce qu'elle faisait partie de lui.

Cependant, Nadia ne sembla aucunement perturbée.

— Je pense que c'est la malédiction, dit-elle très doucement.

Le mot *malédiction* donnait toujours la chair de poule à Mateo, mais la façon dont Nadia le disait était différente des autres, qui le rendaient presque indicible. Contagieux. Dans la bouche de Nadia, le mot semblait réel.

La malédiction était réelle.

La malédiction était *une malédiction*.

La folie héréditaire : Mateo s'y était préparé. La superstition : ce qu'il avait assumé pendant la majeure partie de sa vie. Mais une malédiction authentique ? Un mal réel et surnaturel qui faisait partie de sa famille depuis l'aube de l'humanité et qui le possédait maintenant ?

— Excusez-moi, dit Mateo en se levant de la table. J'ai besoin d'un moment.

Il fuit la cantine, traversa le gymnase et les vestiaires, où il tomba sur Jeremy qui dénigrait Charles à cause de sa séance de baisers avec un autre garçon. C'était une raison aussi valable qu'une autre de pousser Jeremy dans les casiers.

— Mon père connaît le conseil municipal ! Je vais faire fermer ton restaurant minable ! cria Jeremy.

Mateo l'ignora. De toute façon, Jeremy menaçait régulièrement de faire fermer les entreprises de diverses personnes. Depuis le temps, tout le monde savait que, si son père l'écoutait vraiment, le conseil municipal n'écoutait pas son père.

En plus, ce n'était pas important. Rien n'était important parce qu'il était *maudit*.

Mateo atteignit finalement la pièce du fond, là où était rangé l'équipement de boxe. Il attrapa une paire de gants, les enfila et commença à frapper le sac le plus proche. À le frapper de toutes ses forces. À se défouler. Il pouvait sentir chaque coup jusque dans son épaule, la solidité du sac semblant presque le frapper à son tour. Mais Mateo continua de frapper, encore et encore, de toutes ses forces, luttant contre la chose qui le hantait depuis qu'il l'avait vraiment vue.

— Alors, ça s'est bien passé, dit Verlaine.

Nadia grogna.

— Je suis en train de tout gâcher. Mais... Je ne sais pas quoi faire ! Il ne s'est jamais rien produit de tel auparavant, jamais, depuis l'aube de l'humanité.

Verlaine tapa le plateau à l'aide de sa fourchette.

— Eh bien... Eh ! pourquoi est-ce qu'on ne fait pas un transfert ? Transforme-moi en Alliée à la place de Mateo. Non que cela semble particulièrement amusant, mais s'il ne peut pas le supporter... Je veux dire qu'il doit déjà se préoccuper d'une malédiction. Pas moi. De toute façon, ça m'a l'air super. Peux-tu nous faire changer de place, Nadia ?

Nadia secoua la tête.

— Aucune chance.

— Il n'y a aucun dispositif d'urgence ? Allons.

Verlaine plissa les yeux et croisa les bras, semblant presque méfiante de nouveau.

— Tu te rappelles comment ça fonctionne. Ce n'est pas quelque chose que je décide. C'est une chose qui arrive d'elle-même par les pouvoirs de la magie prophétique.

Nadia avait mal à la tête. Elle n'aurait jamais dû lancer ce sort. Elle n'avait réussi qu'à leur faire peur et à transformer Mateo en quelque chose qu'il n'aurait jamais, au grand jamais, dû devenir.

— Tu dois avoir une porte de sortie.

L'unique possibilité flottait devant elle, aussi séduisante et traître qu'un mirage en plein désert.

— Je pourrais briser le lien m'unissant à mon Allié en coupant tous mes liens à la magie et à l'Art…

— Pourquoi n'as-tu rien dit plus tôt ? demanda Verlaine. Ça constitue une porte de sortie !

— Est-ce que tu m'as entendue ? Je devrais couper tous mes liens. Je ne serais plus une sorcière. Je ne pourrais plus jamais lancer de sort.

Quand avait-elle fait le saut entre penser que l'Art était maintenant hors de sa portée et vouloir s'y accrocher de toutes ses forces ? Se berçait-elle d'illusions en ce moment même ? Nadia ne pouvait en être sûre… Elle ne pouvait être sûre de quoi que ce soit. La magie autour d'elle avait changé. Qui sait ce qui suivrait ?

Après les cours — et quelques heures qui lui permirent de se calmer —, Mateo chercha Nadia. Verlaine et elle se trouvaient dans l'aire de stationnement, assises sur le capot de l'énorme voiture bordeaux de Verlaine, qui lui fit un signe de main joyeux, comme s'ils étaient amis et que c'était un jour comme les autres.

— Hé ! On se demandait si tu allais venir !

— Je suis venu.

Il regarda autour de lui, mais les gens quittaient l'aire de stationnement, et l'école, aussi vite que possible. Mateo faisait généralement la même chose. Si on voulait être complètement seul, rester à Rodman après 15 h 30 était une bonne idée. La seule personne qui semblait leur prêter attention était madame Walsh, mais après leur avoir jeté un coup d'œil, elle entra dans sa voiture et s'éloigna.

— Désolé d'avoir paniqué.

Nadia haussa les épaules.

— Aucun problème. Les nouvelles étaient assez bizarres.

Le vent jouait dans ses cheveux noirs lustrés. Elle semblait si détendue en discutant de ce sujet, une question de vie et de mort, mais ce n'était pas parce qu'elle ne le prenait pas au sérieux. Mateo pouvait le voir. Non, Nadia pouvait gérer ce qui arrivait. Il y avait un équilibre en elle — un but, une résolution — que Mateo n'avait presque jamais senti chez quelqu'un d'autre. Cela l'attirait fortement et inexorablement, comme la pesanteur attire les humains vers le sol.

Nadia continua leur conversation du déjeuner comme s'ils ne l'avaient jamais arrêtée.

— Comme tu l'as dit, oui, je suis en ville depuis assez longtemps pour avoir entendu parler de la malédiction familiale. J'ai bien peur que les malédictions existent. Les sorcières ne sont pas censées en lancer, mais ça peut arriver. Si ta famille est maudite depuis des générations, alors la sorcière qui a jeté la malédiction devait être très puissante. Peux-tu m'en dire plus sur son fonctionnement ? Je sais qu'elle mène à la folie, mais il devrait y avoir de multiples raisons.

Mateo se redressa. Personne ne lui avait jamais donné la chance d'expliquer.

— On commence à voir le futur. Jusqu'à récemment, je croyais que les gens croyaient voir le futur, mais que c'était en fait le premier signe de folie. Mais... Je fais des rêves, et ils commencent à se réaliser.

— Ah ! c'est incroyable, souffla Verlaine, mais elle n'essaya pas de s'éloigner de lui.

Elle voulait seulement connaître son histoire. Elle n'était pas si mal, en fait.

— Ce n'est pas une bonne nouvelle. Nadia m'a expliqué ça hier soir ! Voir le futur rend les gens *loco*.

— Tu m'en diras tant.

La mère de Mateo était partie en mer à la rame pour se noyer. Son grand-père était mort dans l'incendie de sa maison qu'il avait déclenché, celui qui avait défiguré sa grand-mère à tout jamais. Son arrière-grand-mère s'était suicidée à l'hôtel de ville en utilisant un fusil de chasse. C'était la même histoire depuis des générations… Une série de suicides, de meurtres, de comportements autodestructeurs atteignant au moins un Cabot par génération depuis l'époque de leur arrivée dans le Nouveau Monde, alors que le Rhode Island était encore une colonie. Ils étaient tous devenus fous parce qu'ils pouvaient voir le futur, comme Mateo.

— Tu vois le futur dans tes rêves. D'accord.

Nadia semblait toujours aussi calme.

— Quels sont tes rêves ? ajouta-t-elle.

Mateo ne put parler pendant un moment.

« Je te vois, morte, dans mes bras. »

Mais il ne pouvait pas lui dire cela. Pas encore, et peut-être jamais.

Alors, il commença par la chose la plus simple.

— La nuit de l'accident ? J'avais rêvé que la voiture de ta famille allait tomber dans ce fossé. C'est pour ça que j'étais là. Je devais voir si le rêve se réaliserait, et ça a été le cas. Je savais que je devrais te sortir de la voiture.

Nadia toucha de nouveau son avant-bras. Ses mains étaient si petites.

— La moitié du fardeau est de ne pas être cru. Peut-être de ne pas croire en toi-même. Mais tu connais la vérité, et maintenant nous la connaissons également. Et tu es fort, Mateo. Assez fort pour supporter ce qui arrive.

Il dut rire d'elle à ce moment, même s'il le regretta immédiatement.

— Désolé. Je veux dire, c'est gentil de dire ça, mais tu ne me connais pas vraiment, alors tu ne peux pas savoir si je suis assez fort ou pas.

— Tu dois l'être. Toute ta famille doit l'être, sinon tu ne pourrais pas tout supporter. C'est probablement la raison pour laquelle ta famille a été maudite. Parce que vous pouvez supporter ce que personne d'autre ne pourrait supporter.

Toute sa vie, Mateo avait entendu les gens dire que le sang des Cabot était infecté, malade, voire tordu. Jusqu'à maintenant, personne n'avait dit que sa famille était forte. Qu'*il* l'était.

— Alors, pourquoi est-ce que quelqu'un a jeté une malédiction sur les Cabot? demanda Verlaine tout en démêlant distraitement un nœud dans ses cheveux.

— Pour qu'ils connaissent le futur et le dévoilent, répondit lentement Nadia. De cette façon, la sorcière peut savoir ce que le futur réserve et les Cabot sont les seuls à en subir les conséquences. Mateo, à qui parles-tu de tes rêves?

— Personne. Je veux dire, personne à part vous, aujourd'hui, et Elizabeth, bien entendu.

La main de Nadia se raidit immédiatement et elle recula, soudain tendue.

— Elizabeth…

— Quoi?

Y avait-il quelque chose de magique à ses trousses aussi? Mateo n'était pas sûr de pouvoir le supporter si quelque chose arrivait à Elizabeth. Il devait la prévenir. La prochaine fois qu'ils se parleraient, il pourrait tout lui raconter : le fait que ses visions du futur étaient vraies, que la malédiction était réelle aussi, mais qu'il existait peut-être un moyen de s'en débarrasser. Pouvoir tout raconter à sa meilleure amie était un soulagement inimaginable.

— As-tu déjà remarqué quelque chose d'étrange chez elle? demanda soudain Nadia.

— Que veux-tu dire? Non. Bien sûr que non.

Mateo sourit affectueusement.

— La seule chose étrange au sujet d'Elizabeth est sa grande gentillesse. C'est la personne la plus compréhensive de la ville.

— C'est vrai, ajouta Verlaine. Tout le monde aime Elizabeth.

Mateo ne savait pas qu'elles se connaissaient. Presque personne ne prêtait attention à Verlaine, mais si quelqu'un devait le faire, ce serait Elizabeth. Elle avait vu une personne marginale et elle était allée la voir, comme toujours.

Nadia les regarda à tour de rôle.

— Je devine qu'aucun de vous ne savait qu'Elizabeth est aussi une sorcière.

Verlaine éclata de rire, tapant des pieds sur le pare-chocs chromé pour exprimer sa joie.

— Ah! mon Dieu. Elle est devenue encore plus cool. Je croyais que c'était impossible.

Mateo ne savait pas comment réagir. Son premier instinct était de se dire que Nadia devait se tromper… Mais si la magie existait réellement, ce qui semblait être le cas, alors elle reconnaîtrait une autre sorcière, n'est-ce pas? Mais Elizabeth? Sa meilleure et plus ancienne amie? Il lui semblait impossible de ne pas connaître une si grande partie de sa vie.

Ou qu'elle ne lui ait jamais dit que les malédictions existaient, que ses rêves pouvaient être des aperçus du futur…

Mais c'était impossible, pas vrai? Nadia avait dit que les lois de la sorcellerie, ou autre chose, ne permettaient pas de parler de magie aux hommes. Alors, Elizabeth n'aurait rien pu lui dire, même si elle l'avait voulu.

— Elle sera soulagée que je le sache, dit-il en commençant à sourire. Elle veut probablement m'en parler depuis longtemps.

— J'en doute.

Nadia pinça ses lèvres charnues, comme si elle retenait ses mots, mais cela ne dura qu'un instant.

— Écoute… Je sais qu'elle est ta petite amie et tout et tout…

— Elizabeth n'est pas ma petite amie.

Nadia s'arrêta, visiblement prise de court.

— Ouah, j'ai toujours cru que vous formiez un couple. Ou est-ce que vous vous êtes séparés? demanda Verlaine.

— Nous sommes juste de bons amis, insista Mateo. Elle est comme la sœur que je n'ai jamais eue.

Nadia dit doucement :

— Eh bien, elle est importante pour toi, alors ce qui suit va être difficile à entendre. Je pense qu'Elizabeth n'est pas une sorcière ordinaire. Je crois… Je crois qu'elle… Qu'elle est peut-être au courant de ce qui se passe ici.

Mateo la regarda fixement.

— Que veux-tu dire par «ce qui se passe ici»?

— Certaines des choses les plus lugubres qui se passent à Captive's Sound.

Nadia continua, même si elle semblait nerveuse.

— Je crois qu'Elizabeth ne suit pas les règles.

La colère gagna Mateo si rapidement qu'il ne put la retenir.

— C'est ridicule. Elizabeth est quelqu'un de bien. Quelqu'un de très bien, au fond. Il existe peu de gens comme elle. Si elle fait vraiment de la magie... Peu importe, il est impossible qu'elle soit maléfique. Impossible.

— Tu as vu quelque chose d'effrayant en elle, insista Nadia, mais cela n'avait aucun sens pour Mateo. Pendant le cours de chimie, juste avant que je lance le sort de libération, tu as regardé Elizabeth et tu as presque paniqué avant qu'elle s'occupe de toi.

— De quoi parles-tu? Ça n'est jamais arrivé! Tu inventes tout.

— Elle t'a fait oublier.

Nadia croisa les bras.

— Je sais que c'est difficile à accepter pour toi, mais je sais ce que j'ai vu.

Mateo en avait assez entendu.

— Tu sais ce que tu as vu. Quelques secondes dans une pièce remplie de personnes agissant de façon complètement folle grâce à toi, et maintenant tu sais que ma meilleure amie, pratiquement ma seule amie au monde... Tu crois que tu la connais mieux que moi? Tu ne la connais pas du tout.

Les yeux sombres de Nadia s'embrasèrent, comme si elle avait le droit d'être en colère.

— Et si tu revenais me parler quand tu seras prêt à affronter les faits? se contenta-t-elle de dire.

— Et si tu venais t'excuser quand tu auras compris que tu n'as pas raison au sujet de tout? rétorqua Mateo.

Il attrapa ses affaires et se rendit lourdement à sa moto. Une fois le moteur en marche, il ne devrait pas entendre Nadia, même si elle l'appelait. Il s'éloigna sans se retourner.

Il aurait dû être soulagé de quitter Nadia et ses mensonges au sujet d'Elizabeth, mais quelque chose de gris et de malfaisant tourbillonnait toujours au-dessus de sa tête, entre lui et le ciel.

Chapitre 9

— Je veux seulement te poser une question, d'accord? dit Verlaine dont la voix semblait métallique dans le téléphone cellulaire de Nadia. Est-ce que c'est une chose stupide à faire, à ton avis?

— Je me promène dans mon nouveau quartier. Il reste encore presque une heure avant le coucher du soleil. J'ai déjà préparé le dîner. Il cuit dans le four et même mon père est capable de sortir un ragoût quand la minuterie sonne. Alors, qu'y a-t-il de stupide?

— Tu vas affronter une autre sorcière alors que tu n'es pas sûre que c'est une sorcière et qu'elle est peut-être maléfique? Sans raison particulière?

— C'est sûr que dit comme ça...

Mais Nadia ne s'arrêta pas.

Il était possible de traverser toute la ville de Captive's Sound en une demi-journée, et la maison d'Elizabeth se trouvait à moins de deux kilomètres de la sienne. Nadia se rappelait assez bien le chemin depuis son passage sur la moto de Mateo...

Pendant un instant, elle se rappela comment elle s'était sentie quand elle avait passé les bras autour de sa taille et qu'elle avait cessé de respirer pendant un instant. Mais elle repoussa cette pensée, la remplaçant par la façon brutale dont il était parti après les cours. Il préférait l'accuser d'être paranoïaque ou folle plutôt que de croire quoi que ce soit contre sa chère Elizabeth. Même si elle n'était pas sa petite amie — une découverte qui avait brièvement rempli Nadia d'un espoir si fort qu'il était douloureux —, Elizabeth était plus importante que quiconque à ses yeux. Plus importante que Nadia, en tout cas.

Ce qui était logique, étant donné qu'Elizabeth était sa meilleure amie alors qu'il connaissait Nadia depuis seulement quelques jours et qu'elle s'était mise à déblatérer sur la sorcellerie. Mais quand même.

Verlaine continua à parler.

— Je pense seulement que c'est quelque chose que tu pourrais faire plus tard. Ou jamais. Jamais est aussi une bonne option.

— Je ne vais pas l'affronter, répondit Nadia en marchant le long du trottoir lézardé.

Le crépuscule avait commencé à assombrir le bleu du ciel, mais elle avait encore le temps d'aller chez Elizabeth et de rentrer chez elle avant qu'il fasse noir.

— Je vais juste… jauger la situation.

— Alors, tu vas aller chez elle et fouiner en espérant qu'elle ne te prenne pas la main dans le sac. C'est soit dangereux pour toi, soit effrayant pour elle. Peut-être les deux.

— Écoute. Je sais que c'est une sorcière. Si elle n'est pas dangereuse — et c'est peut-être le cas, je ne le sais pas —, alors c'est une amie potentielle, d'accord ? Quelqu'un que nous devons connaître.

Verlaine ne sembla pas convaincue.

— Si tu veux devenir son amie, je crois que fouiller sa maison au coucher du soleil n'est pas la meilleure façon d'y parvenir.

136

Elle avait raison. Nadia le savait. Mais elle ne pouvait se défaire de l'idée que quelque chose clochait vraiment chez Elizabeth Pike, et si elle appartenait, de quelque manière que ce soit, aux forces maléfiques à l'œuvre à Captive's Sound, alors une confrontation directe était une mauvaise idée... Du moins, jusqu'à ce que Nadia possède plus de renseignements sur ce à quoi elle avait affaire.

— Je te jure que je ne vais pas la suivre partout. Mais si je vais la voir et que je commence à parler de magie alors qu'elle ne sait rien à ce sujet, c'est encore pire que simplement inspecter sa maison, n'est-ce pas?

— Peut-être.

— Et souviens-toi : les ennuis vont bientôt arriver en ville. De gros ennuis. Si Elizabeth sait quoi que ce soit à ce sujet, nous devons le découvrir le plus rapidement possible.

— D'accord, d'accord.

Verlaine ne semblait pas enthousiaste, mais elle céda.

— Envoie-moi un SMS dès que tu as fini, d'accord? Ce qui devrait être bientôt.

— Quelques minutes. C'est tout. Promis. Je te laisse maintenant, d'accord? On se parle plus tard.

Nadia glissa finalement son téléphone cellulaire dans la poche de son jean. Quelques pâtés de maisons plus loin, elle serait chez Elizabeth, et elle devait se concentrer. Il y avait quelques éléments protecteurs de base à chercher : des plantes à côté de la porte avant ou arrière, certaines pierres, des choses du genre. Nadia avait déjà incorporé certains de ces éléments dans la nouvelle maison de sa famille. Elle pourrait voir les protections d'Elizabeth contre le mal. Elle finit quand même par se dire qu'il était possible qu'elle regarde à travers les fenêtres d'Elizabeth comme un voyeur.

Était-ce étrange ou effrayant ? Même si elle avait une bonne raison de le faire ?

Mais Nadia ne savait pas quoi faire d'autre.

Alors qu'elle se trouvait à quelques pâtés de maisons de son but, elle vit Elizabeth.

Celle-ci était assise sur un banc en fonte dans un jardin en piteux état et plein de mauvaises herbes. Nadia vit que c'était un jardin public grâce à la pancarte ébréchée. Avant, quand elle était passée devant, elle avait présumé que c'était un terrain vague. Elle se cacha rapidement derrière l'une des haies envahies par les mauvaises herbes pour ne pas être vue.

« Tu sais, tu viens vraiment de franchir la ligne de poursuite », se dit-elle.

Le ciel sombre donnait une teinte bleu pervenche à la robe blanche en coton d'Elizabeth, dont les cheveux bouclés ondulaient sous le vent. Dans une main, elle tenait une bouteille d'eau qui réfléchissait les derniers rayons du soleil. Nadia entendit le rugissement d'un moteur — un son familier. En regardant à travers les feuilles de la haie, elle aperçut la moto de Mateo filer dans la rue vers elle.

Non. Vers Elizabeth.

Il freina et éteignit le moteur. L'expression de pure adoration quand il retira son casque... Cela heurta Nadia plus que ce qu'elle aurait cru possible. Elizabeth ouvrit ses bras et Mateo s'approcha d'elle, leurs ombres se mêlant quand elle l'enveloppa dans son étreinte.

Nadia ne pouvait plus les regarder. Pendant une fraction de seconde, elle en voulut à Mateo, puis elle retourna sa colère contre elle-même.

« Pourquoi es-tu contrariée ? Pourquoi es-tu même étonnée ? Elle est importante à ses yeux. Quelque chose d'horrible vient de lui arriver. Il n'est pas étonnant que Mateo se tourne vers Elizabeth. »

Mateo lui avait certainement dit la vérité au sujet de sa relation avec Elizabeth, mais même s'ils ne formaient pas un couple, il était possible qu'il tienne plus à elle que ce qu'il avait avoué. Peut-être même plus qu'il s'en doutait.

Nadia commença à rebrousser chemin, puis elle se mit à courir. Chaque pas martelant la chaussée la faisait se sentir de plus en plus stupide.

« Pourquoi Elizabeth aurait-elle quelque chose à voir avec la force maléfique derrière ce qui se passe à Captive's Sound ? D'accord, elle n'a pas perdu les pédales aujourd'hui. Et alors ? Tu es presque sûre qu'elle est une sorcière, c'est tout, alors tu devrais chercher à devenir son amie. Pas l'espionner. Pas avoir une crise de panique parce qu'elle est gentille avec Mateo, le garçon qu'elle connaît depuis toujours.

» Parce qu'elle tient Mateo dans ses bras…

» Avoue-le, tu voudrais qu'elle soit méchante parce que tu veux qu'elle le laisse.

» Pourquoi suis-je si stupide ? »

Nadia s'arrêta juste avant sa maison et s'appuya sur la voiture d'un voisin, haletante, jusqu'à ce que ses joues refroidissent et qu'elle se sente de nouveau maître d'elle-même. Son père et Cole ne pouvaient pas la voir souffrir, ils n'avaient pas besoin de la voir fondre en larmes. Ils avaient besoin de son amour. Ils avaient besoin de dîner.

Pendant un instant, elle imagina en quoi cela pourrait être différent, en quoi cela devrait l'être. Elle rentrerait en courant et verrait sa mère, souriante et forte, sentant le parfum, les bras de son père autour de sa taille pour l'étreindre par-derrière. Personne n'aurait à s'en faire pour Cole. Elle pourrait demander à sa mère de lui expliquer tout ce qui se passait : ce qui rendait la ville malade, ce qu'était (ou n'était pas) Elizabeth, comment Mateo pouvait être son Allié. Sa mère le saurait ; elle savait toujours tout. Elles le découvriraient ensemble.

La nostalgie l'emplit, jusqu'à ce qu'elle ait l'impression que ses côtes allaient plier et éclater, le sentiment engloutissant son cœur.

Mais sa mère ne serait plus jamais à la maison.

« Stupide, pensa de nouveau Nadia. Tellement stupide. »

Elle se reprit et entra dans la maison, un sourire presque crédible aux lèvres.

— Alors, genre, j'avais l'impression que tout le monde le faisait, d'accord ? Et ce n'est pas comme si je voulais vraiment voler le téléphone de Jinnie. Ce n'est même pas un si bon téléphone.

Kendall était la dernière à prendre la parole dans le cercle formé en lieu et place du cours de chimie. Aujourd'hui, c'était une étrange séance de thérapie portant sur le fait qu'il ne fallait pas se laisser mener par des envies soudaines, et l'hystérie collective, ou quelque chose du genre.

— Mais, genre, tous les autres faisaient quelque chose et je me suis dit qu'il fallait que je fasse quelque chose, alors c'est ce que j'ai fait.

Nadia soupira. Le malaise insurmontable qu'elle sentait généralement dans le laboratoire avait été enseveli par l'ennui. Toutes les personnes dans la classe, dont le Piranha, avaient dû trouver une raison expliquant pourquoi elles avaient perdu la raison hier. Comme personne ne savait que la véritable raison était un sort magique, aucune des excuses n'avait de sens. Certaines personnes blâmaient leur médication pour leur trouble déficitaire de l'attention ;

un garçon croyait qu'ils avaient malencontreusement créé une sorte de drogue avec les produits chimiques de leur expérience, même si le Piranha affirmait que c'était impossible.

Faye Walsh croisa les bras. Vêtue d'une élégante robe portefeuille bleu vert et de talons hauts, le seul signe indiquant qu'elle n'était pas pleinement confiante et qu'elle gérait la situation était le petit pli entre ses sourcils.

— D'accord. Je ne sais pas ce qui se trouve à la base de ce qui est arrivé ici, mais il n'est pas question de blâme ou de punition. D'une manière ou d'une autre, quelqu'un a perdu son bon sens et tous les autres l'ont imité. Ce qui a manqué ici est un peu d'autodiscipline. Peut-être quelqu'un qui aurait eu le courage de se lever pour demander ce qui se passait.

Nadia serra les bras autour de son corps et jeta un regard de l'autre côté du cercle, où se trouvait Mateo. Il la regardait déjà. Leurs regards se croisèrent et le doute qu'elle vit dans ses yeux la transperça.

Mais il devait avoir remarqué la même chose qu'elle : Elizabeth n'était pas en cours de chimie aujourd'hui. D'après ce que Nadia pouvait voir, elle n'était simplement pas venue à l'école.

Et ni leur professeur ni madame Walsh n'avaient dit quoi que ce soit à ce sujet.

La cloche sonna, et madame Walsh dit :

— D'accord, tout le monde, bonne séance.

— Demain nous reprendrons les expériences où nous nous sommes arrêtés ! lança le Piranha.

Depuis sa place à côté de Nadia, Jeremy Prasad grommela :

— Elle pense pouvoir retrouver sa dignité en criant suffisamment.

— C'est toi qui as commencé à enlever tes vêtements, lui rappela Nadia en attrapant ses affaires.

Aucunement dérangé, Jeremy lui sourit. Son sourire aurait vraiment été charmant s'il n'était pas un si grand imbécile.

— Tu l'as remarqué, hein? Je suppose que tu as dû aimer ce que tu as vu.

— Pitié.

Nadia avait présumé que Mateo essaierait de l'éviter, mais quand elle se dirigea vers la porte, elle se rendit compte qu'il restait en retrait... Il l'attendait. Nadia n'hésita qu'un instant.

— Hé! dit-elle quand il commença à marcher à côté d'elle.

— Hé! écoute... Hier... Je suis désolé d'avoir paniqué comme ça.

Commençait-il finalement à douter d'Elizabeth? Était-elle partie trop tôt hier soir? Un battement douloureux et violent commença dans le cœur de Nadia.

Mais il ajouta :

— Tu as tort à propos d'Elizabeth. Mais je peux comprendre pourquoi tu devais te poser ces questions. Il se passe des trucs étranges, Elizabeth est la seule autre sor... La seule autre, euh... s-o-r-c-i-è-r-e que tu connais dans le coin, donc tu dois découvrir s'il existe un lien. Mais ce n'est pas le cas.

Nadia réussit à sourire.

— Je pense que la plupart des gens savent épeler «sorcière» à leur âge.

Mateo rit une fois, surpris plus qu'amusé, mais il regarda quand même autour de lui pour voir si quelqu'un les écoutait.

— Ne t'inquiète pas pour ça. Tu te rappelles la cantine, hier ? Tu serais surprise de savoir à quel point les gens ne prêtent pas attention à ce qui se passe sous leurs yeux.

— D'accord.

Ils sortirent de l'école ensemble, arrivant dans la grande cour qui séparait les bâtiments de l'école. De nombreux groupes se rassemblaient pour le déjeuner : les riches enfants de la Colline, parfaitement habillés autour d'une table de pique-nique, les sportifs riant bruyamment d'une blague stupide, les fous de théâtre s'assemblant autour de la tablette de quelqu'un pour regarder une vidéo quelconque. Nadia ne savait pas si elle devait aller à la cantine ou rester là et attendre Verlaine, ou commencer à parler. La tension entre Mateo et elle crépitait comme de l'électricité statique. Au milieu de tout le chahut, ils étaient immobiles. Ensemble, mais seuls.

— Penses-tu possible qu'Elizabeth soit dans le pétrin ? demanda finalement Mateo.

« Reste objective », se dit Nadia.

— C'est possible, admit-elle. Pour le moment, tout est possible.

Il n'entendit pas l'avertissement caché dans ses paroles.

— Comme tu l'as dit, les filles ne sont pas censées parler de magie aux garçons. Alors, Elizabeth ne peut pas me dire ce qu'elle sait. Et elle ne pourrait pas m'avertir si elle était en danger à cause de ce qui se passe dans cette ville.

— C'est peut-être vrai.

Nadia se demanda comment elle se sentirait si c'était vraiment la vérité. Le plus important était de garder l'esprit ouvert jusqu'à ce qu'elle en sache plus, mais il valait la peine de découvrir exactement ce que savait Elizabeth.

— Lui as-tu dit ? Que tu es un Allié, que tu as découvert l'existence de la magie ? Lui as-tu parlé de moi ?

Il était facile de l'imaginer : cette étreinte au crépuscule, Elizabeth dans les bras de Mateo pendant qu'il lui avouait tout...

Mais il secoua la tête.

— Je voulais le faire, mais... Il ne s'agit pas seulement de mon secret. C'est aussi le tien. Je crois qu'on peut faire confiance à Elizabeth. Tu dois le croire aussi. Quand tu en seras sûre, on ira la voir ensemble.

Cela semblait... hautement improbable. Mais Nadia resta concentrée.

— On doit d'abord obtenir d'autres renseignements. Sur la malédiction, sur la magie dans cette ville, sur tout. Ça fait un moment que j'ai envie de creuser. En fait, j'aimerais apprendre l'histoire de toute ta famille, aussi loin que remonte la malédiction. As-tu de la parenté âgée qui en saurait plus que toi ?

— Ma grand-mère. Et non, tu ne veux pas la rencontrer. Fais-moi confiance sur ce point.

Ses yeux soudain hantés convainquirent Nadia qu'il valait mieux ne pas le contredire, du moins, pour le moment.

— Alors, que fait-on ? On va à la bibliothèque ?

— Il faut fouiller les archives des journaux... Avec l'aide de la stagiaire, dit Mateo.

Quand Nadia le regarda de façon perplexe, il indiqua l'autre côté de la cour. Verlaine se dirigeait vers eux à grandes enjambées. Elle semblait encore méfiante, mais elle tenait maintenant pour acquis qu'ils allaient traîner ensemble.

Pendant qu'ils étaient encore seuls, Nadia en profita pour demander :

— Alors, où est Elizabeth, aujourd'hui ?

Quand Mateo fronça les sourcils, apparemment confus, elle ajouta :

— Étant donné qu'elle n'était pas en cours.

— Ah ! oui. Je n'en sais rien.

La question lui glissa sur le dos. Mateo avait beau s'inquiéter de savoir si Elizabeth était en danger et de défendre son honnêteté et sa bonté, il ne semblait pas avoir remarqué si elle était là ou pas.

«Comme si on lui avait ordonné de ne pas remarquer ses allées et venues, pensa Nadia. Comme s'il ne pouvait pas le voir. Comme si quelqu'un l'en empêchait.»

Elizabeth marchait dans la rue en regardant la chaussée sur laquelle tombaient les gouttes de sang. Elle entendit quelques fois des voitures arriver derrière elle, mais les conducteurs ralentissaient toujours, la contournaient et poursuivaient leur chemin. Plus tard, aucun d'eux ne se souviendrait de quoi que ce soit.

Dans le ciel, le corbeau volait, le battement de ses ailes complètement régulier. La petite coupure qu'elle lui avait infligée ne devait pas l'avoir vraiment affaibli. Même si cela avait été le cas, Elizabeth avait ordonné à l'oiseau de poursuivre son vol, peu importe ce qui arrivait.

Le sang déviait de la route principale pour éclabousser le bord du trottoir. À proximité du perron de quelqu'un.

Quand elle leva les yeux, elle se trouvait devant la maison de la rue Felicity, la maison victorienne qui avait été peinte en bleu pâle au cours des 45 dernières années. Même si Nadia était à l'école, Elizabeth put voir que le contour du bâtiment luisait légèrement d'une teinte violette sinueuse… Le signe de la magie.

« La mère, pensa-t-elle. Ça peut seulement être la mère. »

Nadia était trop jeune pour vraiment représenter un défi pour Elizabeth, mais elle montrait déjà les signes d'un pouvoir extraordinaire. Seules quelques possibilités expliquaient cela, et la plus probable était que le grand pouvoir provenait de la mère de Nadia. C'était elle qui avait dû enseigner la magie à Nadia. C'était elle qui avait découvert le potentiel de sa fille.

Et c'était elle qui devait être éliminée en premier.

Alors que le corbeau allait se percher dans un arbre pour se reposer, Elizabeth monta les marches, remarquant les légères réverbérations autour d'elle quand elle avançait. Les protections habituelles étaient en place, mais rien d'autre. Elizabeth ne pensait avoir aucune réponse en sonnant, puisque c'était le milieu de la journée, mais elle entendit de lourds pas s'approcher et un homme d'une quarantaine d'années ouvrit la porte. Il était bronzé, les cheveux foncés, assez agréable malgré les manches de chemise roulées et l'air distrait suggérant qu'il avait interrompu son travail.

— Puis-je vous aider ?

— Êtes-vous le père de Nadia ? demanda Elizabeth en lui offrant son sourire le plus charmant. Je suis une de ses nouvelles amies. De l'école. Elizabeth Pike.

— Ne devrais-tu pas être à…

Il s'interrompit quand elle le fit pénétrer dans son envoûtement. À partir de maintenant, monsieur Caldani ne risquait pas plus que quelqu'un d'autre de lui demander d'où elle venait, quand ou pourquoi. Nadia était peut-être immunisée contre ce genre de sort, comme les autres sorcières, mais personne d'autre ne pouvait l'être. Il sourit de façon sympathique.

— Je suis heureux de voir que Nadia a déjà rencontré tant de personnes.

— Captive's Sound est une ville très amicale. Puis-je entrer ?

Il ne demanda pas de raison. Il ne se posa même pas la question, se contentant de s'écarter pour laisser entrer Elizabeth.

Elle sentit immédiatement que la majorité de la magie prenait place au-dessus de sa tête… Sans doute dans le grenier. Bien. Si la mère se trouvait là-haut, elle ne pourrait pas échapper à Elizabeth. Elle était enfermée. Prise au piège.

— Votre femme est-elle à la maison ? demanda-t-elle en penchant la tête et en souriant gentiment à monsieur Caldani.

Son visage s'assombrit. Pendant un moment, il chercha ses mots.

— Elle… La mère de Nadia et moi sommes divorcés. Elle vit à Chicago.

— Ah ! Je suis désolée.

Elizabeth s'assura de sembler compatissante. Il valait mieux offrir aux gens certains véritables souvenirs d'elle se comportant de façon prévenante. Ils aidaient à renforcer ses illusions.

— Je ne voulais pas être indiscrète.

— C'était une question normale. Tu ne le savais pas. Mais ne parle pas de… Non. Je ne peux pas dire ça. Si Nadia et toi en parlez, sois prudente. C'est visiblement un sujet sensible pour nous tous.

— Vous voulez la protéger, dit Elizabeth. Bien entendu.

C'était un homme gentil, et sensible. Elle pourrait utiliser ces faits, si c'était nécessaire.

Mais elle ne pensait pas devoir le faire. Sans mère pour la guider, Nadia avait un grand pouvoir, mais aucune possibilité d'apprendre. Elle ne représenterait jamais une menace sérieuse pour les plans d'Elizabeth.

Il était singulier que la mère parte au moment le plus important de la formation de sa fille... Mais la plupart des gens ne réfléchissaient pas assez. Elizabeth ne supportait pas ce genre de handicap... plus maintenant...

Il serait désormais facile de monter au grenier et de prendre le Livre des ombres de Nadia, tous ses ingrédients, absolument tout, mais dans quel but ? Il valait mieux partir.

— Je suis venue en espérant trouver Nadia ici, dit Elizabeth.

Monsieur Caldani ne lui demanderait jamais, et ne *se* demanderait jamais, pourquoi elle pensait trouver Nadia à la maison pendant les heures de cours, tout comme il ne demanderait jamais à Elizabeth pourquoi elle était là.

— Je devrais y aller et vous laisser retourner travailler.

Il réussit à sourire.

— Eh bien, ça m'a fait plaisir de faire ta connaissance, Elizabeth.

Ils se quittèrent à la porte, pratiquement comme des amis.

Elle marcha rapidement vers sa maison. Mateo passerait-il la voir ce soir ? Il demandait tant de temps et d'attention, et pour le moment, alors que les rêves étaient encore très flous, il lui apprenait peu de choses.

Mais bientôt, tout cela en vaudrait la peine. Très bientôt.

Elle entra chez elle. Le soleil de l'après-midi se reflétait sur le verre cassé du plancher et elle s'arrêta, regardant le centre de la pièce. Son corbeau tressaillait sur le plancher, ses ailes battant désespérément sur les lattes pendant qu'il se débattait, à l'agonie. Il était revenu ici pour mourir, même si ce n'était pas à cause de sa blessure. La magie avait bien entendu étranglé l'oiseau. Elle finissait toujours par le faire, tôt ou tard.

Quand le corbeau cessa enfin de bouger, Elizabeth toucha une de ses bagues et récita le sort presque sans y penser. Il était si familier, maintenant. Le corbeau disparut immédiatement dans une flamme qui ne dura qu'une seconde. Seule une minuscule brûlure au sol indiquait où il s'était trouvé.

Elizabeth tendit la main vers ses bocaux et sortit celui qui était rempli de liquide grisâtre, celui où flottaient encore les douzaines d'yeux de ses corbeaux précédents. Elle en aurait besoin bientôt. Elle se rendit ensuite à la fenêtre, leva un bras et fit croire à tous les corbeaux qu'elle chantait, qu'elle chantait pour eux, et il suffisait d'attendre pour voir lequel viendrait la voir en premier.

— Techniquement, je suis une stagiaire, expliqua Verlaine quand ils montèrent les marches du journal de Captive's Sound, le *Guardian*. Mais il n'y a pas grand-chose à faire, ici.

— Vraiment ? demanda Nadia en regardant de façon méfiante le bureau poussiéreux. La ville semble remplie de vie.

— Il ne se passe rien dont les gens normaux soient au courant.

Verlaine sortit une grosse clé et déverrouilla la porte. L'odeur de moisi était maintenant réconfortante à ses yeux.

— Le journal est publié une fois par semaine. À l'époque, il était un peu plus centré sur les nouvelles, mais il a été acheté par des gens de l'extérieur qui se préoccupent seulement de le remplir de publicités. Il n'y a pas vraiment de reportages, et les éditeurs ne me laissent jamais y participer. C'est pour ça que mon travail — les véritables nouvelles de la ville — est envoyé au *Paratonnerre*.

— Le *Paratonnerre* ? demanda Nadia, visiblement perplexe.

Mateo se chargea de lui répondre.

— Le site de nouvelles de l'école. C'était un journal jusqu'à il y a environ six ans. Tous les étudiants du cours de journalisme y travaillent.

— Mon projet de fin d'études est de numériser les anciens numéros. En fait, les anciens numéros que le journal a encore depuis le bizarre incendie de 1999.

Verlaine se souvenait vaguement de cela. Quelles étaient les probabilités qu'un éclair frappe deux fois le laboratoire de chimie ? Eh bien, Captive's Sound avait le don de défier les probabilités. Maintenant, elle comprenait enfin pourquoi.

La ville était vraiment aussi étrange que ce que Verlaine avait toujours cru. Elle se sentait infiniment disculpée, légitimée. Tous les recoins bizarres de Captive's Sound étaient remplis de magie… Le secret sous-jacent du monde entier, l'élément qui prouvait que des choses fantastiques, étranges, impossibles pouvaient vraiment se produire.

Et la façon dont les gens avaient toujours été cruels envers elle… D'accord, ce n'était peut-être pas à cause de la magie, mais ce n'était pas inévitable. Sa vie ne serait pas toujours comme ça. Elle était en terminale depuis seulement quelques jours et déjà elle sentait que son monde avait commencé à se transformer. Nadia et elle… Eh bien, elles n'étaient pas tout à fait des amies, mais elles se racontaient leurs secrets, ce qui était la chose la plus proche de l'amitié que Verlaine ait connue. Grâce à Nadia, Mateo l'avait soudain remarquée, ne semblait aucunement fou, et paraissait bien l'aimer. Après une vie d'isolement presque complet, Verlaine était presque étourdie à l'idée de passer du temps non seulement avec une personne, mais encore avec deux.

Et ils avaient une mission ! Une véritable quête magique, ou enquête, ou peu importe le nom, ce qui était mille fois plus intéressant que tout ce que Verlaine avait fait dans sa vie jusqu'à présent.

Bien sûr, elle devrait probablement laisser Nadia et Mateo seuls de temps en temps. La façon dont Nadia se penchait inconsciemment vers lui quand il parlait, l'étincelle dans les yeux sombres de Mateo quand il la regardait… Eh bien, il était facile de voir ce qui se passait.

Verlaine n'était pas jalouse. Pas vraiment. Ou seulement un peu. Même si elle n'avait jamais été amoureuse — n'avait même jamais embrassé un garçon —, elle avait souvent pu observer l'amour depuis la ligne de touche. Les gens devenaient incroyablement stupides juste avant de sortir avec quelqu'un qu'ils aimaient vraiment, et juste après aussi, et c'était tout. Si Nadia et Mateo devaient s'intéresser beaucoup plus à leur histoire qu'à elle pendant un certain temps, elle se dit qu'elle pouvait l'accepter. Oui, elle aurait aimé que les premiers amis qu'elle n'ait jamais eus se concentrent davantage sur elle, mais au moins, leur focalisation sur leurs sentiments réciproques n'était pas une façon de la rejeter. Verlaine connaissait pratiquement tous les moyens d'être rejetée, et ce n'était pas ce qui se passait. C'était seulement une surcharge d'hormones.

Mais pour le moment, ils étaient tous les trois… Dans une quête. Ou peu importe le terme.

Ils se mirent donc au travail dans le seul bureau, alias le bureau principal, puisque le *Guardian* était assez vieux jeu pour que ses presses d'imprimerie se trouvent encore dans l'antichambre. La pièce principale était déjà un chantier de papiers et de vieux clichés, le genre qui était imprimé sur du papier épais et lustré. Il était impossible de mettre un plus grand fouillis dans la pièce que celui qui existait déjà. Verlaine sortit les anciens numéros reliés et laissa Mateo et Nadia commencer à les regarder.

— Qu'est-ce qu'on cherche ? demanda Mateo en toussant quand de la poussière monta en volutes des livres.

— Tout indice de sorcellerie ou de magie.

Nadia commença à feuilleter le *Volume XI : 1865-1870*.

— En d'autres mots, tout ce qui est étrange.

— Ça ne manque pas, ici, répondit Verlaine.

Mais il devint vite clair qu'elle n'aurait jamais pu imaginer à quel point elle avait raison.

L'incendie de l'église en 1995 ? Pas le premier à Captive's Sound. Pas le deuxième, ni le troisième. C'était le *vingt-cinquième*. Verlaine savait que les bâtiments brûlaient plus facilement à l'époque où ils étaient construits en bois sec et où il n'y avait pas de caserne de pompiers, mais 25 églises… Cela semblait extrême, même sur une période couvrant plus de trois siècles.

Et les dolines qui avaient commencé à apparaître en ville plus tôt cette année… C'était aussi arrivé avant. Juste une fois, dans les années 1810, mais les dolines étaient presque du jamais vu dans cette partie des États-Unis. (Verlaine avait fait des recherches sur cet événement pour le *Paratonnerre*, qui était bien plus au point que le *Guardian* sur ce sujet, même si personne n'y avait prêté attention).

Ce qui toucha Verlaine, c'était toutes les nouvelles sur les animaux. Elle aimait les animaux. Pas seulement son chat Smuckers, mais tous les animaux, des alpagas aux zèbres. Elle était végétarienne depuis qu'elle avait 11 ans, alors ses yeux s'emplissaient de larmes chaque fois qu'elle lisait quelque chose au sujet de morts massives de corbeaux, tous trouvés se tordant et agonisant en tas au milieu de la rue. Ou des poulains nés avec 3 têtes, un étrange événement génétique qui se produisait visiblement une fois tous les 20 ans à Captive's Sound, sans erreur. Ou un chien trouvé sans tête sur les marches de l'hôtel de ville. Qui pouvait faire une telle chose à un chien?

Une sorcière, apparemment. Pas comme Nadia. L'autre type de sorcière, comme celle responsable de tout ce qui se passait ici.

— Je ne peux pas croire qu'on ne sache pas tout ceci, déclara Mateo alors qu'ils fouillaient depuis plus d'une heure. Je veux dire, les gens ont vraiment pensé qu'une «vague exceptionnelle» pouvait soulever un baleinier et le déposer en plein cœur de la ville? Même dans les années 1700, ils auraient dû avoir plus de jugeote.

— C'était probablement le cas, dit distraitement Nadia. Mais que devaient-ils rapporter? La vérité?

— Eh bien, *oui.*

Verlaine prenait le journalisme au sérieux, même si tout le monde croyait que c'était seulement de la presse à sensation et du détournement de vérité. Il existait une place dans le monde pour les gens qui désiraient raconter la vérité absolue. Du moins elle l'espérait.

— Ce qui me paraît le plus étrange, c'est la pluie de crapauds, dit Nadia.

Enfin une question à laquelle Verlaine pouvait répondre.

— Ah! en fait, ce n'est pas de la magie. Ce n'est même pas bizarre. Les tornades ramassent parfois des crapauds et ils tombent dans un nuage de pluie à un autre endroit.

Nadia secoua la tête.

— Il a plu des crapauds *à l'intérieur*. Dans de nombreuses maisons de la Colline. Tout à coup, *ploc*, des crapauds sont tombés du plafond.

— Beurk.

D'accord, cela n'avait aucun lien avec les tornades, décida Verlaine.

— Et la maison Cabot ? Est-ce que c'est arrivé là aussi ? intervint Mateo.

Nadia eut soudain l'air gênée, comme si elle avait envie de s'enfoncer dans le sol pour se cacher. Verlaine connaissait très bien ce sentiment.

— Non. Pas là. Mais l'article… Eh bien, il est écrit qu'il y a eu des questions au sujet de l'implication d'un Cabot. Certaines personnes ont cru que c'était un canular de l'« excentrique » Millicent Cabot…

— Mon arrière-arrière-grand-mère.

Mateo se renfonça dans la chaise en bois grinçante, fermant les yeux trop fort, comme s'il avait mal à la tête.

— Elle a vécu des années en étant folle à lier… Du moins, si on en croit ma grand-mère. La plupart d'entre nous ne durent que quelques années, mais Millicent a été folle pendant au moins 30 ans, jusqu'à ce qu'un jour, elle finisse… Eh bien, elle s'est pendue au plafond du grenier.

Il essaya de sourire, mais c'était une expression étrange, tendue.

— Une autre raison pour laquelle je ne veux jamais vivre dans cette maison.

Après quelques moments de silence gênant, Verlaine essaya d'alléger l'atmosphère.

— Hé ! au moins on n'était pas ici pour la tempête de verglas de juillet. Ou la fois où tous les gens présents à une projection de *Comment épouser un millionnaire* ont commencé à saigner des yeux et qu'ils ont blâmé le Cinémascope.

— J'ai l'impression… qu'avant la fin de l'automne, nous allons *regretter* de n'avoir pas eu affaire qu'à ça, dit Nadia, ce qui, selon Verlaine, n'allégeait en rien l'atmosphère.

Mais Nadia resta concentrée.

— Je n'en reviens pas du nombre de comptes rendus au sujet de sorcières, de sorcellerie, etc. Tous les comptes rendus parlent de rumeur, de «légendes régionales», ce genre de choses, mais il semble qu'ici, la sorcellerie est un secret de polichinelle depuis longtemps.

— C'est typique de la Nouvelle-Angleterre. Je veux dire, il y a eu les tribunaux de sorcellerie de Salem — des femmes qui ont fui le Massachusetts parce qu'elles avaient peur des procès en sorcellerie —, ce genre de choses, précisa Verlaine.

— Oui, bien entendu, dit Nadia. Mais ça remonte bien avant ça. Alors, il doit y avoir d'autres sorcières en ville, en plus de… Elizabeth et moi.

En parlant, Nadia jeta un coup d'œil à Mateo, mais il ne répondit pas. Il avait les bras croisés, et son expression était étrange… Presque triste. Il vit les deux filles le regarder et il soupira.

— J'essaie toujours d'accepter le fait que la malédiction est réelle. Et fouiller dans ces archives… Avez-vous remarqué la fréquence à laquelle un Cabot est tenu pour responsable des événements étranges de la ville? Pas seulement Millicent. N'importe lequel d'entre nous, presque toute la famille. C'était parfois vrai à cause de la malédiction. Mais parfois, ce n'était pas le cas, à cause de la sorcellerie. C'est comme si je devais réécrire tout ce que je connais au sujet de ma famille. À mon sujet.

— Ça doit être difficile, dit doucement Nadia. Je suis désolée.

Ils échangèrent alors un regard, un de ceux qui semblent faire monter de quelques degrés la température d'une pièce, un regard qui donna à Verlaine l'impression qu'elle devrait trouver une excuse pour partir.

Elle leur montra plutôt le livre indiquant *1815-1820*.

— En fait, j'ai seulement trouvé un compte rendu de sorcellerie. Celui-ci.

— Il date d'il y a presque 200 ans? demanda Nadia en commençant à tourner les pages très prudemment.

— Une copie. Les très vieux numéros sont trop fragiles, maintenant. Le journal en a fait des copies dans les années 1950. Mais tout a été copié textuellement.

Ils se réunirent, coude à coude, quand Nadia trouva le bon numéro. Il fallut un certain temps pour trouver l'histoire qu'ils cherchaient. Les journaux étaient différents, à l'époque, écrits en caractères minuscules, avec des titres flous, sans sections pour séparer les nouvelles par sujet. Mais ils découvrirent l'article en quelques minutes.

— *« Les marins ont couru à leur perte alors qu'ils sautaient du phare pour trouver un prétendu "trésor enfoui", croyant peut-être qu'il avait été rapporté par des corsaires revenant des Caraïbes,* lut Verlaine à voix haute. *Mais il est notoire qu'un tel trésor renfermait les seuls biens de Goodwife Hale, une des premières habitantes de Captive's Sound. Les mauvaises langues et les commères prétendaient qu'elle avait fui les procès en sorcellerie de Salem, et il faut reconnaître que c'était une personne singulière, célèbre pour ses remèdes maison et parce qu'elle collectionnait des objets divers ne valant rien pour tout esprit sain. Mais c'était une pauvre femme qui n'avait jamais possédé l'or ou les bijoux que les marins se vantaient de pouvoir trouver. Dans la taverne, des compatriotes qui entendirent la vantardise des hommes damnés au sujet d'un trésor essayèrent de leur faire entendre raison, mais les marins ne les écoutèrent pas — et ils en payèrent le prix.* »

Nadia soupira.

— De l'or. Des bijoux. Les choses qu'une sorcière aurait possédées… Elles auraient valu bien plus que tout ce bazar, du moins pour moi.

— Comment sais-tu que c'était une sorcière ?

Verlaine avait étudié l'hystérie de Salem à l'école, et aucune de ces personnes n'avait vraiment été une sorcière.

— Eh bien, je ne peux pas en être complètement sûre, admit Nadia, mais ça semble correct. La partie au sujet des remèdes maison, c'est un indice. Et garder des objets divers que personne d'autre ne trouvait utiles ? Ils auraient pu lui servir à des sortilèges. En plus, l'article indique qu'elle cachait des choses un peu partout, alors qui sait ? Les marins qui sont morts avaient probablement entendu des ouï-dire basés sur la vérité. Si elle avait vraiment caché quelque chose dans le détroit, ç'aurait pu être… Je ne sais pas. Quelque chose de fantastique. Mais ça doit avoir disparu depuis longtemps.

Mateo se redressa sur sa chaise, l'expression étrange.

— Ou peut-être pas.

— Que veux-tu dire ? demanda Verlaine.

— Après être devenu ton Allié… Quand j'ai pu voir…

Il buta sur le mot avant de pouvoir le dire.

— Quand j'ai pu voir la *magie* pour la première fois, j'ai vu quelque chose briller sous l'eau. Juste dans le coin du phare. Quelque chose d'un vert vif qui brillait fort, comme un projecteur.

— Vert, murmura Nadia. Ça semble bien.

Elle sentit apparemment la confusion de Verlaine parce qu'elle ajouta :

— Les différentes sortes de magie possèdent généralement différentes couleurs. La magie noire — la magie mal utilisée, maléfique — a généralement une teinte rouge. Le vert est soit inoffensif, soit très, très utile.

Ils se regardèrent tous. Verlaine pensa qu'il était drôle de pouvoir *voir* une idée se transmettre d'une personne à une autre, illuminant leurs visages tour à tour.

— Qu'est-ce qui se trouve sous l'eau ? murmura-t-elle finalement.

— Aucune idée, répondit Nadia avant de sourire. Mais je compte bien le découvrir.

Chapitre 10

Les possessions magiques d'une sorcière datant de plus de trois siècles... Que pouvaient-elles être ? Qu'est-ce que Mateo avait vu briller dans les profondeurs du détroit ? Cela pouvait être des infusions et des potions dans des bouteilles et bocaux scellés. Son bracelet ou ses bagues, selon les matériaux qu'elle utilisait pour l'aider à lancer des sorts, des bijoux qui, au fil du temps, auraient acquis certaines propriétés magiques. Ou n'importe quoi en fait, jadis banal, mais enchanté par la mystérieuse Goodwife Hale.

La possibilité la plus alléchante demeurait toutefois le Livre des ombres de la sorcière.

Il aurait été normal de le dissimuler sous l'eau. Un Livre des ombres développait trop de pouvoir et d'individualité pour être simplement brûlé lors de la mort d'une sorcière, et c'était une chose dangereuse à laisser traîner. La plupart des sorcières le léguaient à une jeune sorcière de leur famille, ou alors, le livre était enterré avec elles. Goodwife Hale avait dû choisir une autre option.

À quoi ressemblerait un livre de sortilèges vieux de plusieurs siècles ? Nadia savait que la plupart des sorts évoluaient au fil du temps, d'une communauté à l'autre, d'une génération à l'autre. Que nécessiteraient des sorts aussi vieux ? Quelle puissance avait dû avoir le livre, pour avoir été laissé en pleine mer ?

— Tu as encore ce regard, observa Mateo en arrivant à côté de leur table.

Ils étaient allés à La Catrina afin qu'il puisse travailler, et Verlaine et Nadia s'étaient confortablement installées dans le coin du fond. Mais c'était une soirée tranquille au restaurant et, au lieu du vacarme que Nadia avait attendu, ils étaient entourés par les bribes de conversations des quelques tables occupées et des odeurs délicieuses : haricots noirs, poulet rôti, tomates fraîchement coupées. Le meilleur était la façon dont Mateo lui souriait.

— Ce regard qui dit : « Je dois l'avoir », ajouta-t-il.

— C'est important, insista-t-elle. Il se passe quelque chose d'extrêmement étrange dans cette ville... Un objet magique qui date d'il y a très longtemps pourrait nous en apprendre beaucoup.

« Et si c'est un Livre des ombres, il m'enseignerait tant de choses — peut-être une partie de ce que ma mère aurait dû m'apprendre et qu'elle ne m'enseignera jamais... »

— Je ne vais pas te contredire, dit Mateo. Tu connais ces trucs ; pas moi. C'est comme... Ton visage s'éclaire. C'est mignon.

Il avait dit qu'elle était mignonne. Ses joues chauffèrent. Nadia baissa les yeux, gênée, et se retrouva en train de fixer les mains de Mateo. Elles étaient belles, fortes, et elle se rappela la façon dont il les avait tendues vers elle, le soir de l'horrible accident...

— Euh, les amis ?

Verlaine leva les yeux de son ordinateur portable, qui était posé sur la table et illuminait son visage d'une lueur verdâtre. Ses yeux étaient écarquillés et sa voix tremblait.

— Je crois que vous allez vouloir voir ça.

— Qu'est-ce que c'est ? demanda Nadia pendant que Verlaine tournait l'ordinateur pour qu'ils puissent voir.

— Bon, l'année dernière, tous les élèves qui ont eu des retenues ont dû aider à numériser et à classer les albums de promotion, depuis le premier, en 1892. Alors, maintenant, il existe une version électronique que les anciens étudiants peuvent consulter, vous voyez.

Elle regarda nerveusement Mateo.

— J'ai pensé à lancer une recherche sur Elizabeth. Si c'est une sorcière, les personnes avec lesquelles elle a passé du temps au cours des dernières années étaient peut-être aussi des sorcières, n'est-ce pas ?

Nadia opina. Compte tenu des signes qu'elle avait déjà vus indiquant la longue histoire de sorcellerie de Captive's Sound, il semblait improbable qu'Elizabeth soit la seule sorcière. Mateo ne protesta pas, même s'il croisa les bras et fronça les sourcils.

Verlaine continua.

— Regardez l'index.

Elle tourna l'écran pour qu'ils regardent. Elizabeth Pike apparaissait dans l'album de promotion du lycée Rodman de l'année précédente. Et cinq ans plus tôt. Et trois ans avant cela. Et ainsi de suite. Nadia fit défiler l'écran et elle découvrit que la liste d'images continuait de la même façon, ne sautant jamais plus de sept ans, jusqu'en 1892.

— C'est un nom de famille, je suppose, dit Mateo.

— Mais regarde, répondit Verlaine avant de tourner l'ordinateur et de leur montrer des clichés. Voici l'album de promotion de l'an dernier. Elizabeth n'a pris aucune photo officielle, mais il y a ceci…

Un cliché montrait Elizabeth dans la cour, en train de boire un soda. C'était l'une des nombreuses personnes photographiées de façon aléatoire.

— Et cette photo de 1963...

L'image de 1963 apparut à l'écran et Nadia eut le souffle coupé. Selon la légende, le cliché montrait « Liz Pike » en train de faire la queue devant la nouvelle fontaine à eau... Mais la personne ressemblait exactement à Elizabeth. Ses cheveux avaient beau être placés dans une sorte de bulle à l'aide de laque et ses vêtements, sembler sortir d'un film en noir et blanc, la ressemblance était plus que troublante, même si quelque chose dans son visage lui donnait un air plus vieux.

Mateo haussa les épaules.

— Ça doit être sa grand-mère. Et ?

— Et 1930, continua Verlaine.

Ce cliché montrait un genre de soirée dansante à l'école. Debout derrière le bol de punch, vêtu d'une élégante robe à volants ornée d'un gros bouquet à l'encolure, se trouvait une autre Elizabeth, identique à celle qu'ils connaissaient, mais nommée « Betsy Pike », environ un an plus âgée que celle de 1963.

— Et maintenant, 1892.

Verlaine ouvrit une autre image, un portrait officiel. Une fois de plus, la légende indiquait « Elizabeth Pike » et le visage était identique. Malgré un chemisier en dentelle à col montant et ses cheveux attachés au sommet de sa tête dans un chignon guindé, le visage était impossible à confondre. Un seul changement était visible : la fille dans la plus vieille photographie était la plus âgée. En 1892, elle était une enseignante, pas une élève — une jeune enseignante, peut-être, mais pas une adolescente.

Pendant un long moment, personne ne parla. Nadia brisa finalement le silence.

— Je ne comprends pas.

— C'est un nom de famille, insista Mateo. Ça doit l'être.

— Il est impossible que quatre générations se ressemblent autant.

Le cerveau de Nadia fonctionnait à toute vitesse.

Elle n'avait jamais étudié la magie noire... Elle n'avait jamais voulu le faire. Quand on commençait à lancer ce genre de sort, on était de connivence avec les démons, voire le Très-Bas. Mais elle possédait assez de connaissances pour reconnaître la magie noire quand elle la voyait.

Une telle chose... C'était plus sombre, plus puissant et plus terrifiant que tout ce dont elle avait entendu parler auparavant.

— La famille d'Elizabeth doit faire partie de tout ça depuis très longtemps.

Bien sûr, elles auraient toutes été des sorcières ; les mères transmettaient l'Art à leurs filles.

— Partie de quoi ? demanda Verlaine.

— La magie noire.

Le regard de Mateo s'assombrit et il pinça ses lèvres jusqu'à ce qu'elles forment une mince ligne.

— C'est impossible à déduire en regardant les clichés de l'album de promotion, dit-il après un long moment. Allons.

— Tu as vu les photos, insista Nadia. Comme nous. Cette ressemblance familiale n'est pas normale du tout. Ça dépasse la ressemblance. On dirait presque qu'Elizabeth... renaît, encore et encore...

Mais comment était-ce possible ?

— D'accord, je ne sais pas quelle est l'explication, mais il doit y en avoir une, protesta Mateo. Une blague des étudiants en retenue qui, grâce à Photoshop, ont incrusté le visage de certains d'entre nous dans de vieilles photos, peut-être. Ça ne veut pas dire qu'elle est maléfique.

— Mais je suis certaine que ce n'est pas aussi simple que Photoshop.

Le souvenir d'Elizabeth lui souriant froidement alors que toute la classe de chimie s'effondrait revint à Nadia, aussi constant qu'une flamme, la seule véritable preuve qu'Elizabeth n'était pas ce qu'elle semblait être. Que se passait-il?

— J'en ai marre de toujours blâmer Elizabeth. Contentons-nous d'aller chercher ce… truc magique dont tu as besoin et on verra après, d'accord? se contenta de dire Mateo.

À ce moment, son père vint les voir. Il avait le même teint que son fils, mais son visage, ressemblant à celui d'un carlin, suggérait que Mateo tenait son profil aquilin de sa mère.

— Mateo, c'est bien que tu passes autant de temps en compagnie de ces charmantes jeunes femmes, mais tu devrais aussi t'occuper de tes autres tables. Surtout la table 11, celle des sympathiques hommes dont les fajitas sont prêtes?

— Oui, papa. Nadia et Verlaine allaient justement partir, répondit Mateo.

Il n'avait pas l'air particulièrement contrarié, mais il était visiblement heureux de trouver une excuse pour mettre fin à leur conversation.

Alors que Nadia et Verlaine s'éloignaient de La Catrina, cette dernière dit :

— Est-ce que c'est possible, ce que tu as dit? Que quelqu'un renaisse encore et encore?

— Eh bien, je n'en suis pas sûre. Je n'ai jamais entendu parler d'un tel sort.

Si seulement elle pouvait parler à sa mère pendant cinq minutes…

— Si tu n'as jamais entendu parler de ce sort, alors pourquoi penses-tu que c'est ce qui arrive?

Nadia haussa les épaules, soudain mal à l'aise dans le froid du début de l'automne. Les visions sombres tirées des quelques avertissements chuchotés de sa mère au sujet de la magie noire tourbillonnaient dans son esprit et il lui sembla pouvoir sentir le tremblement du sol hanté par les démons sous ses pieds. C'était bien entendu une illusion, mais une illusion qui pouvait avoir une signification.

— Une magie assez puissante… Ça rend tout possible. Vraiment tout, dit-elle simplement à Verlaine.

Ce soir-là, Mateo tomba sur son lit, exténué, mais il ne put s'endormir.

Alors qu'il était allongé sur sa couverture, toujours vêtu de son jean, son esprit s'emballa. Maintenant, même se promener dans les rues de Captive's Sound lui semblait différent. Il savait que les endroits qu'il voyait avaient été touchés par la magie, il savait que la crasse le séparant du ciel était la preuve que toute la ville se trouvait sous l'emprise d'une force maléfique. Et lorsqu'il se lavait le visage, il devait toujours voir la noirceur tourbillonnante et maladive entourant sa tête.

Sa malédiction était aussi répugnante à regarder qu'à endurer.

Mateo versa quelques comprimés de Tylenol Nuit dans sa paume. Il savait qu'il était possible d'abuser de ces comprimés, et même le désir de ne pas rêver ne valait pas la peine de détruire son foie, mais il avait vérifié la bonne posologie en ligne. Il lança les comprimés dans sa bouche d'une main, les avala avec un peu d'eau, et pria pour dormir trop profondément pour rêver.

Son cerveau tournait si rapidement qu'il ne pouvait imaginer comment il pourrait dormir normalement. Mateo était presque sûr de pouvoir supporter tout ce qu'il avait appris au sujet de la magie et des sorcières, mais ce qui se passait avec Elizabeth lui retournait l'estomac et le rendait malade.

Non, les théories étranges de Nadia ne pouvaient pas être vraies. Il le savait. Mais tous ces clichés... Toutes ces générations de femmes nommées Elizabeth Pike...

Pourquoi Elizabeth ne lui avait-elle jamais dit qu'elle avait un nom de famille ? Qu'elle ressemblait comme deux gouttes d'eau à sa mère et à sa grand-mère ? C'était le genre de choses dont les gens parlaient de temps en temps ou au sujet desquelles ils blaguaient. Et Elizabeth était sa meilleure amie. Ils partageaient tout.

Mateo prit lentement son téléphone et choisit son nom dans la liste de contacts. Comme toujours, elle décrocha après une sonnerie.

— Mateo. Qu'est-ce qui ne va pas ? As-tu fait un autre rêve ?

— Je ne me suis pas encore endormi.

Il se recroquevilla sur le côté, imaginant — comme souvent — Elizabeth couchée à côté de lui. Ce n'était pas une fantaisie sexuelle. C'était simplement réconfortant de l'imaginer près de lui, si douce et gentille.

Mais maintenant, il l'imaginait en tant que «Liz Pike», l'étudiante des années 1960, ou vêtue d'anciens habits victoriens…

— Je pensais à notre enfance, commença Mateo. Toutes les choses amusantes que nous faisions ensemble.

— C'était le bon temps, n'est-ce pas? Tu peux te le remémorer en essayant de t'endormir.

— Quel est ton souvenir préféré? Parmi tous ceux que nous avons?

Il avait besoin de l'entendre, besoin de s'en souvenir à travers elle, de savoir qu'elle chérissait ces expériences autant que lui.

— Tous, bien sûr, répondit Elizabeth.

— Choisis-en un.

— Ah! je ne sais pas.

Pourquoi restait-elle si vague? Ce n'était certainement pas parce que ces souvenirs étaient moins importants pour elle que pour lui. C'était impossible. Elizabeth avait prouvé à maintes reprises à quel point elle tenait à lui. Si elle pouvait lui pardonner d'être bizarre, alors Mateo pouvait lui pardonner de garder quelques secrets qu'elle estimait importants.

«Mais je ne suis pas bizarre, se rappela-t-il. La malédiction est réelle. Ce qui est arrivé à maman, à tous les autres Cabot… C'est quelque chose qui nous a été fait.»

— Rappelle-moi si tu fais un autre rêve, d'accord? Immédiatement. Je ne veux pas que tu t'inquiètes, dit la douce voix d'Elizabeth.

«Si elle est une sorcière, comme Nadia le prétend, elle sait que la malédiction est réelle, mais elle ne veut pas m'en parler. Même pas pour calmer mes craintes de devenir fou et de me suicider.»

— D'accord, répondit-il.

Il ne pouvait plus l'imaginer couchée à côté de lui.

— Bonne nuit.

— Nuit, répondit-elle.

Mateo se dit qu'il était étrange qu'il n'ait pas remarqué avant qu'elle n'ajoutait jamais « Bonne » devant « nuit ».

Cette nuit-là, malgré le Tylenol Nuit, il rêva.

Le monde entier brûlait.

Le plancher. Le plafond. Les murs. Les portes. Chaque inspiration brûlait les poumons de Mateo. Rouge, orange, jaune ; toutes les couleurs luisaient et dansaient autour de lui, semblant étrangement vivantes, comme si la chaleur même pouvait le détester suffisamment pour le tuer.

Nadia était étendue à ses pieds, ses cheveux sombres semblant n'être qu'une autre source de feu dans le monde roussi qui l'entourait.

Mateo voulait aller la voir... La sauver, la tenir, faire quelque chose, n'importe quoi, mais il ne le pouvait pas parce qu'il se trouvait dans les bras de quelqu'un d'autre.

Pourquoi ne pouvait-il pas lâcher prise ?

Sur le plancher, Nadia murmura :

— Tu n'aurais pas dû m'embrasser.

Mateo essaya désespérément de l'atteindre, mais il était toujours solidement tenu... Pas par des bras, c'était impossible... Par des chaînes...

Il se réveilla en sursaut.

Puis il jura.

Il se retourna ensuite dans son lit et donna un coup de poing à son oreiller avant d'attendre les longues heures d'insomnie jusqu'au lever du jour.

— Tu en es sûre ? murmura Cole, la couverture montée sous le menton.

Nadia ferma les portes de la penderie.

— Je l'ai examinée au complet. Aucun monstre. Elle est complètement sûre, à 100 %.

Cole esquissa un sourire et Nadia se dirigea vers son lit avant de lui ébouriffer les cheveux. Il commença à se détendre et demanda :

— Est-ce qu'on peut manger des macaronis au fromage, demain ?

— Demain, c'est la soirée pizza. Je ne serai pas ici, mais je parie que papa commandera toutes les garnitures que tu veux. Tu devrais en choisir des folles, comme… ananas et anchois !

— Beurk, dit Cole en se tortillant, dégoûté et enchanté. Où seras-tu ?

« Je vais plonger dans le détroit à la recherche de Dieu sait quoi. »

— Je vais sortir avec mes nouveaux amis. Je suis chanceuse d'avoir rencontré tant de personnes aussi rapidement. Et toi, mon grand ? Aimes-tu les enfants de ton école ?

Cole commença à lui parler de ses nouveaux amis et d'une fête d'anniversaire à laquelle il irait pendant la fin de semaine. Nadia sentit son téléphone vibrer dans sa poche, mais elle l'ignora, laissant son petit frère parler jusqu'à ce que son débit ralentisse et que ses paupières commencent à se fermer. Il s'inquiétait de moins en moins à cause des monstres. Il redevenait peut-être enfin un enfant normal. Nadia l'espérait. Cole le méritait. Leur mère leur avait enlevé assez de choses, à son père et à elle… Il aurait été injuste qu'elle enlève à Cole la possibilité de se sentir en sécurité.

Quand il fut endormi et qu'elle eut fermé la porte derrière elle, Nadia remarqua qu'elle avait reçu un message de Mateo. Elle appuya immédiatement sur le bouton pour le rappeler.

— Hé! Quoi de neuf?

— Hé!

Il semblait presque aussi endormi que Cole. Quelque chose dans sa voix endormie était… chaleureux et pas tout à fait mesuré. Nadia s'appuya contre le mur, traçant de petits cercles sur le plancher avec son pied.

— Désolée qu'on se soit quittés de façon aussi étrange. On dirait que c'est une habitude, chez nous.

Elle se força pour dire ce qui suivit :

— Je ne veux pas dire du mal d'Elizabeth.

— Écoute, je l'admets… Elizabeth ne m'a pas dit toute la vérité. Je sais qu'elle ne peut pas le faire. Je comprends. Je sais aussi que tu n'inventes rien. Avant que je puisse parler à Elizabeth, vraiment lui parler, je dois savoir à quoi elle a affaire. Plus j'en sais, plus elle a de chances de m'en parler. N'est-ce pas?

— Oui.

Pourquoi devait-il tant se concentrer sur Elizabeth? Nadia se recentra sur le plus important.

— Je veux aller plonger à côté du phare. Pour faire des recherches. Demain soir, si possible.

Elle s'attendait à ce qu'il la contredise. Ou qu'il hésite. Qu'il trouve des raisons pour lesquelles ils devraient d'abord poser d'autres questions.

— Je vais t'accompagner, dit simplement Mateo.

Nadia passa la journée à penser à la plongée du soir. Malheureusement, son corps était emprisonné à l'école et tous les cours semblaient s'éterniser. Sa session au service d'orientation en compagnie de Faye Walsh s'annonçait assez assommante pour littéralement l'ennuyer à mourir, jusqu'à ce que Nadia ait l'idée de lui dire qu'elle aidait Verlaine à numériser les anciens numéros du *Paratonnerre*. C'était un projet extrascolaire, n'est-ce pas ? C'était apparemment le cas, ou du moins cela suffit pour que madame Walsh la laisse tranquille pour un moment.

La tête toujours dans les nuages — pensant à quoi porter, quand partir, quoi dire à son père —, elle parcourait le couloir vers son dernier cours quand Elizabeth se plaça soudain devant elle.

Nadia s'arrêta net. Elizabeth l'observait sans malveillance ni curiosité. Ses longues boucles détachées et sa robe légère et démodée auraient dû lui donner un air négligé, voire de mauvais goût. Au lieu de cela, elle dégageait une tranquillité incroyable. Sa beauté était si précise qu'elle aurait pu être mise au point sur un carnet à croquis à l'aide d'un compas et d'un rapporteur, chaque mesure parfaite tout en étant impersonnelle. Regarder Elizabeth était comme regarder la statue d'une ancienne déesse capable d'abattre quelqu'un d'un seul regard.

— Ta mère est partie, dit Elizabeth.

Comment le savait-elle ? Nadia peina à trouver ses mots.

— Ça… Ça ne te regarde pas.

Elizabeth pencha la tête.

— Ton père ne t'a pas parlé de ma visite, n'est-ce pas ?

« Un instant… Elizabeth était *chez moi* ? »

Nadia sentit ses bras se resserrer autour de ses livres, comme si elle les utilisait pour protéger son cœur.

— Les gens oublient souvent où j'ai été, continua Elizabeth. J'aime mieux ça. Une fois qu'ils savent qui je suis et ce que je peux faire, c'est plus compliqué. Mais je pourrais faire en sorte que tu m'oublies. Que tu oublies mon nom. Que tu oublies ton propre nom, si je le voulais.

Toutes les mauvaises pensées que Nadia avait eues à propos d'Elizabeth étaient vraies. Elle se souvint de Mateo — le danger qui le menaçait à cause de la malédiction, sa vulnérabilité à cause de la manipulation d'Elizabeth — et cela, combiné à sa crainte pour son père, s'empara d'elle, faisant monter la rage en elle.

— Dis-moi ce que tu fais à la ville. Que cherches-tu ? Que veux-tu ?

— Rien que je n'aie pas mérité.

— Alors, que fais-tu à Mateo ? Vous êtes amis. Tu dois tenir à lui, au moins un peu. Pourquoi ne lui as-tu pas parlé de la malédiction ? Pourquoi ne le protèges-tu pas ?

À sa grande surprise, Elizabeth sourit. Son expression était tendre, un peu condescendante, comme si elle regardait un chiot avant de caresser sa tête.

— Tu es très jeune. Tu ne possèdes pas encore tes pleins pouvoirs et tu n'as aucun professeur pour te guider, alors tu ne seras jamais une véritable sorcière. Nous le savons toutes les deux. Alors, pourquoi te mêles-tu de ma vie ? Et Mateo m'appartient d'une manière que tu ne comprendras jamais.

— Il n'est pas ta propriété, lança Nadia.

— Ah ! mais si. Tu sais que je peux pousser les gens à oublier, Nadia. Je peux aussi leur donner des souvenirs. Si je le veux, Mateo se « rappellera » qu'il est amoureux de moi. Qu'il l'a toujours été. Il sera si amoureux qu'il fera tout ce que je lui demande, en un clin d'œil.

Les yeux d'Elizabeth se plissèrent légèrement, comme si elle se remémorait une bonne blague.

— On dit qu'il vaut mieux avoir aimé et perdu que de ne jamais avoir aimé du tout. Mais c'est ton cas, n'est-ce pas ? Tu sais à quel point c'est douloureux. Vas-tu continuer à investir toute cette émotion dans Mateo alors que tu sais que je peux vous séparer à tout jamais si je le veux ?

Aimer et perdre. Nadia était sortie avec des garçons, elle avait eu des sentiments pour quelques-uns d'entre eux, mais elle n'était jamais tombée amoureuse de qui que ce soit... Pas de la façon dont elle savait qu'elle pourrait aimer Mateo. Le seul amour qu'elle avait perdu était celui de sa mère.

Et cette perte l'avait anéantie plus que tout ce qu'elle avait vécu ou imaginé. Elle avait encore si mal, tous les jours...

À l'idée de s'ouvrir de nouveau à ce genre de douleur, Nadia eut le vertige. Elle posa une main sur le mur en parpaings de l'école pour ne pas tomber. Elizabeth leva la tête ; elle avait vu la faiblesse de Nadia et celle-ci s'en voulut énormément.

— Pour ton bien, tu devrais passer à autre chose. T'éloigner de moi, de la ville. Protège ta famille. N'as-tu pas déjà traversé assez d'épreuves ? se contenta de dire Elizabeth avant de s'éloigner.

Cet avertissement suffirait-il ?

Elizabeth le pensait. Elle ne croyait pas qu'une fille aussi insignifiante que Nadia Caldani représente un danger quelconque. Toute complication provoquée par le béguin de Nadia pour Mateo serait minime et facilement rectifiée à l'aide de sorts d'oubli ou de compulsion. Nadia ne parlerait jamais de magie à Mateo ni des pouvoirs d'Elizabeth... Une personne si sincèrement bien-pensante ne briserait jamais une des Premières Lois.

Mais Elizabeth devait penser à quelqu'un d'autre qu'elle-même.

Si Nadia détournait sa vive curiosité d'Elizabeth pour se concentrer sur la magie, elle devait maintenant avoir senti, sous le laboratoire de chimie...

Non, cela ne pouvait pas arriver...

Elizabeth lança rapidement un sort pour mieux protéger le laboratoire de chimie. Aucune magie sur terre ne pouvait dissimuler un tel pouvoir très longtemps, mais il ne lui fallait plus que quelques semaines.

« Je te protège, dit-elle mentalement au Dernier qu'elle aimerait. Je me dresse entre toi et tous ceux qui voudraient te résister, qu'ils soient faibles ou puissants. »

Le sort s'éloigna dans l'école en scintillant, s'enfouissant dans la terre, là où il serait le plus utile.

Elle devait maintenant brouiller les pistes. Elizabeth envisagea brièvement de faire en sorte que Nadia oublie son existence. Ce serait net, mais probablement de courte durée. Si Nadia avait déjà découvert autant de choses, elle réussirait probablement à redécouvrir encore et encore qu'Elizabeth était une sorcière. Des confrontations répétées : quel ennui.

En plus, ce que Nadia savait n'était pas plus dangereux que la jeune sorcière elle-même, maintenant que la Chambre était protégée. Elizabeth devait seulement s'assurer que cela continue.

Elle lança donc un sort d'oubli hautement ciblé, très précis, assez puissant pour s'assurer que Nadia Caldani ne puisse interférer, d'aucune façon, dans les plans d'Elizabeth.

Nadia s'arrêta net, ses livres dans les bras.

« Est-ce que j'ai oublié quelque chose ? »

Elle avait paniqué en repensant à sa confrontation avec Elizabeth — à un point tel qu'elle avait apparemment perdu autre chose de vue. Quelque chose d'important, aussi. Y avait-il un lien possible avec le cours de chimie ?

« Je parie que j'ai oublié de noter un devoir », pensa-t-elle en soupirant. Il faudrait qu'elle demande à Mateo.

Les voisins regardèrent Mateo d'un air méfiant quand il leur demanda d'emprunter leur bateau, mais c'était la façon dont ils le regardaient toujours. Quand ils acceptèrent, Mateo envoya un message texte à Nadia : *Rejoins-moi au hangar à bateaux au coucher du soleil. Est-ce que Verlaine vient ?*

Je ne lui en ai pas parlé, répondit Nadia. Mateo se sentit légèrement soulagé. Non qu'il n'aimait pas Verlaine — il l'aimait bien, ce qui était étonnant, car aussi loin que ses souvenirs remontaient, elle avait été la seule personne plus marginale que lui à Captive's Sound. Mais peu importe ce qu'ils trouveraient dans l'océan, si cela pouvait l'aider à comprendre qui était vraiment Elizabeth et ce qu'elle lui cachait, il voulait en discuter avec Nadia, seule à seul.

Il avait déjà l'impression qu'il pouvait tout lui dire.

Qu'est-ce qui permettait, en regardant une personne, de savoir, de tout simplement savoir, qu'elle garderait tous les secrets ? Mateo avait d'abord connu Nadia dans ses rêves, et dans ceux-ci, il avait senti… Un instinct de protection, de la confiance, voire quelque chose ressemblant à de l'amour. Mais ce n'était que des visions cauchemardesques véhiculant des émotions aussi fugaces que le sommeil. Ce qui se passait maintenant entre Nadia et lui… C'était réel. Cela pouvait durer. Pouvait-il faire confiance à ce sentiment, lui faire confiance à elle ?

Ce soir-là, il frissonna en s'approchant de l'eau. Pas à cause de l'air froid — même si le froid approchait, l'automne menaçant déjà de se transformer en hiver, alors que le mois de septembre n'était pas encore terminé —, mais à cause de la vue, le regard sur sa ville natale qui lui dévoilait tout le mal qu'il avait toujours senti sans le voir.

Le fait d'être un Allié ne faisait pas que renforcer les pouvoirs de Nadia. Cela lui permettait de voir la vraie face du monde, un lieu rempli de magie plus dangereuse et étrange qu'il était possible d'imaginer.

Même en plein jour, le ciel lui semblait différent de ce qu'il aurait dû être. Plus terne. Plus bas. Quand il le regardait, Mateo avait l'étrange impression que le ciel l'observait également. Au début, il crut voir le reflet de cette obscurité sur l'eau, mais il se rendit compte que l'océan était également empoisonné. Les vagues ne semblaient pas bleues, mais d'un noir irisé et lisse, comme après un déversement de pétrole.

Alors que le soleil semblait toucher la surface étrange de l'océan, Nadia apparut au hangar à bateaux, ses formes pratiquement camouflées par le gros gilet en molleton et le pantalon de survêtement qu'elle portait.

Mateo avait déjà remarqué que Nadia avait un corps incroyable. Il était un garçon, alors il n'aurait pas manqué cela. Mais il ne s'était pas rendu compte qu'il avait pris l'habitude de la regarder chaque fois qu'il la voyait. Il se redressa en se disant qu'il ferait peut-être mieux d'y réfléchir plus tard. Ils avaient quelque chose à faire.

— Tu as un bateau ? remarqua-t-elle. Bon boulot.

— Ce n'est pas grand-chose. Presque la moitié des habitants de Captive's Sound possèdent un bateau.

— Et pourquoi est-ce que ton père et toi n'en avez pas ? Pas le temps à cause du restaurant ?

Mateo hésita.

— On en avait un. Ma mère l'a pris quand elle... Quand elle s'est noyée. Mon père n'en a jamais racheté.

Il n'avait jamais su ce qui était arrivé au bateau. S'était-il échoué avant d'être trouvé et détruit par un voisin pressé de brûler un objet ayant joué un rôle dans la malédiction des Cabot? Ou avait-il dérivé sur l'océan? Il se trouvait peut-être encore là, flottant au milieu de l'océan, vide et seul.

Nadia posa brièvement la main sur son épaule.

— Je suis désolée. Je ne voulais pas évoquer ce souvenir. J'aurais dû y penser.

— Tu ne le savais pas, dit-il avant d'inspirer profondément. Viens. Mettons-nous au travail.

— Hé! Est-ce qu'on a un devoir en chimie?

— Pas que je me souvienne. Pourquoi?

— Bof. Aucune raison.

Le moteur démarra au premier tir et ils voguèrent bientôt sur l'eau sombre. Mateo savait qu'il était imprudent de sortir dans la pénombre, mais ils ne pouvaient pas risquer que quelqu'un les voie. La plongée était beaucoup plus dangereuse que le canotage, et si quelqu'un les prenait sur le fait, ils devraient retourner sur la rive.

De plus, se dit-il, ils se dirigeaient droit sur le phare.

Il fonctionnait encore presque tous les soirs, son faisceau doré parcourant l'eau en grands arcs. Quand le ciel s'assombrit, le phare s'alluma. Lorsque le faisceau illumina le bateau pour la première fois, Mateo eut l'impression qu'ils se fondaient momentanément dans sa brillance.

— Est-ce que le gardien du phare va nous voir? cria Nadia par-dessus le rugissement du moteur, ses cheveux noirs flottant derrière elle dans le vent.

Mateo secoua la tête.

— Il est automatisé. On ne court aucun risque.

À ce moment, il écarquilla les yeux et ne se sentit plus en sécurité.

Une fois de plus, il pouvait voir la magie briller de mille feux sous l'eau.

Le ciel était enfin assez sombre pour que Mateo la voie comme la première fois. La lueur verte et stable se trouvait à quelques mètres du phare. À cette courte distance, la surface agitée des vagues faisait danser et sauter l'eau illuminée comme si elle était vivante, se tordant et se tortillant pour les emprisonner.

Il éteignit le moteur et le bateau continua d'avancer, propulsé par son élan. Nadia fronça les sourcils.

— Pourquoi nous arrêtons-nous ?

— Nous sommes presque arrivés. Tu ne le vois pas ?

— Non. Décris-moi ce qu'il y a.

Mateo indiqua le cœur de la lueur, qui se trouvait seulement à quelques mètres. La lumière semblait former une couronne autour de leur bateau, comme s'ils se trouvaient dans ses filets.

— Juste là. C'est là que je dois plonger.

— Tu veux dire là que *je* dois plonger.

Il se tourna vers elle, surpris.

— Nadia, es-tu folle ? Je peux voir la lumière. Pas toi. Être dans l'océan… Ce n'est pas comme une piscine, tu sais.

— Mais ce n'est pas si différent que le lac Michigan, insista-t-elle. Je suis une bonne nageuse. J'ai même suivi une formation de maître-nageur à la Croix-Rouge.

Elle marquait un point. Mateo n'avait jamais été un très bon nageur et il avait même abandonné après la mort de sa mère.

— Je devrais quand même plonger, si je peux la voir, répondit-il.

Nadia était déjà en train d'enlever son survêtement. Elle inspira brusquement, probablement parce que l'air froid

toucha sa peau. Elle retira ensuite son maillot de corps ther-
mique et Mateo put voir le mince maillot noir qu'elle portait
en dessous. C'était un uniforme de maître-nageur, ou un
maillot de compétition, pas le genre de bikini coloré que
les filles portent pour se pavaner à la plage. Mais quelque
chose dans sa façon déterminée de bouger, son élégance,
le fascina plus que toute la peau nue qu'il avait vue
auparavant.

Inconsciente de sa distraction, Nadia prit la parole.

— Mateo, ce qui se trouve là-dessous est de la magie
puissante. Des enchantements protègent peut-être cet objet.
Seule une sorcière peut aller le chercher. En plus… Tu es
mon Allié. Tu me rends plus forte. C'est pour ça que tu dois
rester dans le bateau.

— Je n'aime pas ça, répondit-il.

Mais si elle disait la vérité, il ne pouvait rien faire.

Il jeta l'ancre sur le côté et l'eau glacée éclaboussa ses
bras quand la chaîne s'enfonça en suivant l'objet. Quatre
mètres, peut-être un peu plus. Pas si mal.

— D'accord, mais… Fais aussi vite que possible.

— Fais-moi confiance, c'est ce que je compte faire.

Nadia avait aussi enlevé son pantalon de survêtement et
ses chaussures et elle ne portait plus que le maillot, les bras
serrés autour d'elle-même en regardant par-dessus bord.
Mateo essaya de ne pas la fixer, ou, au moins, de ne pas
baver comme cet abruti de Jeremy Prasad le ferait, mais
c'était difficile : elle était si proche de lui, assez pour la
toucher.

Pendant une seconde, il se rappela l'été précédent à la
plage et la fille qui avait couché avec lui à cause d'un défi.
Mais maintenant, dans son esprit, il imaginait que Nadia
était allongée avec lui sur la serviette de plage, sous la jetée,

les doigts emmêlés dans ses cheveux pendant qu'il caressait sa jambe nue d'une main...

«Mon Dieu, elle est sur le point de faire quelque chose d'extrêmement dangereux... Peux-tu te concentrer une seconde?»

Mateo lui tendit la lampe de poche de poignet qu'il avait apportée en pensant l'utiliser lui-même.

— Tiens. Et si tu es dans le pétrin, éteins et allume la lampe très rapidement, d'accord?

— Bonne idée.

Nadia l'enfila, essaya le bouton et inspira profondément.

— Pointe du doigt l'endroit où tu penses que l'objet se trouve... L'endroit exact.

Mateo se pencha à côté d'elle. Ils se trouvaient côte à côte, leurs fronts se touchant. Nadia prit une grande inspiration qui sembla ébranler le bateau. Mateo prit sa main et lui indiqua le cœur du feu verdâtre.

— Juste là.

— D'accord.

Nadia se tourna vers lui et ils restèrent un instant ainsi, face à face, éloignés de quelques centimètres.

— Souhaite-moi bonne chance, dit-elle finalement.

Avant qu'il puisse le faire ou dire quoi que ce soit d'autre, Nadia inspira profondément et sauta par-dessus bord, plongeant dans le détroit froid sans hésiter. Le bateau trembla sous Mateo.

À ce moment — et seulement à ce moment —, il se rappela le rêve dans lequel elle flottait au-dessus de lui, se tordant dans l'obscurité, ses cheveux flottant autour d'elle. Il avait cru qu'elle était suspendue dans les airs, au milieu de la brume.

Mais si le rêve l'avait montrée sous l'eau?

Le froid pénétra chaque parcelle de la peau de Nadia et il lui fallut toute sa volonté pour ne pas ouvrir la bouche et avaler de l'eau. Elle alluma la lampe de poignet et dirigea le faisceau devant elle. Grâce aux instructions de Mateo, elle vit l'objet presque immédiatement. Un coffre se trouvait au cœur d'un nid d'algues, à moitié dissous par le temps et les courants, ses vieilles planches si tordues qu'elles étaient sorties de la structure métallique. Un crabe détala dans l'obscurité, la lumière se reflétant sur sa carapace.

Nadia se propulsa vers le coffre grâce à quelques grands coups de pieds. Avec un peu de chance, elle pourrait rapidement attraper ce qui se trouvait à l'intérieur et retourner à la surface en quelques secondes. Elle pourrait alors se rhabiller, se sécher les cheveux et avoir de nouveau chaud... Se préparer à explorer cette chose...

L'eau lui piquant les yeux — beurk, elle aurait dû prendre des lunettes, mais quel mauvais moment pour y penser —, Nadia atteignit le coffre. Elle ne put soulever le couvercle, mais ce n'était pas nécessaire. Le côté tomba quand elle le toucha et un crabe en sortit. Nadia espéra ne pas en trouver d'autres, mais elle plongea quand même sa main en s'attendant à être pincée.

Au lieu de cela, elle sortit — oui ! — un livre. Un Livre des ombres.

Il était énorme, si gros qu'elle pouvait à peine le prendre dans une main. Même s'il se trouvait dans l'eau depuis des siècles, le livre était intact. Nadia était presque sûre que les pages seraient sèches quand elle l'ouvrirait.

Elle ne vit aucun charme ; pas besoin de lancer de sort. Et une seule inspiration ! Nadia commença à battre triomphalement des jambes vers la surface, mais elle sentit immédiatement des algues s'enrouler autour de ses jambes.

Et serrer.

Serrer tant qu'elle eut l'impression d'être ligotée.

Nadia donna des coups de pieds et se débattit, mais les algues resserrèrent leur étreinte.

Le Livre des ombres avait bel et bien été protégé... Par une magie qu'elle ne savait pas briser.

Chapitre 11

Au début, Mateo le sentit — un tremblement tout autour de lui, comme si l'air lui-même s'éloignait. À ce moment, la lueur mystérieuse sous l'eau se transforma, devenant plus brillante avant de s'estomper, comme si quelqu'un l'avait recouverte. La pénombre fut telle qu'on se serait cru au beau milieu de la nuit alors que le soleil venait de se coucher. Sans pouvoir dire *comment* il le savait, Mateo était sûr qu'une ligne avait été franchie.

Il pensa de nouveau à Nadia, dans son rêve, qui flottait, terrifiée et prisonnière…

Et il devait faire confiance au rêve. Cela faisait peut-être partie de sa malédiction, mais c'était aussi son unique chance de protéger Nadia.

Il enleva son gilet avant même de voir le petit faisceau de la lampe de poche s'allumer, s'éteindre, s'allumer, s'éteindre. Nadia était en danger et il devait aller la rejoindre, maintenant.

Mateo plongea. Le froid mordant l'entoura, le coupa, mais ce n'était pas important, comparé à ce qu'il vit. Nadia se débattait sous l'eau, un bras autour d'un énorme livre, l'autre griffant les algues enroulées autour de ses chevilles.

Mais quand elle réussissait à détacher un cep, deux autres glissaient sur son pied pour la tenir plus fermement. Ses yeux étaient écarquillés, terrorisés. Elle était sous l'eau depuis un moment. Depuis beaucoup trop longtemps.

Mateo retourna rapidement à la surface, prit la plus grande inspiration possible et replongea. Il battit des pieds en direction de Nadia et agrippa ses épaules. La panique lisible dans ses yeux était terrifiante. Il posa ses lèvres contre les siennes et ouvrit la bouche pour souffler de l'air dans les poumons de Nadia, lui fournissant de l'oxygène. Il vit qu'elle comprenait ce qu'il faisait et elle inspira profondément ; pendant un moment, ils restèrent enchevêtrés dans cette position : deux personnes, un souffle.

Il la lâcha ensuite et donna des coups pour descendre. Il gardait son couteau suisse dans la même poche de son jean pratiquement tous les jours depuis cinq ans. Il le trouva immédiatement et sortit les lames de façon aléatoire, pour mieux couper les algues. Il taillada, arracha, déchira, une main autour du mollet de Nadia, les algues cherchant à l'entourer, mais incapables de le faire. Nadia réussit finalement à se libérer et Mateo la suivit, fonçant vers la surface.

Quand il sortit la tête de l'eau, l'air froid lui fouetta le visage et embrasa ses poumons. À côté de lui, il entendit Nadia s'étouffer et haleter en peinant à rester à la surface sans lâcher le livre.

Ce livre… La façon dont il luisait, comme s'il était fait de métal liquide, la seule lumière dans le détroit sombre… C'était l'une des choses les plus effrayantes et les plus magnifiques qu'il ait jamais vues.

Tout comme le visage de Nadia, l'eau perlant sur ses lèvres charnues et ses joues rouges, toujours terrifié, mais tellement déterminé, en dépit de tout.

Mateo passa un bras autour d'elle et commença à les tirer tous deux vers le bateau.

Nadia était vautrée sur le plancher de la maison de Mateo, enroulée dans le gros peignoir blanc de son père. Elle ne pouvait pas rentrer chez elle les cheveux trempés. Son père aurait beau être absorbé par son travail ou par Cole, si elle arrivait mouillée jusqu'aux os, il le remarquerait. Apparemment, les hommes de la famille Perez ne possédaient pas de sèche-cheveux, alors elle s'appuya sur l'ottomane capitonnée, les cheveux étalés derrière elle pour absorber la chaleur du foyer au gaz, le Livre des ombres de Goodwife Hale sur un genou.

Les pages étaient toutes sèches et neuves. La reliure montrait des signes d'usure dus aux années durant lesquelles le livre avait appartenu à Goodwife Hale, et non aux siècles qui s'étaient écoulés depuis. Il crépitait et il en émanait une énergie chaude et agréable. Nadia avait l'impression de se trouver entre deux feux doux. Même si l'écriture était étrange et en pattes de mouche, dans une orthographe ancienne parfois difficile à déchiffrer, Nadia commençait déjà à s'y habituer.

Elle savait que les sorts seraient fantastiques, mais, pour le moment, elle voulait surtout connaître l'histoire. Et celle-ci se trouvait dans le Livre des ombres.

— Et voilà une tasse de chocolat chaud aztèque.

Mateo était debout dans l'embrasure de la porte menant à la cuisine, la regardant fixement d'un air étrange.

— Le Livre des ombres te semble-t-il incroyable ?

Nadia ne pouvait qu'imaginer à quoi ressemblait le monde de la magie pour un Allié. Ce livre pourrait même lui apprendre comment un garçon pouvait posséder un tel pouvoir.

— Je... Euh... Ouais.

Nadia se rendit soudain compte de la portion de sa jambe qu'il pouvait voir quand elle pliait le genou de la sorte, alors elle serra le peignoir autour d'elle et se redressa pour prendre la tasse de chocolat chaud. Le froid de l'eau l'imprégnait encore, malgré la proximité du feu, et le chocolat était *toujours* une bonne idée, mais celui-ci était merveilleux. Il avait un goût épicé qui le rendait absolument délicieux.

— Ouah. Aztèque ?

Mateo haussa les épaules en s'asseyant en tailleur devant elle, la chaude lumière illuminant ses cheveux bruns.

— Aztèque par la façon dont mon père a inventé la recette. Un soupçon de chili et de gingembre pour ajouter un peu de piquant. En tout cas, les clients de La Catrina aiment ça.

Il posa une main sur une des serviettes moelleuses toujours enroulées autour de son pied.

— Ce livre. Est-il important ? Le genre de chose que tu espérais trouver ?

— Et plus encore. Goodwife Hale... Elle savait ce qu'elle faisait. Elle a aussi inclus beaucoup de récits personnels dans le livre. Si c'était une sorcière qui habitait ici lors de la fondation de Captive's Sound, alors on pourrait apprendre beaucoup de choses intéressantes.

— Récits personnels ? Je croyais que c'était un livre de sorts.

— C'est le cas, expliqua Nadia, mais elle a aussi inclus des entrées de journal. Certaines sorcières écrivent des sortilèges dans leur Livre des ombres ; d'autres les utilisent comme des journaux intimes. Certaines personnes dessinent. D'autres font un peu de tout. Il n'y a pas de bonne façon. Heureusement pour nous, Goodwife Hale a inclus beaucoup d'entrées de journal. Tu vois, celle-ci concerne sa fuite de Salem, celle-ci mentionne les coquillages qu'elle utilisait pour lancer des sorts, ce que je dois assurément savoir…

Nadia se redressa et sa main se figea à l'endroit qu'elle avait regardé pendant qu'elle lisait et relisait les mots, sans vraiment pouvoir les croire.

— Qu'y a-t-il ? demanda Mateo en se penchant pour regarder, lui épargnant la tâche de le dire de vive voix.

Ils lurent le nom ensemble : *Elizabeth Pike*.

Il y a 400 ans.

— Alors, sa famille remonte à très, très loin, constata Mateo.

Cela semblait évident, mais Nadia voyait bien qu'il était paniqué parce qu'il avait encore une fois lu le même nom.

— Eh bien, qu'est-ce qui est écrit ?

— Voyons.

Nadia parcourut rapidement les mots.

— Une sorcière très puissante ; elle menait le cercle, ici… Je *savais* qu'il devait y avoir eu un cercle, mais ensuite… Oh.

Les mots les plus terrifiants de la sorcellerie étaient inscrits : *le Très-Bas*.

Mateo se tordit le cou pour lire.

— Qu'est-ce que ça veut dire ?

— Le mari d'Elizabeth Pike était mourant, murmura Nadia. Aucune médecine ni aucune magie ne pouvaient le sauver. Alors, elle a prêté serment au Très-Bas.

— Qui est-ce ? Le diable ?

— On pourrait l'appeler ainsi. Je ne sais pas quand il est apparu, ni d'où il vient. Je sais seulement qu'il est le prince de la magie noire. Celui qui règne sur le monde des démons, qui ne peut jamais — et je veux dire jamais, *au grand jamais* — se mélanger au nôtre. Il n'a pas de nom, pas de lois, pas de limites. Aucune sorcière ne peut lui prêter serment ni partager son pouvoir. Cela la transforme en une chose inhumaine. Une chose… plus que maléfique.

Mateo éprouvait visiblement de la difficulté à assimiler ces renseignements. Nadia avait toujours eu tendance à associer le Très-Bas à un monstre dans une histoire, pas à quelque chose dont elle devait se préoccuper. Mais il était là, tissé dans l'histoire de Captive's Sound.

Et peut-être pas juste l'histoire. Il faisait peut-être partie de la pellicule recouvrant le ciel. Des grondements sous terre. Le Très-Bas exerçait peut-être une domination sur cet endroit.

— Mais elle avait une bonne raison de le faire, dit Mateo. L'ancêtre d'Elizabeth… Elle essayait simplement de sauver son mari.

Nadia secoua la tête.

— Il n'existe aucune bonne raison de prêter serment au Très-Bas. Tout l'amour ou la bonté que tu possédais avant de conclure le pacte… Il les prend. Il te vide pour ne laisser que le pire de toi-même.

Mateo ne semblait pas convaincu, mais il hocha la tête vers le Livre des ombres.

— Alors, qu'est-il arrivé à la première Elizabeth Pike ?

— Son mari a survécu, mais il a commencé à avoir peur d'elle. Il ne voulait plus vivre avec elle, et cela ne semblait pas la déranger.

Nadia glissa les doigts sur chaque ligne manuscrite et, malgré la chaleur du feu, elle frissonna.

— Puis, au fil des années… Elle a commencé à changer. Ses cheveux ont perdu leur teinte argentée… Son dos s'est redressé… Et elle a lentement… rajeuni.

Les photographies qu'ils avaient vues sur l'ordinateur de Verlaine défilèrent soudain devant les yeux de Nadia comme un film dans un vieux projecteur. Elles ne représentaient pas diverses femmes portant le même nom. C'était la même personne. La même personne rajeunissant au lieu de vieillir au fil des ans… Au fil des siècles.

Un sort permettait-il à quelqu'un de vivre aussi longtemps ? Faire rajeunir quelqu'un, lentement, depuis des siècles ?

C'était impossible. Mais ça n'en était pas moins vrai.

Elizabeth Pike avait 400 ans. Elizabeth avait prêté serment au Très-Bas. Elle était certainement la sorcière la plus dangereuse dont Nadia ait entendu parler… Peut-être la plus dangereuse qui n'ait jamais existé. Elle était une enchanteresse.

Et elle tenait cette ville par la gorge. Elle était entrée dans la maison de Nadia, elle avait parlé à son père, ignorant et sans défense.

Elle se servait de Mateo.

Nadia leva les yeux vers lui. Il semblait comprendre une partie de ce qu'elle pensait.

— Ça ne peut pas être la même Elizabeth.

— Une quantité suffisante de magie noire rend tout possible, répéta-t-elle.

— Mais je me rappelle avoir grandi avec elle ! Nous avons fait des biscuits. Nous avons grimpé aux arbres.

— T'en souviens-tu vraiment ?

Elizabeth avait laissé entendre que les gens oubliaient ce qu'elle voulait qu'ils oublient. Peut-être se rappelaient-ils ce qu'elle voulait qu'ils se rappellent.

— À quels arbres avez-vous grimpé? Étaient-ils dans son jardin? Au parc? demanda Nadia.

— Je... Je ne sais pas. Pourquoi est-ce que je le saurais? Les gens ne se rappellent pas tout de leur enfance.

— Et les biscuits? Quelle sorte était-ce?

Mateo fronça les sourcils. Il essayait de s'en souvenir, c'était évident sur son visage, mais ses souvenirs ne contenaient aucun détail.

— Quelle importance?

Nadia se pencha en avant, tout près. Ce qui allait suivre serait difficile à accepter pour lui. Il était persuadé qu'Elizabeth était une de ses seules amies dans un monde cruel, mais il devait comprendre.

— Parmi tous les souvenirs que tu as d'Elizabeth, est-ce qu'un seul est mauvais? Vous êtes-vous, je ne sais pas, disputés au sujet de Lego? A-t-elle déjà vomi dans un manège? S'est-elle éraflé le genou en tombant? Si vous avez toujours été amis, alors tu te rappellerais quelque chose qui n'est pas parfait à son sujet. Personne n'est toujours parfait. Mais si tes souvenirs sont faux, s'ils ne sont que des images qu'elle a placées dans ta tête, alors ils seront tous parfaits. Et vides. Sans sens.

Elle eut le cœur brisé en voyant à quel point Mateo essayait de trouver un souvenir, un seul, assez imparfait pour être réel. Il n'en trouva aucun.

— Elle me pose toujours des questions sur mes rêves, dit-il très lentement.

— Tu parles de tes visions, celles qui te montrent le futur.

Mateo opina.

— Je croyais qu'elle me posait des questions parce qu'elle se sentait concernée, mais ce n'est pas le cas, n'est-ce pas ? Elle sait que la malédiction est réelle ?

— C'est pire que ça.

Nadia détestait dire ce qui suivait, mais c'était écrit dans les pattes de mouche de Goodwife Hale.

— Il est écrit… Il est écrit qu'elle a maudit George Cabot et toute sa descendance afin de pouvoir connaître le futur sans faire face aux conséquences.

Mateo proféra un juron si obscène que Nadia ne l'avait encore jamais entendu exprimé à voix haute.

— Tu es en train de me dire qu'*Elizabeth* a maudit mon ancêtre. Mon Elizabeth.

— C'est ce qui est écrit.

— Alors, elle nous a tous maudits. Tous les Cabot. Jusqu'à moi.

Nadia opina.

— C'est *Elizabeth* qui a fait ça. Elle a prétendu être mon amie, mais elle est responsable de ce qui m'arrive. Et… *ma mère…*

Il déglutit péniblement.

— Sais-tu pendant combien d'années je lui en ai voulu d'être partie sur l'océan à la rame ? Et ce n'était pas sa faute. Rien de tout ça ne l'était. C'était la faute d'Elizabeth.

La voix de Mateo se brisa et Nadia se rappela ce qu'il lui avait dit au sujet de sa mère, qui était partie à la rame pour se noyer, laissant son jeune fils derrière elle. Elle l'avait fait parce qu'elle avait plongé dans la folie et le désespoir, tout cela pour qu'Elizabeth Pike puisse échapper au destin et au temps une fois de plus. La colère qu'il avait ressentie envers sa mère se fissurait, ne laissant que la douleur.

Il se détourna et remonta ses genoux contre sa poitrine. Nadia put quand même apercevoir une larme couler sur sa joue quand le feu s'y refléta. Mateo n'aimerait pas être vu en train de pleurer ; c'était le cas de la plupart des garçons. Elle aurait voulu le réconforter, mais que pouvait-elle dire ? Elle ne pouvait penser à rien qui ne semble pas vide de sens ou stupide. Il était question de sa mère, poussée à la folie et tuée par une personne qui avait fait croire à Mateo qu'elle l'aimait. Il n'y avait pas de mots pour que la situation semble moins terrible qu'elle l'était.

Nadia choisit donc de s'appuyer sur Mateo — dos à dos pour lui laisser son intimité tout en sachant qu'elle était là, qu'elle avait mal pour lui. Au bout d'un moment, il pencha la tête en arrière et l'appuya contre l'épaule de Nadia, mais celle-ci s'abstint de le toucher d'une autre façon. Sa présence suffisait peut-être.

Le feu projetait leurs ombres sur le mur du fond, comme s'ils formaient une personne à deux têtes, l'une regardant le futur et l'autre, le passé.

Finalement, la voix enrouée, Mateo dit :

— C'est pour ça qu'Elizabeth m'interroge sur mes rêves. Elle utilise la malédiction pour voir le futur sans devenir folle.

— Oui.

Nadia détestait devoir ajouter autre chose, mais il valait mieux qu'il découvre tout en même temps. On lui avait déjà horriblement menti. Elle ne lui cacherait pas la vérité plus longtemps.

— Je suis prête à parier que tous tes souvenirs d'Elizabeth sont faux. Elle n'aurait eu aucune raison de faire attention à toi avant que tu commences à avoir les rêves. Tout ce que tu te rappelles avant les rêves… Ce n'est proba-blement pas vrai.

— Rien ne l'est, murmura-t-il. Je croyais qu'elle était la seule personne à part mon père qui tenait à moi. Mais il n'y avait personne. Pendant tout ce temps.

Son corps se tendit, comme s'il se protégeait contre un souvenir douloureux.

Nadia dut se tourner vers lui.

— Tu as... des amis, maintenant. Tu nous as. Tu le sais, n'est-ce pas ?

Ce qu'elle voulait dire, c'était : « Tu m'as, moi ».

Il fallut un long moment avant que Mateo la regarde.

La trahison et le désespoir lisibles dans ses yeux étaient presque trop difficiles à supporter pour Nadia. Comment pouvait-il les ressentir ?

À ce moment, elle comprit à quel point cette trahison, cette colère, était dirigée vers elle.

— Est-ce que c'est ça, la sorcellerie ? Un grand tour que vous jouez au monde ?

Vous. Il ne voyait aucune différence entre elle et une servante du Très-Bas.

— Une sorcière n'est pas la même chose qu'une enchanteresse...

— Arrête ! Je ne veux rien entendre de plus au sujet de... des Premières Lois, des Alliés, de quoi que ce soit !

Mateo se leva d'un bond.

— Peu importe ce que tu fais, ça fait partie de ce qui a gâché toute ma vie avant même ma naissance.

— Mateo... Mateo, je suis désolée...

— Pour une personne si désolée de me blesser, tu t'es bien débrouillée pour nous entraîner dans tout ça, Verlaine et moi. Quelle autre vie vas-tu gâcher ?

C'était injuste. Vraiment injuste.

N'est-ce pas ?

Que ce soit vrai ou pas, le pire était que… Nadia ne pouvait en vouloir à Mateo d'être furieux.

Pourquoi quelqu'un ferait-il confiance à une sorcière, après avoir découvert une telle vérité ?

— Je devrais partir, dit-elle doucement.

— Oui. Tu devrais partir.

Mateo la conduisit chez elle, comme il l'aurait fait avant, mais il ne lui dit pas un mot pendant le trajet. Alors qu'il s'éloignait, Nadia se demanda s'il lui reparlerait un jour.

Verlaine s'était doutée qu'il allait se passer quelque chose entre Nadia et Mateo ce soir, mais elle ignorait si c'était un événement magique, auquel cas elle se sentait un peu laissée pour compte, et peut-être même contrariée, ou quelque chose en lien avec un rendez-vous, auquel cas, d'accord, elle pourrait demander les détails à Nadia demain.

Elle soupira en retombant sur son lit. Après des années passées à se voir traitée comme un paria, Verlaine essayait toujours de se convaincre qu'elle avait… D'accord, le mot « amis » était peut-être un peu fort. Mais c'était des gens avec qui sortir. Des gens dont elle attendait qu'ils lui racontent leur journée et à qui elle était impatiente de parler. C'était davantage que ce qu'elle avait connu depuis trop longtemps. Alors, ne devrait-elle pas se sentir *moins* seule, plutôt que *plus* seule ?

Et maintenant qu'elle pouvait rêver qu'elle n'était plus seule, tous ses rêves — trouver l'amour, qu'un garçon *la* trouve — avaient déferlé.

« L'université, s'était dit Verlaine. Je rencontrerai quelqu'un à l'université. Les gars ne seront plus de tels abrutis. Ils seront plus mûrs. Je rencontrerai quelqu'un de super. »

Verlaine ignorait à quoi ressemblerait ce garçon super, mais elle imaginait qu'il ressemblerait un peu à Jeremy Prasad, tout en étant beaucoup, beaucoup plus gentil.

En tout cas, c'en était fini d'être seule. Fini d'être une bonne fille patiente. Sa vie avait commencé à changer et elle voulait que cela continue.

« Une chose à la fois », pensa-t-elle.

Elle poussa doucement son chat Smuckers sur le côté pour prendre son téléphone, qui se trouvait sous lui. Il était chaud et couvert de fourrure orange. Verlaine le balaya et décida qu'envoyer un texto à Nadia pour voir si tout allait bien ne serait pas trop indiscret, même si Mateo et elle *étaient* ensemble...

C'est alors que des cris se firent entendre à l'extérieur.

Verlaine se leva d'un bond et courut vers la porte, devançant de quelques pas seulement ses oncles, vêtus de leurs peignoirs.

— C'est quoi ce bordel ? cria oncle Dave. Est-ce que Claire et Bradford sont encore en train de se battre ? S'ils abîment une nouvelle fois notre camionnette, j'appelle les flics. Je me fiche que Claire suive une thérapie de gestion de la colère.

— Il y a plus que deux personnes dehors, répondit oncle Gary. Leurs familles sont peut-être impliquées ? Mon Dieu, nous vivons à proximité de personnes vulgaires.

À ce moment, le sol trembla légèrement et ils se regardèrent tous les trois.

— Que se passe-t-il ? murmura Verlaine.

Oncle Dave passa les bras autour d'elle pour la protéger pendant qu'oncle Gary se précipitait vers la porte. Quand il l'ouvrit, Verlaine vit... Pas des voisins qui se disputaient, pas un désastre digne d'un film estival, mais la camionnette adorée de Dave.

À moitié enfoncée dans le sol, le plateau en premier.

— Ah! non, non!

Oncle Dave resserra ses bras autour d'elle.

— C'est quoi, ce bordel?

Oncle Gary jura.

— Pas encore! Pas ici! Bon sang!

Ce qui était arrivé était une autre doline... Du moins, c'est le nom qu'ils leur donnaient, même si, selon Verlaine, cela ressemblait plus à un fossé qu'à un trou. Celui-ci était plus grand que tous les autres en ville, y compris celui qui avait presque avalé sa voiture. Le long fossé courbé qui formait un arc dans la rue avait démoli des jardins, le garage des Duxbury et, malheureusement pour la camionnette, une bonne partie de leur allée. Des gens en pyjama couraient dans tous les sens, cherchant à savoir ce qui était arrivé à leurs maisons et à leurs voisins.

— As-tu la moindre idée des conséquences sur la valeur de l'immobilier? demanda oncle Gary.

Oncle Dave soupira.

Le cœur de Verlaine battit la chamade lorsqu'elle se souvint de ce qu'elle avait ressenti dans le fossé : le monde qui penchait sur le côté, la terreur silencieuse qui l'avait poussée à s'agripper au volant pour ne pas tomber. Mais elle se força à demeurer calme. Elle avait un travail à faire.

Alors qu'oncle Dave tournait autour de la camionnette, horrifié, et qu'oncle Gary appelait la compagnie d'assurance, Verlaine parcourut la rue en tenant son téléphone pour prendre des photographies et des vidéos qu'elle pourrait mettre sur le site du *Paratonnerre*. «Désastre à Captive's Sound!» C'était une bonne manchette. Ici, un cliché d'une famille qui paniquait. Là, la rue creusée. La scène complète…

Verlaine baissa son téléphone en fronçant les sourcils.

Pour une raison quelconque, tous les arbres de la rue étaient remplis d'oiseaux. Des dizaines d'oiseaux. Des centaines. Des rangées interminables de corbeaux regardaient par terre. Certains étaient même perchés sur les corniches des maisons et d'autres sautillaient sur le sol.

— Pire qu'Hitchcock, grommela-t-elle.

Un corbeau en particulier s'approcha d'elle en penchant la tête. Mais… qu'est-ce qui clochait avec ses yeux ? Était-il aveugle ? Ils étaient gris, couverts d'une sorte de toile.

« Pauvre bête », pensa Verlaine, mais l'instant d'après, il s'envola et partit.

— J'espère que je n'ai rien interrompu d'important, dit-elle à Nadia au téléphone 20 minutes plus tard, tout en finissant de taper la mise à jour des dernières nouvelles pour le *Paratonnerre*. Mais je me demandais si c'était un truc magique ou seulement, tu sais, le mauvais état des routes.

— Je ne pourrais pas te le dire… Je veux dire, ça m'a semblé normal la première fois, quand ta voiture est tombée. Mateo pourrait t'aider, s'il…, commença Nadia avant de soupirer. Il n'y a eu aucun blessé, n'est-ce pas ?

— Je ne crois pas.

— Et que voulais-tu dire, en parlant d'interrompre quelque chose d'important ?

— Tu sais. Mateo et toi. Vous étiez ensemble ce soir, n'est-ce pas ?

— Je ne voulais pas t'exclure.

Nadia semblait désolée, alors Verlaine décida de ne pas être contrariée. Eh bien, pas *plus* contrariée, au moins.

— Ne sois pas stupide. Bien sûr que tu le voulais. Je comprends. Mateo et toi voulez passer du temps ensemble, seuls.

— Ce n'est pas ce que tu crois, dit Nadia, ce qui surprit Verlaine. Nous sommes juste amis… Nous aurions peut-être pu être plus que des amis, et j'ai cru que nous le serions peut-être… Jusqu'à ce qu'il apprenne… Eh bien. Tu devrais savoir ce qu'il a découvert.

Toutes ces révélations étaient si étonnantes que Verlaine dut arrêter d'écrire pour simplement tenir son téléphone et écouter pendant un bon moment.

— Putain, dit-elle finalement.

— Évidemment, Mateo est anéanti, alors sois prudente si tu lui en parles.

— Elizabeth… Elle est dangereuse. Très, très dangereuse. C'est ce que tu es en train de me dire.

— Oui. Elle l'est.

— Alors, pourrais-tu aller sur le site Internet du *Paratonnerre*? Parce que si elle se cache derrière tout ça, et que mon jardin s'affaisse déjà… Je veux le savoir.

Verlaine avait déjà tracé la folie de la soirée sur une carte des écroulements de routes et de ponts qui avaient eu lieu autour de Captive's Sound au cours de la dernière année. La plupart des gens pensaient que la commission pour la sécurité routière devait avoir engagé de mauvais entrepreneurs ou empoché l'argent, mais tous les habitants de la ville savaient qu'il existait un problème.

Cependant, ce qu'elle vit alors représentait un dessin.

— As-tu agrandi l'image? demanda Verlaine en faisant de même sur son écran. Vois-tu la même chose que moi?

— Des cercles concentriques.

— Passe la souris sur chaque endroit pour voir la date.

— On dirait que les cercles se resserrent au fil du temps.

À entendre la voix de Nadia, elle semblait se forcer pour rester calme, mais le ton tendu de ses paroles fit frissonner Verlaine.

— L'espace au milieu... Tu connais Captive's Sound mieux que moi. Qu'est-ce que c'est ?

— Le parc Swindoll.

Pourquoi le parc serait-il aussi important ?

— Il n'y a rien là. Seulement des arbres, un étang avec des canards et le manège, tu sais. Il y a aussi un barbecue le quatre juillet. Le carnaval d'Halloween. Ce genre de choses.

— As-tu dit carnaval d'Halloween ?

— Oui. Pourquoi est-ce important ?

Il s'agissait principalement d'un concours de costumes truqué en faveur des enfants du maire, et de jeux comme celui de la pomme qu'il faut attraper dans l'eau avec les dents, ce qui était l'« activité amusante » la plus stupide que Verlaine connaissait.

— Halloween est une nuit importante pour les sorcières. C'est une des choses à propos desquelles les films ne mentent pas.

Nadia réfléchissait à voix haute en disant cela, mais elle semblait effroyablement sûre de ce qu'elle avançait.

— Si les cercles s'approchent de cet endroit... Ce lieu où une foule de gens va se trouver le soir d'Halloween..., ajouta-t-elle.

Verlaine se mordit la lèvre.

— Que va-t-il arriver ?

Nadia répondit après un long silence.

— Je n'en suis pas sûre. Mais certains sorts... Les sorts les plus sombres, ceux qui servent le Très-Bas... Ils demandent plus que de la magie. Ils demandent du sang.

— Halloween, dit Verlaine. C'est... Deux mois après que tu as lancé le sort prophétique.

— Exactement.

« C'est comme une cible, pensa Verlaine en regardant la carte. Et nous sommes en plein centre. »

Chapitre 12

Au début, Nadia crut qu'ils résoudraient leurs problèmes à l'école.

Mateo devait venir en classe et ils étaient dans le même cours de chimie, alors ils ne pouvaient s'éviter. Il serait furieux pendant quelques jours, mais tôt ou tard, il voudrait parler de ce qui s'était passé… N'est-ce pas ?

Mais il sécha les cours le lendemain.

Et le jour suivant.

Et le jour d'après.

Quand le Piranha nota sa troisième absence, elle lança malicieusement :

— On dirait que monsieur Perez meurt d'envie de recommencer sa terminale.

Incapable de se retenir plus longtemps, Nadia leva la main.

— Et Elizabeth Pike ?

Le Piranha fronça les sourcils, réellement perplexe.

— Qu'est-ce qu'elle a ?

— Elle n'est pas là non plus.

Comme c'était le cas depuis leur confrontation dans le couloir… Depuis une semaine ? Plus longtemps ? Pour une raison inconnue, Nadia avait du mal à s'en souvenir.

Pendant un moment, le Piranha réfléchit à sa question, le désarroi envahissant son visage... Puis ses yeux se voilèrent légèrement et elle sourit.

— L'absence d'Elizabeth est excusée. Ses parents ont envoyé un message. Et vous devriez peut-être vous mêler de vos affaires, Mademoiselle Caldani.

Les étudiants ricanèrent. Kendall jeta un coup d'œil par-dessus son épaule et grommela :

— Pourquoi est-ce que tu mouchardes ?

— Je ne faisais que le mentionner.

Nadia glissa ses cheveux derrière son oreille, sentant ses joues rosir.

Jeremy se pencha sur leur table de laboratoire. Il était grand — mince et svelte —, avec des pommettes saillantes semblant capables de couper du verre. Il avait le teint basané et de longs cheveux sombres et bouclés qui semblaient quand même fantastiques au lieu d'avoir l'air en bataille. Nadia comprit soudain comment ce garçon pouvait plaire à Verlaine... Si on le voyait seulement de loin, *ouah...*

À ce moment, il dit :

— Mon Dieu, tu as un cul ferme. J'aime les filles avec un cul ferme, ajouta-t-il en souriant.

— Dommage pour toi que je n'aime pas les gars mielleux.

Ses yeux noirs étincelèrent de rage — une rage véritable —, mais il se contenta de se détourner pour envoyer furtivement un texto à quelqu'un. De sa place, Nadia put lire les mots « salope snob ».

Elle se demanda s'il existait vraiment des sorts pour transformer les hommes en crapauds. Probablement pas. Mais le simple fait d'y penser aidait.

— On devrait peut-être aller voir comment il va, proposa Verlaine après les cours.

Nadia haussa les épaules.

— Je ne crois pas.

— Mais pourquoi présumes-tu qu'il sèche les cours ? Je veux dire, Elizabeth l'a peut-être affronté, ou il l'a peut-être fait, et il pourrait, je ne sais pas, avoir été pris en otage chez elle. Emprisonné !

Dans son esprit, Verlaine vit une version de ce scénario digne de Disney — Mateo semblait même porter une cape —, mais il y avait une cave sombre et des barreaux aux fenêtres, ainsi qu'une foule d'éléments effrayants qui semblaient pouvoir faire partie du modus operandi d'Elizabeth.

— Non, il va bien. Il a travaillé à La Catrina hier soir.

Verlaine s'arrêta, les clés qu'elle tenait à quelques centimètres de la portière de sa voiture.

— Attends, tu l'as vu ? Vous avez parlé ?

— Eh bien, je l'ai vu, répondit maladroitement Nadia.

Verlaine plissa les yeux.

— Tu épies de nouveau les gens.

Nadia ne le nia pas.

— Tu te rappelles que je t'ai dit que ce n'était peut-être pas une bonne idée ?

— C'est toi qui as dit qu'on devrait aller voir comment il va ! C'est ce que j'ai fait. Simplement… secrètement.

Verlaine secoua la tête en déverrouillant sa voiture. Sa vieille guimbarde était peut-être cabossée, antique et un peu puante (il y avait toujours des frites dans la boîte à gants), mais au moins, c'était une sorte de refuge loin du reste de l'école. Quand elles furent à l'intérieur et que les portes furent fermées, elle dit :

— Tu as juste épié le restaurant?

— Oui. Je me suis assise devant le barbier, de l'autre côté de la rue. Hé! la femme qui travaille là... Est-ce qu'elle n'est pas sympathique?

— Ah! c'est Ginger. Elle ne parle jamais.

Verlaine ne se laissa pas distraire.

— Et sa maison? L'as-tu épiée aussi?

— Non. Donne-moi un peu de crédit, d'accord? Je voulais juste m'assurer qu'il n'était pas en danger à cause d'Elizabeth. Rien de plus, je veux dire.

Nadia passa les doigts dans ses cheveux noirs et Verlaine se rendit compte que ses mains tremblaient. Ouah. Elle savait que Nadia s'inquiétait pour Mateo, mais pas qu'elle avait vraiment peur pour lui. En voyant le visage de Verlaine, Nadia soupira.

— Elizabeth a dit... Elle m'a dit qu'elle pouvait manipuler Mateo quand elle le voulait. Elle a affirmé qu'elle pouvait le pousser à l'aimer, même lui faire croire qu'il l'avait toujours aimée. Je... Je déteste cette idée, je la *déteste*, mais je préfère imaginer qu'il est avec Elizabeth plutôt que penser aux autres possibilités.

— Quelles autres possibilités?

— Réfléchis-y. Elle peut le manipuler si elle le veut. Et si elle le forçait à... faire quelque chose de fou, voire de criminel, pour que tous les habitants se tournent contre lui? Ou elle pourrait le transformer en pantin, un garçon qui avance dans la vie comme un somnambule pendant qu'elle attend qu'il rêve de nouveau. Elizabeth pourrait même lui dire de se suicider.

La voix de Nadia tremblait.

— Penses-y. C'est ce que sa mère a fait, n'est-ce pas? On croyait que c'était parce que les visions l'avaient rendue folle… Mais si la folie l'avait rendue inutile à Elizabeth ? Elle l'a peut-être laissée tomber. Elle l'a mise en boule avant de la jeter comme du papier brouillon. Elle pourrait faire la même chose à Mateo.

D'accord, tout cela semblait… terriblement mauvais. Mais aussi très théorique.

— Hé ! Mateo était à La Catrina hier soir, alors aucun de ces scénarios effrayants ne s'est produit. Tout va bien se passer. D'accord ?

— Non, pas d'accord.

— Bon, Elizabeth est une sorcière puissante, mais maintenant, tu possèdes ce bon vieux livre de sortilèges et ta propre magie, et nous avons découvert où et quand son grand plan va se dérouler…

Nadia répliqua sèchement :

— Mais nous ignorons ce que c'est et quand bien même nous le saurions… Verlaine, que crois-tu que je puisse y faire ? Ma magie n'est rien, comparée à la sienne. *Rien.* Elizabeth a des centaines d'années ! Aujourd'hui, son Livre des ombres pourrait probablement m'éliminer sans son aide. Si elle découvre que nous voulons lui mettre des bâtons dans les roues… Tu comprends que c'est dangereux, n'est-ce pas ?

— Hé ! ne m'engueule pas, d'accord ?

— Désolée.

Nadia expira et se répéta en semblant plus sincère.

— Je suis désolée. Je suis seulement inquiète pour Mateo. Pour nous tous.

La peur s'installa dans le ventre de Verlaine, froide et rampante. Elle se rappela la carte qu'elle avait mise en ligne sur le site du *Paratonnerre*, là où tout le monde pouvait la voir — même si, bien sûr, personne ne regardait jamais. Elle repensa à la cible et s'imagina au centre de celle-ci, les yeux levés vers une flèche qui fonçait vers elle depuis le ciel.

Mais il était impossible de fuir ce qui allait se passer. Cela visait non seulement Verlaine, mais aussi ses oncles. Sa maison. Sa penderie. Smuckers. Tout ce à quoi elle tenait et tout ce qu'elle détestait… Tout ce qu'elle connaissait.

Que pouvait-elle faire d'autre qu'essayer de se battre ?

Cela semblait évident à Verlaine, mais en regardant Nadia se recroqueviller dans sa voiture et mettre ses écouteurs pour essayer de se couper du monde extérieur, elle se demanda si celle-ci s'en souvenait à cet instant.

Mateo ne rata pas un jour de travail au restaurant. La dernière chose dont il avait besoin, c'était que son père fasse une crise.

Mais à part cela… il était libre. Jusqu'à ce que l'école appelle son père, Mateo pouvait faire tout ce qu'il voulait.

Et il voulait découvrir à quel point Elizabeth Pike, sa soi-disant meilleure amie, l'avait trahi.

Il commença par chez lui. Il était facile de rentrer chez lui, une fois son père parti ouvrir La Catrina pour le déjeuner. Il était plus difficile d'entrer dans l'espace de rangement sous la maison, où les derniers biens de sa mère étaient entreposés dans un coin, derrière le vieux vélo de Mateo et quelques sombreros restés là depuis la remise à neuf du restaurant, sept ans plus tôt.

Mateo était debout au milieu des boîtes en carton qui formaient une tour tordue. Ils étaient poussiéreux. Personne ne les avait ouverts depuis le jour où son père les avait empilés ici. Même s'il se souvenait affectueusement de sa mère, le père de Mateo ne regardait jamais ses affaires. Ce n'était pas sa façon de faire. Mateo avait cru que ce n'était pas la sienne non plus, mais il se mit à ouvrir les boîtes unes à unes.

La plupart des choses qu'ils contenaient ne lui apprirent rien. Il avait espéré trouver un journal intime ou quelque chose du genre. Au lieu de cela, il trouva les vêtements de sa mère... Ils avaient déjà été parfaitement pliés, mais maintenant, ils étaient si froissés qu'ils étaient presque impossibles à reconnaître. Il se rappelait quand même cette robe verte... Elle la portait aux soirées de Noël. Le gilet rose... Mateo n'avait aucun souvenir précis qui l'incluait, mais il savait qu'il avait déjà étreint sa mère alors qu'elle le portait.

Il hésita avant de porter le gilet à son nez pour le sentir. Mais il ne portait plus l'odeur de sa mère, pas même celle de son parfum. Il sentait seulement le renfermé, comme l'antichambre de l'Armée du Salut.

Il y avait plusieurs autres objets : des appareils d'entraînement miteux — elle avait toujours eu la mauvaise habitude de les commander en voyant des publicités à la télévision et de ne jamais les utiliser. Une boîte remplie de bijoux fantaisie. Un dossier contenant les dessins qu'il lui avait donnés quand il était petit. Mateo ne put s'empêcher de rire en voyant le dessin représentant sa mère, Cookie Monster et lui à la plage.

Sa mère les avait tous gardés.

Il n'avait rien appris en fouillant les boîtes, mais pendant un moment, Mateo se dit que ce n'était pas grave. Être entouré des affaires de sa mère avait été réconfortant, pas douloureux — un rappel que sa vie n'avait pas toujours été triste. La majeure partie avait été heureuse. Depuis quand ne s'était-il pas rappelé les bons moments au lieu de se souvenir seulement de la fin atroce ?

Alors que Mateo commençait à refermer la dernière boîte, une carte tomba par terre.

Il se pencha pour la ramasser. Elle se trouvait dans une enveloppe lilas et il crut d'abord que c'était une carte qu'il avait envoyée à sa mère pour la fête des Mères. Mais il vit ensuite l'écriture de celle-ci sur l'enveloppe. Un seul mot, un nom. *Elizabeth.*

Mateo ouvrit lentement l'enveloppe. À l'intérieur se trouvait une carte colorée portant les mots suivants entourés de paillettes : « POUR UNE FILLE TRÈS SPÉCIALE ! » Mateo lut l'inscription écrite dans la cursive de sa mère :

Je suis si heureuse que nous soyons devenues amies cette année. Je n'ai jamais été aussi fière que le jour où tu m'as dit que j'étais comme une mère pour toi. Eh bien, tu es comme une fille à mes yeux ! J'espère que nous serons toujours aussi proches.

— Lauren

La carte datait de seulement deux semaines avant son suicide. Elle ne l'avait peut-être jamais envoyée. Elle l'avait peut-être oubliée parce qu'Elizabeth avait voulu qu'elle l'oublie.

Elle ne s'était pas contentée de rendre sa mère folle. Elle l'avait poussée à l'aimer. Une partie de l'amour qui aurait dû aller à Mateo avait été volée par quelqu'un qui était « comme une fille ».

Mateo baissa les yeux vers la pile de dessins qu'il avait faits pour sa mère des années plus tôt. Aucun ne l'avait rendue aussi fière que l'illusion créée par quelque chose qu'Elizabeth avait soi-disant affirmé.

Elles avaient été amies. Du moins, sa mère avait cru qu'elles étaient amies — tout comme il l'avait cru. Elizabeth avait dû se trouver constamment dans leur maison, quand il était petit, mais Mateo et son père ne s'en souvenaient pas... parce qu'Elizabeth le voulait ainsi.

Quelle saleté. Quelle *saleté*.

Mateo jeta tout dans la boîte et se prépara finalement à affronter Elizabeth.

Il sortit en trombe de la maison, enfourcha sa moto et fila vers le quartier où vivait Elizabeth. C'était un jour sombre ; le ciel couvert et rempli de pluie qui refusait de tomber. Mateo avait l'impression que la nuit avait recouvert le jour pour effacer le soleil.

La maison d'Elizabeth se détachait de la pénombre. Il pouvait maintenant voir la magie et il se demanda comment il ne l'avait jamais remarquée auparavant. Comment les gens ne voyaient-ils pas que cette maison était profondément et tristement *bizarre* ? Elle luisait — non, elle flamboyait —, un peu comme la lueur des flammes, mais sans être réconfortante ou chaude. Au lieu de cela, la maison ressemblait... à de la fièvre. Chaude, maladive et inévitable.

Les mots que Mateo voulait dire ne cessaient de bouillir en lui, mais ils changeaient constamment, se contredisant encore et encore.

« Tu as tué ma mère. Tu as gâché ma vie.

» Je croyais que tu étais mon amie. Aide-moi à comprendre.

» Je vais te démolir, même si je dois en mourir.

» Peux-tu arrêter ce truc d'Allié ? S'il te plaît, mets fin à la malédiction et laisse-nous tranquilles.

» Si je devais tuer un être humain, ce serait toi.

» Est-ce qu'un seul de mes bons souvenirs dont tu fais partie est réel ? Je veux que ce soit le cas, pour que je sache qu'il y a au moins quelque chose de vrai dans ma vie.

» Je te déteste. Je ne savais pas ce qu'était la haine, mais maintenant, je le sais. »

Quand il arriva devant son perron, il ignorait toujours ce qu'il voulait dire. À une telle proximité de sa maison, il avait l'impression de se trouver devant un feu de camp, entouré par une lumière beaucoup trop chaude. Mateo essaya d'imaginer qu'elle faisait brûler son auréole, mais il savait que cela ne fonctionnerait pas. En fait, il avait l'impression de pouvoir presque sentir l'auréole, le cercle de ronces s'enfoncer dans sa peau…

— Mateo.

Sa voix sortit des flammes, aussi douce que d'habitude, mais Mateo ne pouvait pas encore voir Elizabeth. Bien entendu, elle n'était pas en cours non plus.

— Je m'inquiétais pour toi.

Tout à coup, il se rappela Nadia si clairement qu'il eut l'impression qu'elle se trouvait à côté de lui, assez proche pour la toucher. Elle l'avait prévenu qu'il avait réagi à Elizabeth, que ses capacités d'Allié lui avaient permis de voir quelque chose de surnaturel en elle, mais qu'à ce moment, elle l'avait poussé à oublier.

« Ne réagis pas cette fois-ci, se dit-il quand les flammes hallucinatoires vacillèrent avant de s'écarter. Peu importe ce à quoi ressemble Elizabeth. Peu importe ce qu'elle est vraiment. Ne réagis pas. »

Elizabeth s'approcha de lui et il la vit… Pour la première fois, il la vit vraiment.

Elle n'était pas la personne âgée et flétrie qu'elle aurait dû être après quatre siècles. Non, son corps semblait être le sien… Au contraire, elle était encore plus belle qu'avant.

Mais elle était à peine humaine.

Sa peau semblait faite d'or fondu, brillant, tourbillonnant et ruisselant le long de ses membres nus. Ses cheveux châtains bouclés semblaient brûler plus que les flammes imaginaires entourant Mateo. De la fumée tournoyait autour d'Elizabeth, formant ses vêtements et un voile. Les traits de son visage — même s'ils étaient identifiables — avaient changé ; son nez, maintenant presque plat, et ses pommettes, très saillantes. Ses yeux semblaient trop grands et étirés comme ceux d'un chat. Elle semblait s'être à moitié transformée en une sorte d'animal… Un chasseur, un prédateur. Mateo pouvait facilement imaginer du sang couler de son sourire. Depuis qu'il était un Allié, il n'avait encore jamais rien vu — ni la crasse recouvrant le ciel, ni l'étrange créature cornue dans la ruelle derrière La Catrina, ni même l'auréole de suie et de lames autour de sa tête — d'aussi dégoûtant. Ou d'aussi terrifiant.

Il ne réagit pas, gardant une expression impassible et un ton neutre.

— Je suis désolé de ne pas t'avoir téléphoné. Les derniers jours ont été… effrayants.

— Tu sais que tu peux toujours me parler.

Dans sa voix, il put entendre le bruissement de feuilles mortes, l'ondulation de serpents. Elle prit son visage dans ses mains en or fondu et Mateo dut se forcer pour ne pas reculer. Mais elle ne le brûla pas. Son toucher n'avait pas changé.

— Parle-moi de tes rêves.

Tout ce qu'il avait voulu lui dire disparut. Mateo savait qu'il n'avait aucun pouvoir contre cette… chose qui s'était fait passer pour son amie, pour une personne normale. Il était inutile de lui crier sa haine ou de la supplier pour une explication. Une telle créature ne donnait pas d'explications. Elle prenait ce qu'elle voulait, détruisant tout ce qui se mettait en travers de sa route.

Ce qui voulait dire qu'il ne fallait pas qu'elle sache que Nadia se trouvait sur son chemin.

Il pensa donc à son dernier rêve et se concentra sur cet événement, uniquement sur cet événement.

— J'ai rêvé d'un incendie.

Une étincelle de triomphe apparut dans les yeux d'Elizabeth.

— Un incendie terrible ?

— Oui.

Elle pencha la tête sur le côté, un geste lui rappelant tellement son amie que cela lui glaça le sang.

— L'incendie tue-t-il Nadia Caldani ?

Il se rappela avoir vu Nadia étendue au milieu des flammes, ses cheveux sombres tournoyant comme de la fumée.

— Oui.

Donnait-il l'impression que Nadia était trop importante dans ses visions ? Cela pousserait-il Elizabeth à s'en prendre à elle ? Voulant à tout prix protéger Nadia, Mateo improvisa rapidement.

— Pas seulement Nadia, cela dit. Je rêve de tous les habitants de la ville... Tout le monde meurt.

— Même moi ?

Elizabeth méritait d'avoir peur, comme tout le monde, pendant un moment.

— Oui. Même toi. C'est pour ça que je ne t'ai pas appelée. Je ne voulais pas te le dire.

Elle tressaillit.

— Mais tu ne rêves plus de moi. Tu me l'as dit.

« Merde. »

Il s'était trompé.

Elizabeth plissa les yeux et il sut qu'elle avait compris qu'il lui mentait.

Mateo essaya de trouver les bons mots pour se reprendre, pour inventer quelque chose afin de se couvrir. Mais il ne pouvait pas parler.

Littéralement. Sa bouche refusait de s'ouvrir et l'air n'entrait pas dans son larynx. Il avait l'impression qu'Elizabeth avait serré sa gorge si fort qu'il ne pouvait même plus respirer... Mais elle se tenait au même endroit qu'avant, le même sourire insouciant aux lèvres.

— Dis-moi la vérité, exigea-t-elle.

— Non, je n'ai pas rêvé de toi dans l'incendie. J'ai seulement dit ça parce que je voulais te faire peur.

« C'est quoi, ce bordel ? »

Mateo essaya de s'arrêter, mais il n'y arriva pas, comme s'il était un pantin entre les mains d'Elizabeth.

— Pourquoi voudrais-tu me faire peur ? Nous sommes amis.

Malgré tous ses efforts pour garder la bouche fermée, Mateo échoua.

— Non, nous ne le sommes pas. Tu ne fais que m'utiliser.

Elizabeth pencha la tête.

— Qui t'a dit ça ?

— Nadia.

« Merde ! »

— Elle se mêle toujours des affaires des autres.

Mais l'expression d'Elizabeth était plus amusée qu'inquiète, comme si elle avait trouvé un de ses chats en train de plonger dans ses vêtements propres. Mateo sentit son cœur se serrer en comprenant qu'Elizabeth n'avait pas peur d'eux ou de ce qu'ils pouvaient faire. Ils ne représentaient aucune menace pour elle... Et il se dit qu'elle avait probablement raison.

Elle posa ses doigts sur la joue de Mateo, comme pour le caresser, en murmurant :

— Reparle-moi du rêve de l'incendie.

Un instant... Où était-il ?

Mateo chancela et réussit à peine à rester debout. Quand sa vision revint, il vit Elizabeth devant lui — dorée, inhumaine, terrible — et il réussit à peine à maîtriser sa panique.

«Qu'est-ce que je lui ai dit ? Quelque chose au sujet des rêves. Je lui ai dit que je l'avais vue dans mon rêve de l'incendie, qu'elle mourait aussi. M'a-t-elle cru ?»

Apparemment, oui. Elizabeth se retourna, la fumée tourbillonnant autour d'elle, avant de rentrer chez elle sans dire un mot.

Elle l'avait probablement toujours renvoyé de cette manière, mais il ne s'en souvenait pas.

Les jambes flageolantes, Mateo entreprit de retourner chez lui. Sur le chemin qui passait près de la plage, il commença à ressentir des crampes, puis il tomba à genoux et se mit à vomir, encore et encore. Et alors qu'il ne pouvait vomir davantage, alors qu'il était étendu sur le sol avec du sable collé au visage, il sut néanmoins qu'il n'avait pas fait sortir tout le poison.

Tard le soir, Nadia était assise dans le grenier, les deux Livres des Ombres ouverts devant elle.

Dès qu'elle déchiffrait un des anciens sorts de Goodwife Hale et le transcrivait en termes modernes, elle l'ajoutait à son propre livre. Cela faciliterait les références, et en plus, le pouvoir du sort ferait partie de son Livre des ombres.

Elle aurait donc dû se sentir plus sûre d'elle au fur et à mesure qu'elle transcrivait les sorts. Au lieu de cela, sa peur grandissait.

Elle comprenait si peu de ces sorts. Quand elle travaillait aux côtés de sa mère, Nadia s'était sentie confiante. Sa mère avait affirmé qu'elle possédait un pouvoir exceptionnel, et elle avait étudié dur, s'exerçant quotidiennement pour s'assurer que ce pouvoir atteigne son plein potentiel. Nadia avait toujours voulu être une sorcière à part entière, devenir la meilleure possible.

Eh bien, maintenant qu'elle n'avait plus de professeur, elle avait l'impression que la meilleure sorcière qu'elle pouvait devenir était nulle.

Ce livre de Goodwife Hale... Celui dans lequel elle avait cru pouvoir découvrir tant de trucs et de conseils... Elle n'en comprenait pas la majeure partie. Les termes utilisés dataient de plusieurs siècles ; ils étaient archaïques. Certains objets nécessaires pour les sorts complexes étaient des choses que personne ne possédait aujourd'hui — un « axe de roue » ? Bonne chance pour trouver cela. « Le premier beurre du barattage » ? De la margarine ne fonctionnerait probablement pas.

Pire encore, Nadia réussissait parfois à déchiffrer le vieux langage suffisamment pour se rendre compte que le livre décrivait une magie complexe... Mais elle ne possédait pas les connaissances pour la comprendre, encore moins pour l'utiliser.

Il en était de même pour la dernière entrée notée au journal de Goodwife Hale : soit elle était hors de portée de Nadia, soit c'était du pur charabia.

Elle essaya de la transcrire dans ses propres mots pour voir si elle pouvait la décrypter.

« La magie forme les barreaux de la cage. Les barreaux de la cage se trouvent sous nous tous. Pour couper les barreaux, la magie sera volée, et seule la magie peut la remplacer. La force la plus forte ne se trouve pas dans l'opposition, mais dans... l'association. Ou quelque chose du genre. »

De quoi était-il question ?

Malgré la douleur lancinante dans sa tête, Nadia retourna au dernier sort qu'elle avait pu déchiffrer — un sort pour prévoir le temps, ce qui pouvait être pratique même si cela ne risquait pas de changer sa vie —, plaça un signet et referma les livres. Il était plus d'une heure du matin. Le lendemain serait un jour nécessitant quatre colas diètes. Nadia abaissa l'échelle du grenier et descendit...

Mais elle s'arrêta net quand elle aperçut son père dans le couloir, vêtu d'un pantalon de pyjama et d'un vieux t-shirt de l'Université Northwestern. Il était appuyé contre le mur, les bras croisés, attendant visiblement sa fille.

— Est-ce que je t'ai réveillé ? murmura-t-elle.

Les marches menant au grenier étaient proches de la chambre de Cole.

— Non.

Nadia jeta un coup d'œil vers la porte de Cole.

— Oh, non... Est-ce qu'il a fait un autre cauchemar au sujet des monstres ?

— Cole va bien. Je m'inquiétais pour toi.

Elle essaya de lui sourire.

— Tu sais que je n'ai pas besoin de dormir autant que les humains normaux.

Mais son père ne rit pas.

— Ce n'est pas seulement le fait que tu te couches tard. Tu as été tendue toute la semaine. Est-ce que tout va bien, chérie ?

— Oui. Bien sûr.

— Tu sais que tu peux me parler, n'est-ce pas ?

Comme si elle pouvait vraiment lui parler de ce qui se passait. Elle avait *dû* parler de magie à Mateo, mais c'était le seul garçon avec lequel elle pourrait discuter de ce sujet. Son père était à tout jamais tenu à l'écart de cette partie de sa vie. Et cela ne concernait pas seulement la magie. Jusqu'à ce que sa mère parte et lui force la main, son père avait passé plus de temps à son cabinet d'avocats que chez lui. Il n'avait presque jamais été là pour les moments les plus importants de la vie de Nadia. Pourquoi prétendait-il maintenant la comprendre ?

Avant qu'elle puisse se retenir, elle rétorqua :

— La personne à qui j'ai besoin de parler, c'est maman.

Le visage de son père se décomposa. Nadia avait cru qu'il était impossible de se sentir plus stupide que lorsqu'elle s'était retrouvée perdue au milieu de tous les anciens sorts, mais elle avait eu totalement tort. Elle se sentait maintenant stupide et cruelle.

— Je suis désolée. Je suis vraiment désolée, je… dois aller me coucher.

Nadia passa à côté de son père pour aller dans sa chambre. Il ne la suivit pas et ne cogna pas à sa porte quand elle la ferma.

Elle était donc seule dans son lit, les larmes coulant sur son visage. Il était étrange que le fait de blesser quelqu'un de cher soit pire qu'être soi-même blessée. Ce sentiment resta ancré un long moment, pesant sur ses épaules toute la nuit jusqu'à l'aube.

Chapitre 13

— Alors, vas-tu te déguiser pour le carnaval d'Halloween ?

Mateo leva les yeux du contenu de son verre en plastique.

— Pardon ?

Kendall Bender — celle qui avait organisé la fête, ou, du moins, celle qui avait apporté la glacière contenant maintenant les bières — cria par-dessus la musique.

— Est-ce que tu vas, genre, te déguiser ? Parce que je sais que les gars disent parfois, genre, que c'est si gay, pas gay dans le sens vraiment gay, mais gay dans le sens de pas super, sauf que je me dis que certains costumes sont vraiment gay si c'est, genre, des déguisements de drag-queen maquillée ou un truc du genre, mais d'un autre côté, certains gars aiment porter, genre, des déguisements de film d'horreur pour sembler vraiment menaçants, alors je me demandais si tu allais porter un truc du genre ?

Il haussa les épaules. Halloween était trop loin pour s'en préoccuper.

Étrangement, Kendall sembla voir sa réaction comme un encouragement.

— Je vais me déguiser en geisha, mais, genre, une geisha sexy, alors le kimono est, genre, très court et tout ça, et j'ai vu qu'il y avait une perruque avec le costume, et je voulais me maquiller les yeux, mais après, quelqu'un a dit que c'était raciste, et j'ai dit : « Euh, tu es vraiment trop politiquement correct et, genre, tu dois te créer ta propre opinion. » Pas vrai ?

— La race de quelqu'un ne constitue pas un déguisement.

Elle s'assombrit.

— J'ai oublié que tu n'es pas blanc. Désolée ! Veux-tu autre chose à boire ?

Il en avait vraiment envie, bien qu'il n'ait même pas bu la moitié de son verre. Mais il voulait surtout que Kendall le laisse tranquille.

— Ça va.

— D'accord. Eh bien, au revoir.

Elle courut dans le sable pour rejoindre le groupe principal, là où la musique et les rires étaient assourdissants, et où les lumières du quai brillaient le plus fort. Mateo se dit qu'il était plus à sa place dans l'ombre.

— Penses-tu qu'elle pourrait oublier que *je* ne suis pas blanc ? demanda Gage en apparaissant à côté de lui.

Mateo avait presque oublié qu'il se trouvait encore dans le coin.

— J'en doute, ajouta Gage. De toute façon, ne constitues-tu pas la persuasion caucasienne ? Tu es à moitié, genre, pèlerin.

— L'autre moitié est mexicaine et, dans cette ville coincée, les gens le remarquent.

C'était vrai. Mais bien entendu, les gens voyaient surtout la moitié Cabot, quand ils le voyaient, la partie qu'ils ne pouvaient pas oublier. C'était la raison pour laquelle Kendall riait maintenant avec ses amies en faisant un petit geste autour de sa tempe qui signifiait «fou».

Il était maudit, pas fou. Mateo le voyait chaque fois qu'il regardait dans le miroir et qu'il voyait le nuage menaçant tournoyer autour de sa tête. Et cela lui rappelait que la personne qui l'avait maudit était...

Mateo ferma les yeux pour échapper à la douleur.

— Tu es en train de les enfiler, remarqua Gage.

— On dirait que tu tiens un verre dans ta main.

— C'est du *Sprite*. Même si j'avais une bière, ce serait juste pour me détendre. Tu... On dirait que tu essaies de tomber dans les pommes, ou un truc comme ça. Encore.

— Je vais bien.

— Ça ne durera pas, si tu continues.

Gage se dandina d'un pied à l'autre, mal à l'aise.

— Mec, les derniers jours... Non, toute la semaine... Tu n'as pas été... normal.

Eh bien, c'était une façon de le dire. Être hanté par les visions sombres de la magie entourant sa maison, sa ville et sa propre tête, tourmenté par des rêves dans lesquels Nadia Caldani mourait encore et encore, essayer de l'éviter même si elle était la seule personne qu'il voulait vraiment voir, et savoir que la responsable de toute cette douleur était celle qu'il avait cru être sa meilleure et seule amie... «Pas normal.» Ouais.

— C'est à cause d'Elizabeth, pas vrai?

Quand Mateo se retourna pour le regarder, Gage haussa les épaules.

— Vous étiez toujours ensemble cet été, et tu l'évites depuis des semaines.

— Non.

Une fois de plus, Mateo repensa à la créature monstrueuse et surnaturelle qu'Elizabeth était en réalité. Il revit le visage animal, cireux et doré, qui brillait derrière sa peau. Il frissonna.

— Je m'approcherai d'elle de nouveau. Je te le garantis.

Mateo était presque certain que la première fois qu'il avait compris qui était vraiment Elizabeth, ce qu'elle pouvait réellement faire, il allait la tuer. Vraiment. De ses propres mains. Il avait toujours cru qu'il ne pourrait jamais faire une telle chose, tuer quelqu'un, sauf peut-être lors d'une guerre, et encore. Maintenant, il passait presque la moitié de sa vie éveillée à s'imaginer ce qu'il ressentirait en serrant les doigts autour de la gorge d'Elizabeth Pike.

Ce qui était une chose répugnante à laquelle penser. C'était comme laisser entrer un monstre dans sa tête pour lui donner des conseils. Mais il semblait incapable de se débarrasser du monstre.

— On dirait, je ne sais pas, comment appelait-on ça, avant ? Une querelle d'amoureux, dit Gage.

— Tu veux toujours lui demander de sortir avec toi, n'est-ce pas ?

Mateo engloutit une autre gorgée de sa bière. Elle avait un goût infect, mais ce n'était pas grave.

— Reste loin d'Elizabeth Pike, mec. Fais-moi confiance sur ce point.

Gage leva les mains, comme s'il se rendait.

— Hé ! je connais le code des gars. Je ne vais pas m'approcher de ton ex.

— Nous étions seulement amis, dit Mateo, même si le dernier mot lui laissa un goût amer.

Maintenant, cela signifiait seulement qu'il ne l'avait jamais embrassée. C'était le seul mensonge qu'elle lui avait épargné. Pourquoi s'était-elle arrêtée là ? Probablement que cela aurait été trop compliqué.

Elle avait seulement pris la peine de prétendre être la seule amie qu'il ait connue.

— Quand même. Je respecte le fait que tu aies besoin de limites la concernant. D'accord ? Mais tu ne sembles pas toi-même, et maintenant, tu veux faire la fête avec des gens stupides, et je sais que tu les détestes. Tu sèches les cours. Peu importe ce qui s'est passé entre Elizabeth et toi, il est peut-être temps de te reprendre.

Facile à dire pour Gage...

Mais à ce moment, Mateo se rendit compte qu'il avait peut-être un véritable ami, après tout.

Gage et lui ne se connaissaient pas depuis très long-temps, et c'était assurément le plus long échange qu'ils avaient eu, mais Gage essayait de faire attention à lui. Ce n'était pas la conversation la plus facile à entreprendre, mais ils l'avaient fait.

Ses actions ne concernaient pas Gage. Mais... Il avait peut-être raison.

De plus, Mateo était plus que prêt à mettre fin à ce comportement. L'école avait appelé son père et il en avait marre de se faire crier dessus. Il n'aimait même pas boire comme il le faisait. Cela le rendait malade et stupide, et ces deux sentiments étaient nuls.

Il en avait peut-être simplement *assez*.

— Tu as raison.

Mateo inspira profondément l'air salé.

— Tu as totalement raison. Je reste là à m'apitoyer sur mon sort, au lieu de...

Au lieu de passer du temps avec Nadia.

D'apprendre s'il pouvait vraiment accorder sa confiance à Nadia ou à n'importe quelle sorcière.

De découvrir ce qu'être son Allié impliquait et de voir s'il pouvait l'aider à démolir Elizabeth.

— Au lieu de faire ce que je devrais faire, termina-t-il.

Gage esquissa un sourire.

— Est-ce qu'on peut commencer par quitter cette fête ? Je peux conduire. On pourrait aller manger des mini-hamburgers au White Castle.

— Oui. Allons-y.

Mateo jeta son verre dans la poubelle la plus proche. Pas besoin de dire au revoir à Kendall.

— Viens. On fait la course !

Gage s'élança et Mateo essaya de le rattraper. Quand Gage éclata de rire, il eut l'impression pendant un moment que tout allait bien, comme s'il était un garçon comme tous les autres.

Mais au-dessus de sa tête, les étoiles se tordaient dans l'horrible ciel agité.

— Prends quatre cartes ! dit Cole en claquant sa carte Uno sur la table tandis que Nadia et son père grognaient en feignant l'horreur.

Pendant que Cole gloussait de joie, son père dit :

— Tu es certain de ne pas avoir faussé le jeu ?

— Non, répondit Cole en balançant ses pieds sous le banc de la table. Je suis juste très bon.

Son père éclata de rire et, au même moment, Nadia entendit son téléphone sonner, lui indiquant l'arrivée d'un texto, qu'elle ignora pour le moment. Cole n'avait pas bien dormi, ces derniers temps — pas à cause des cauchemars, pas comme avant. Mais il était agité, se levait deux ou trois fois par nuit pour demander de l'eau ou allumer des lumières au hasard. C'était un mauvais signe, un signe que Nadia et son père reconnaissaient maintenant bien. Ils étaient donc concentrés sur Cole et essayaient de l'aider à retrouver le calme qui l'avait habité juste après le déménagement.

Et penser à Cole lui évitait de passer autant de temps à s'inquiéter de tout le reste.

— Alors, demain je pensais faire des tacos au poulet, dit Nadia en déposant une carte. Qu'en pensez-vous ?

Elle s'était attendue à ce que Cole applaudisse et que son père opine, mais ce dernier fut le premier à répondre.

— Tu passes beaucoup trop de temps dans la cuisine, ces jours-ci. Tu devrais sortir. T'amuser. Si tu veux des tacos… Pourquoi n'allons-nous pas au restaurant mexicain de la ville ? La Catrina ? C'est ça.

Nadia eut l'impression de recevoir une gifle.

— Et ce garçon travaille là, pas vrai ? dit son père tout en la regardant avant de déposer une carte. Mateo. Le superhéros.

— Ce n'est pas un superhéros, insista Nadia, même si elle ne pouvait plus oublier le visage de Mateo tel qu'elle l'avait vu la première fois, illuminé par l'éclair.

— Ah ! mais j'avais oublié qu'il n'est pas libre.

Il était hors de question qu'elle corrige son père sur ce point. S'il découvrait que Mateo était célibataire, il risquait de suggérer qu'elle lui demande sa main.

— Eh bien, nous pourrions manger ailleurs. Aller dans la ville voisine ou acheter une pizza, peut-être. Si La Catrina est un, je ne sais pas, un sujet sensible.

— Pizza ! chanta Cole avant de déposer sa carte pour inverser le jeu.

Entre son frère, le prodige impitoyable du Uno, et son père en mode je-suis-si-sensible, Nadia se dit qu'elle avait besoin d'une pause loin de la table.

— Attendez-moi un moment, je dois regarder mon téléphone.

Le texto venait certainement de Verlaine. Elles n'étaient pas exactement amies — quelque chose en Verlaine semblait étrangement distant aux yeux de Nadia —, mais elles s'entendaient bien et elles faisaient équipe pour découvrir le plan d'Elizabeth. Ce texto concernerait donc les étranges motifs formés par les désastres se répandant à Captive's Sound et leur signification, ou une question au sujet du cours de littérature. La journée avait été tranquille, alors Nadia se dit que le message devait concerner le cours de littérature, même s'il était étrange que Verlaine s'inquiète au sujet de devoirs un vendredi soir.

Au lieu de cela, l'écran indiquait : « *Message de Mateo Perez* ».

Nadia inspira brusquement. Pendant un moment, elle regarda fixement l'écran, puis elle ouvrit le message et lut : « *Retrouve-moi demain à la plage. À côté de chez moi. Je finis de travailler à 15 h.* »

Nadia voulait le rejoindre le lendemain et le frapper. Mateo n'avait pas le droit de l'ignorer toute la semaine avant d'exiger qu'elle vienne le voir quand il le voulait. Hors de question.

Mais... En voyant le message, Nadia eut l'impression que l'étau autour de son cœur s'était relâché, lui permettant de respirer.

Même si elle allait le voir simplement pour lui faire sa fête, elle savait qu'elle irait au rendez-vous.

C'était le genre de samedi qui ressemblait à un lundi. Le ciel était rempli de pluie, de gros nuages menaçaient d'éclater à tout moment et les rafales de vent rappelaient l'arrivée imminente de l'hiver. Le père de Nadia avait amené Cole voir un film mettant en vedette des grenouilles de synthèse ou un truc du genre, alors Nadia n'avait pas été obligée d'inventer une excuse pour se rendre là où elle allait.

Bien sûr, elle aurait pu dire à son père qu'elle allait retrouver Mateo, mais cela aurait ramené monsieur Sensible. Non merci.

Nadia serra sa veste en mouton retourné autour d'elle quand elle partit de la rue Oceanside pour se rendre vers la section de plage proche de chez Mateo. Les maisons du coin ne ressemblaient pas aux demeures donnant sur la plage qu'elle avait vues ailleurs. Normalement, seuls les gens les plus riches pouvaient se payer des maisons donnant sur l'océan et l'architecture en était la preuve : grands porches en bois étincelant, fenêtres assez grandes pour ressembler à des murs en verre, ce genre de chose. Mais il était évident que les maisons de ce quartier étaient aussi normales et battues par les éléments que les autres demeures de Captive's Sound.

« Apparemment le tourisme estival est en plein essor dans les villes avoisinantes, avait dit son père quand il leur avait expliqué le déménagement. Mais pour une raison quelconque, il n'a jamais décollé à Captive's Sound, ce qui rend la ville confortable. Et plus abordable. »

Oui, son père avait probablement fait une bonne affaire en achetant une maison dans cette ville dévorée par la magie noire. Nadia pouvait facilement imaginer l'annonce immobilière : « *Maison victorienne maudite ! Trois chambres, deux salles de bain, située dans un filet maléfique qui dévore les âmes. Sautez sur l'occasion !* »

En s'approchant de chez Mateo, elle entendit le rugissement familier d'une moto et se retourna à temps pour le voir arriver. Nadia serra les bras autour de son corps et s'arrêta pendant qu'il éteignait le moteur et descendait de la moto. Elle ne fit pas un seul pas vers lui. Il devrait franchir le reste de la distance.

— Hé ! dit Mateo, dont l'expression était difficile à déchiffrer en enlevant son casque. Merci d'être venue.

— Merci de me l'avoir demandé, dit Nadia qui, ne sachant tout à coup plus quoi faire de ses mains, les enfonça dans les poches de sa veste. Comment vas-tu ?

Mateo ouvrit la bouche et la referma avant de hausser les épaules.

— Super. Horrible. Les deux à la fois, la plupart du temps.

— Oui. Je sais ce que c'est.

Ils restèrent un instant à s'observer. C'était encore pire que les quelques regards blessés qu'ils avaient échangés dans les couloirs de l'école, les jours où Mateo avait daigné aller en cours.

— Viens. Allons marcher, dit-il finalement.

Ils allèrent jusqu'à la côte, où le sable, damé par la marée descendante, n'était pas assez sec pour qu'ils s'y enfoncent. Le sol était encore assez mou pour que leurs pas laissent de légères traces, côte à côte.

— Le pire est ce que je ressens lorsque je vois Elizabeth, avoua Mateo en regardant l'océan. Je ne savais pas que je pouvais détester quelqu'un de la sorte. J'ai peut-être le droit de la détester, mais à l'intérieur, je me sens… J'ai l'impression de ressembler à ce ciel.

Il pointa le ciel du doigt. Nadia ne vit qu'un ciel gris normal, mais elle savait que les capacités d'Allié de Mateo lui montraient sa vraie nature.

— Décris-le-moi.

— Il bout. Il est recouvert d'un film de mousse, comme de la soupe qui a trop chauffé sur la cuisinière. Peu importe ce que c'est, ça estompe la lumière. Ça l'aspire. J'ai l'impression de regarder du poison couler sur nous, encore et encore. Estime-toi heureuse de ne pas le voir, Nadia.

Elle l'était, mais elle ne pouvait l'admettre. C'était le sort qu'elle avait jeté qui avait rendu Mateo ainsi ; elle était donc responsable de ce qu'il voyait et le serait toujours.

— Mais il y a aussi du positif, continua-t-il.

— Ah oui ?

Mateo eut besoin d'un moment pour trouver les bons mots, entraînant un long silence, brisé seulement par le fracassement des vagues et les cris des mouettes.

— Je ne suis pas sûr de pouvoir te faire comprendre ce que représente le fait de savoir que je ne suis pas fou. Que les visions sont réelles. Aussi maléfique que soit leur origine, elle est réelle et je peux la combattre. Du moins, je le peux si tu m'aides.

Leurs regards se croisèrent. Ils ralentirent en même temps et se tournèrent l'un vers l'autre.

— Est-ce que ça veut dire que tu... que tu me fais confiance ? demanda finalement Nadia.

— Je suis bien obligé.

Ce fut comme une nouvelle gifle, mais comment Nadia pouvait-elle lui en vouloir ?

— Et tu devras décider si tu me fais confiance ou pas, ajouta alors Mateo.

— Pourquoi est-ce que je ne te ferais pas confiance ?

Il baissa les yeux vers le sable, détournant le regard, comme s'il avait honte.

— Parce que je ne t'ai pas tout dit.

— Qu'y a-t-il d'autre à me dire ?

— Je t'ai vue dans mes rêves. Mes visions du futur.

Nadia fronça les sourcils.

— Tu me l'as déjà dit.

— Je ne t'ai pas dit que je te voyais mourir.

Elle eut l'impression que le sol se dérobait sous ses pieds.

— Quoi ?

— Pas seulement dans un rêve. Il y a plus d'une façon dont tu pourrais… Dont ça pourrait arriver.

Mateo se mit à faire les cent pas devant elle, gesticulant et cherchant ses mots.

— Bon, ce n'est pas comme si je savais précisément quand ou comment ni même si c'est sûr. Tu n'es pas la seule dont je rêve… Mais tu apparais de plus en plus souvent, et je sais que tu es en très grand danger. Je le savais avant même de te rencontrer. Au début, je me disais… Je me disais que, si je restais loin de toi, si je n'étais pas là pour voir mes visions se réaliser, tu ne risquerais rien. Tu me suis ? Mais une des visions te montrait te débattre sous l'eau, et je ne l'avais pas comprise avant que nous allions plonger dans le détroit. J'ai alors compris le danger auquel tu faisais face et ce que je devais faire pour t'aider. Donc, peut-être que certains rêves me permettent de te protéger. Je ne sais pas. Tout ce que je sais, c'est que j'aurais dû te dire tout ça avant.

C'était effrayant. Et plus encore. Nadia inspira profondément une fois, puis une autre, s'assurant qu'elle était calme.

Mateo semblait maintenant prêt à l'attraper si elle s'évanouissait.

— Est-ce que ça va ?

— Oui.

— J'aurais dû dire quelque chose. J'essayais si fort de ne pas y croire…

— Nous devons croire en tes rêves. C'est grâce à eux que tu m'as sauvée, après l'accident, et le soir de la plongée.

Oui. C'était à cela qu'elle devait se raccrocher. Rien d'autre n'avait d'importance.

— Tes rêves sont une malédiction pour toi… Je le sais. Mais ils sont peut-être la seule chose qui me protège.

— Alors, ils en valent la peine, répondit-il comme si c'était aussi évident que le fait que le jour succède à la nuit.

Quelque chose de réconfortant et de furtif virevolta dans le cœur de Nadia.

En vérité, elle n'avait pas particulièrement peur des visions en tant que telles. Oui, il était troublant d'apprendre qu'un garçon capable de voir le futur la voyait souvent en danger. Mais les rêves pouvaient être symboliques plus que littéraux. Cette théorie était prouvée par celui où elle « flottait » au lieu de couler.

Ce qui l'inquiétait davantage, c'était le fait que Mateo ait vu plusieurs façons dont elle pourrait mourir, le fait qu'elle tienne une si grande part dans les rêves qu'il avait faits jusqu'à présent. Pourquoi devait-elle être au centre de tout ce qui se passait à Captive's Sound — du danger qui semblait s'approcher ? Le 31 octobre n'était plus très loin. C'était assez effrayant, surtout quand elle regardait les cartes précises de Verlaine et la cible tracée sur la ville. Mais pourquoi le danger serait-il centré si fortement sur elle ?

Et le pire : Mateo avait parlé de ses rêves à Elizabeth. Si Nadia ignorait pourquoi elle était si importante, maintenant, Elizabeth devait le savoir.

Mateo l'observa pendant un moment et sembla décider qu'ils devaient changer de sujet.

— Bon, apparemment, je suis ton Allié. Et un Allié augmente ton pouvoir, n'est-ce pas ?

Le changement de sujet… Assurément une bonne idée.

— Te rappelles-tu l'incident pendant le cours de chimie ? Ça n'arrive généralement pas après un sort de libération. Alors, oui. Quand tu es proche, mes pouvoirs devraient être, euh, renforcés.

— Alors, vas-y. Voyons de quoi tu es vraiment capable.

Nadia nota le défi dans sa voix et, malgré ses inquiétudes, elle sourit. Un sort, n'importe quel sort… Mais lequel ?

Elle pensa de nouveau aux sorts qu'elle avait pu déchiffrer dans le Livre des ombres de Goodwife Hale. Pour chaque sortilège qui semblait fantastique — un sort pour éteindre ou inverser le feu —, il y en avait un qui n'était pas très utile à cette époque (par exemple, celui visant à désensorceler une vache à lait). Mais un sort en particulier avait retenu son attention, précisément parce qu'elle en aurait eu besoin le soir où elle avait plongé à côté du phare : un sort pour déplacer l'eau.

— D'accord.

Elle inspira profondément et plaça les mains devant sa poitrine, comme si elle se préparait à prier, sauf qu'elle enroula les doigts d'une main autour du pendentif en perle de son bracelet.

— Essayons ceci.

Dans son esprit, Nadia rassembla les ingrédients.

L'amour d'un enfant.
Une chose vivante sortant de la terre.
L'espoir en plein cœur de la souffrance.

Elle devait penser à chaque ingrédient afin de les ressentir assez profondément pour qu'ils fassent presque mal...

Pendant qu'elle se concentrait, les yeux fermés, elle sentit Mateo glisser une main entre les siennes. Il ne s'agrippa pas à elle, il n'entrelaça pas leurs doigts, se contentant de la toucher. Sa peau était chaude, et sa main, légèrement rugueuse à force de travailler.

Ce geste aurait dû être hautement distrayant, mais les pensées de Nadia devinrent soudain beaucoup plus claires, comme si, au lieu d'être en noir et blanc, le monde était subitement devenu en couleur, comme s'il était passé de deux à trois dimensions. Mais surtout, c'était comme si chaque sensation et chaque sentiment étaient plus forts pour elle que jamais auparavant...

Cole debout sur ses jambes potelées de bébé, faisant ses premiers pas, non pas vers sa mère ou son père, mais vers sa grande sœur...

Des crocus de printemps poussant au milieu de la neige...

— *Alors, qu'en dites-vous ?*

Son père, assis à la table, à Chicago, dans l'appartement qui avait toujours semblé vide sans sa mère.

— *Voulez-vous rester ici, ou êtes-vous d'accord pour déménager et prendre un nouveau départ ?*

Voir Cole opiner, prêt à abandonner immédiatement tout ce qu'il connaissait, pendant que Nadia comprenait soudain qu'elle voulait faire la même chose et découvrir ce qui les attendait...

— Ah ! mon Dieu, souffla Mateo.

Nadia ouvrit les yeux.

Devant eux, l'océan avait commencé à onduler vers le ciel, formant des murs brillants d'eau qui longeaient un passage dans l'océan jusqu'à ce qu'ils mesurent plusieurs mètres de haut. Mateo et Nadia pouvaient voir les algues vertes qui luisaient, les coquilles irisées des huîtres, et le sable sombre et humide, un chemin réservé pour eux. Les gouttelettes d'eau transformèrent le faible soleil de l'après-midi en lumière éclatante, des prismes de lumière multicolore scintillant au-dessus d'eux.

C'était magnifique, comme un miracle. Toutes les peurs de Nadia semblèrent s'envoler en un instant.

— Ça… Ça n'était pas censé arriver, murmura-t-elle.

— Est-ce bon ou mauvais ? demanda Mateo, sa main encore entre celles de Nadia.

— C'est très bon. C'est fantastique.

— C'est biblique.

Mateo éclata de rire.

— Vas-tu me dire que Moïse était un sorcier ?

Elle rit.

— Quoi, veux-tu être frappé par la foudre ? Alors ne dis rien.

Mais elle s'était déjà posé la question : certains sorts sembleraient sans aucun doute miraculeux…

Non. Il valait mieux éliminer cette pensée et éviter d'être frappée par la foudre divine.

Nadia ne pouvait détourner le regard du phénomène incroyable devant elle, mais elle pouvait entendre le sourire dans la voix de Mateo.

— Veux-tu aller marcher là-dedans ? Te tenir au milieu de l'océan et regarder les poissons nager à côté de toi ?

— Non. Je devrais mettre fin au sort. Les huîtres et le reste… Je ne veux pas qu'elles… Peu importe ce qu'est le contraire de se noyer.

Ces choses avaient besoin d'eau, alors Nadia mit fin au sort et se détendit. L'eau retomba presque immédiatement, éclaboussant leurs jambes et trempant ses chaussures. Même si des ondulations parcouraient les vagues, l'océan avait déjà repris son allure normale.

Nadia se tourna vers Mateo et vit la réflexion de son propre enchantement dans son visage. Ils éclatèrent de rire à l'unisson.

— Alors, ça fonctionne? demanda-t-il, de l'eau salée brillant dans ses cheveux. Je suis un bon Allié?

— Je ne sais pas comment tu peux en être un tout court. Mais oui, tu es bon. Tu es *incroyable*. Ce sort aurait dû faire bouger l'eau de quelques mètres... Pas l'ouvrir comme la mer Rouge!

Nadia rejeta ses cheveux humides en arrière. Le vent semblait plus froid maintenant que ses vêtements étaient mouillés, mais cela ne la dérangeait pas. Cette plage semblait être le seul endroit où elle avait envie de se trouver, et Mateo, la seule personne avec laquelle elle désirait être.

— Nous allons devoir être prudents dans notre façon de nous exercer. Tu me donnes tant de pouvoir que même les sorts simples pourraient s'avérer dangereux.

Le sourire de Mateo s'estompa et son regard redevint dur.

— Assez de pouvoir pour affronter Elizabeth?

Bon Dieu, elle aurait voulu lui mentir à ce sujet, mais Mateo avait dû essuyer suffisamment de mensonges.

— Elle est puissante, plus puissante que n'importe quelle sorcière vivante et son Allié est le Très-Bas. Mais... Mais je n'ai peut-être pas besoin d'être aussi puissante qu'elle. Seulement assez puissante pour l'arrêter.

— Tu n'as qu'un mot à dire. Tout ce que je peux faire pour toi, Nadia, je le ferai. Et je connais l'enjeu, tu sais? Je sais ce dont Elizabeth est capable. Je n'ai pas peur. Je suis à tes côtés, quoi qu'il arrive.

Ils se regardèrent, et Nadia se rappela ce qui était écrit au sujet des Alliés... Que le pouvoir qu'une telle personne donnait à une sorcière était proportionnel au potentiel de

confiance existant entre les deux. Au potentiel de compréhension et d'amour.

Chapitre 14

— Nadia ?

— Hum ?

Elle regardait à travers la fenêtre du salon, fixant l'endroit où le ciel était le plus sombre. C'était à l'est, dans la direction de l'océan. Nadia pouvait seulement revoir l'image de Mateo et elle, entourés par les embruns, le pouvoir de la magie coulant dans ses veines et l'émerveillement dans les yeux de Mateo...

— *La Terre appelle Nadia.*

Surprise, elle se retourna et vit son père la regarder d'un air étrange.

— Désolée. J'étais un peu dans ma bulle pendant un moment.

— Tu es sûre que tu es d'accord pour t'occuper de Cole ce soir ? Tu sembles préoccupée.

— Bien sûr que je suis d'accord. C'est mon travail, n'est-ce pas ?

Bon, il était plus que temps de revenir sur terre. Mateo et elle pourraient essayer n'importe quoi — tout — demain et les jours suivants.

— Hé !

Son père s'assit à côté d'elle sur le canapé. Il était déjà en mode travail — le stylo sur l'oreille était un signe indéniable —, mais il avait l'air inquiet.

— Ce n'est pas ton *travail*. Tu n'es pas la gardienne. Si tu as des devoirs, ou si Verlaine et toi voulez faire quelque chose...

— Je n'en ai pas, et nous n'avions rien de prévu. Sérieusement, papa, ta plaidoirie approche. Va faire tes trucs d'avocat. Je m'occupe de Cole.

— Tu en es sûre?

— Absolument.

Nadia savait qu'elle devrait être reconnaissante qu'il s'inquiète autant. Beaucoup de parents obligeaient leurs enfants à endosser des responsabilités sans le leur demander. Mais honnêtement, c'était presque agaçant. Son père savait qu'elle l'aidait, il savait qu'elle voulait le faire, alors pourquoi se montrait-il si attentionné avec elle? C'était comme s'il voulait se rassurer, ou quelque chose du genre.

Heureusement, Cole passait une bonne soirée. Il voulait seulement regarder *Histoire de jouets 3* pour la millionième fois environ.

— Je déteste cet ours, dit Nadia en s'allongeant sur le sofa et en regardant Cole dévorer des Cheetos.

Elle devrait nettoyer la saleté orange sous ses ongles.

Cole opina.

— Lotso est un connard.

— Cole!

Il était difficile de sembler sévère en essayant de ne pas rire.

— N'utilise pas ce mot!

— Est-ce que c'est mal?

— C'est assez mal. L'as-tu entendu à l'école?

Cole opina. Le pauvre petit semblait effondré.

— C'est comme ça que Levi appelle notre professeur d'éducation physique.

— Eh bien, ne l'appelle pas comme ça. N'appelle personne comme ça.

Nadia était sur le point d'éclater de rire.

— Euh, veux-tu du soda au gingembre?

— D'accord. Mais… Lotso en est un, pas vrai?

— Oui. Tu peux le *penser*, mais tu ne peux pas le dire. Cet ours est un… Disons que c'est un crétin.

Nadia arriva dans le couloir avant de commencer à ricaner. Quelqu'un devait entendre cette histoire. Elle pourrait envoyer un texto à Mateo? C'était une excuse comme une autre, même si elle n'avait plus vraiment besoin d'excuse pour le contacter, n'est-ce pas? Mais la pile de son téléphone était presque à plat.

En allant vers la cuisine, elle entra donc dans le cagibi servant de bureau à son père. Il n'était pas là. Non, il faisait les cent pas dans le jardin en parlant à son client au téléphone, le préparant pour sa déclaration. Son père était incapable de téléphoner sans un espace d'au moins cinq mètres pour marcher. Elle pouvait à peine l'entendre, de l'autre côté de la fenêtre. Il devait parler d'un «milieu de travail hostile» ou quelque chose du genre. Nadia se pencha sur son bureau et brancha son téléphone sur la station de charge. Dix minutes lui donneraient assez d'énergie pour le reste de la soirée…

À ce moment, elle vit, flottant sur l'écran de l'ordinateur portable de son père, un courriel de William Kamler.

Alias l'avocat de divorce de sa mère.

Le lire reviendrait à fouiner. Aucun doute là-dessus. Ce qui n'empêcha pas Nadia de le faire sans hésiter.

Monsieur Caldani,

J'ai communiqué votre opinion concernant le droit de visite à votre ex-femme. Elle insiste toutefois sur le fait qu'elle ne devrait pas voir les enfants pour le moment. Vous indiquez, avec raison, que cela va à l'encontre des recommandations du psychologue nommé par la cour. Cependant, la visite parentale ne peut être forcée par un ordre juridique. En fin de compte, seule madame Caldani peut décider si elle veut communiquer avec ses enfants, ou quand elle désire le faire, ou leur permettre de le faire. Même si je compatis à vos sentiments en tant que père, mon devoir juridique est de protéger les droits de ma cliente...

L'écran de veille apparut et la page devint noire avant d'être remplacée par un étrange tourbillon multicolore rebondissant à l'écran.

Nadia semblait clouée sur place. Son estomac était devenu froid et lourd comme la pierre.

Elle avait blessé son père en lui disant que ce n'était pas à lui qu'elle avait besoin de parler. Mais elle ne s'était pas aperçue qu'il suppliait presque sa mère de les voir, Cole et elle, ou au moins de les appeler ou de leur envoyer un courriel de temps en temps. Même ses efforts ne servaient à rien.

Les mains tremblantes, Nadia alla dans la cuisine et servit un verre de soda au gingembre à Cole, puis elle retourna au salon en esquissant un sourire forcé.

— Voilà, chéri.

— Chéri?

Cole fronça le nez.

— Je ne suis pas un chéri. Pourquoi est-ce que tu me parles bizarrement?

Elle se pelotonna sur le canapé et ramena les genoux sous son menton. Si elle les serrait assez fort, elle se sentait moins mal.

— Aucune raison.

Verlaine savait qu'elle n'avait pas son mot à dire sur le fait que Mateo réintègre leur groupe. Premièrement, il était l'Allié, ce qui signifiait qu'il apportait un talent particulier. Deuxièmement, c'était lui qu'Elizabeth avait maudit pour qu'il voie le futur, ce qui en faisait à la fois la première victime et le détenteur dudit talent.

Mais il les avait quand même abandonnées pendant une semaine. Au lieu de travailler sur la gigantesque crise menaçant leur ville, il avait... D'accord, il avait dû faire face à une énorme trahison personnelle et faire à nouveau le deuil de sa mère décédée. Ce qui constituait une excuse valable.

Verlaine, en attendant, avait travaillé. Elle avait minutieusement formé un dossier rassemblant ses découvertes au sujet des dolines, ainsi qu'une présentation PowerPoint, et elle avait tout envoyé au conseil municipal. Même sans parler de la magie à l'œuvre derrière les événements, ils devraient pouvoir découvrir que quelque chose clochait vraiment, quelque chose tournant autour du parc Swindoll. Cela suffirait peut-être pour qu'ils annulent, ou déplacent, le carnaval d'Halloween. Mais elle n'avait eu aucune réponse du bureau du conseil. Apparemment, lire un courriel provenant d'une lycéenne ne faisait pas partie de leurs priorités. Idiots.

De plus, maintenant que Mateo était dans le bureau du *Guardian* avec Nadia et elle, de nouveau prêt à se rendre utile, Verlaine voulait bien lui donner une autre chance. D'un autre côté, était-il vraiment là pour se rendre utile ?

Parce qu'il n'examinait pas les archives qu'elle avait passé la fin de semaine à retracer. Non, il regardait Nadia, complètement captivé, comme s'il voyait un arc-en-ciel pour la première fois, ou quelque chose d'aussi sentimental. Et, bien sûr, il était actuellement plongé dans la tâche ô combien importante de dessiner quelque chose à l'encre sur le côté de la chaussure de Nadia… Un arbre, peut-être. Verlaine ne savait pas si elle devait trouver que c'était très agaçant, ou être blessée en espérant qu'un garçon, n'importe lequel, la regarde de cette façon.

« Tout peut changer », se rappela-t-elle farouchement.

— Bon, dit-elle. La grande question est : Comment pouvons-nous arrêter Elizabeth ?

Nadia et Mateo se regardèrent. Ils ne s'étaient visiblement pas rendu compte que Verlaine comptait prendre les commandes de la rencontre. Eh bien, c'était ce qui arrivait quand certaines personnes étaient trop occupées à batifoler pour se concentrer sur l'affaire en cours. Certaines autres personnes devaient prendre les commandes. Et bâtir des présentations PowerPoint.

Verlaine tourna l'ordinateur portable pour qu'ils voient un écran blanc portant le titre : « Opération Arrêtons Elizabeth ». La diapositive se dissout, faisant place à la suivante, qui contenait trois colonnes : « Option A — L'affronter directement. Option B — Saper ses plans secrètement. Option C — Créer une autre action / faire diversion. »

— Comme vous pouvez le voir, l'option A comporte de nombreuses failles, dit-elle. Surtout parce qu'Elizabeth est assez puissante pour nous écraser comme des insectes.

La diapositive suivante montrait un croquis d'un insecte écrasé qu'elle avait trouvé, comportant même des X sur les yeux, la langue pendant de sa gueule.

— Ce qui signifie que nous devons étudier les options B et C.

Nadia leva la main avant de la regarder, comme si elle ne pouvait pas croire qu'elle venait de demander l'autorisation de parler.

— Euh… Je crois qu'il faut oublier l'option C.

Verlaine secoua la tête.

— Non. Pensez-y ! Nous lui faisons croire qu'il y a une autre sorcière puissante à proximité de la ville ou… peut-être un objet magique qu'elle voudrait s'approprier. Je ne sais pas de quoi il pourrait s'agir, mais on peut trouver quelque chose, n'est-ce pas ?

Nadia semblait toujours peu enthousiaste.

— Quoi qu'Elizabeth ait prévu pour le soir d'Halloween, c'est énorme. C'est important à ses yeux. Et elle prépare son coup depuis longtemps. Je ne sais pas si nous pourrions trouver quoi que ce soit susceptible de la distraire. Je ne suis même pas sûre qu'une telle chose *existe*.

Bon, tant pis pour la diapositive suivante, qui contenait toutes les idées de Verlaine pour l'option C, sa préférée. Sa déception devait être visible parce que Mateo ajouta rapidement :

— Hé ! ça nous laisse l'option B. Concentrons-nous sur ce que nous pouvons faire, pas sur ce qui est impossible. N'est-ce pas ?

— Exactement, répondit Nadia.

Mateo sourit à Verlaine, comme si elle avait été très intelligente de les amener là. Il n'était peut-être pas si mal, après tout.

Bien entendu, elle n'avait pas imaginé autant de possibilités pour l'option B…

Une idée lui vint soudain.

— Hé! tu as dit qu'un Livre des ombres possède son propre pouvoir, n'est-ce pas?

— Oui, répondit Nadia en la regardant.

Mateo continua de regarder Nadia.

— Et plus la sorcière est puissante, plus son livre l'est.

— Un jour, oui.

Verlaine sourit.

— Alors, pourquoi est-ce qu'on ne vole pas le Livre des ombres d'Elizabeth? Je veux dire, elle a plus de 400 ans, alors son livre doit être, genre, le plus puissant qui existe.

— *Non.*

Nadia leva une main, comme si elle pouvait physiquement empêcher Verlaine d'essayer.

— Ne suggère plus jamais cela. N'y pense même pas.

— Pourquoi pas? demanda Mateo, visiblement aussi surpris que Verlaine. Ça me semble être une bonne idée.

Mais Nadia secoua la tête en se levant avant de faire les cent pas dans la pièce, le petit dessin de Mateo à moitié complété sur sa chaussure.

— Vous deux… vous devez m'écouter. Tout ce que Verlaine a dit est vrai. Ce qui signifie qu'un Livre des ombres aussi vieux, aussi puissant possède probablement un pouvoir qui dépasse notre imagination. Il peut avoir… une conscience.

Verlaine se mordit la lèvre.

— Tu veux dire qu'il pourrait savoir que nous sommes là?

— C'est possible. Je ne peux en être sûre.

Nadia passa une main dans ses cheveux noirs, qui brillaient dans la lumière de l'après-midi pénétrant par les fenêtres poussiéreuses du *Guardian*.

— Elizabeth l'a sûrement protégé et il se protège probablement lui-même. Si nous essayons de le voler, il pourrait nous blesser. Physiquement, mentalement. Mateo, tu ne devrais jamais le regarder directement. Peu importe ce qu'Elizabeth fait, essayer de voler son Livre des ombres n'en vaut pas le risque.

Mateo pensa à ses propos en silence, mais quelque chose semblait flotter sous la surface… Verlaine voyait qu'il voulait désespérément parler.

— Et si on détruisait le livre ? demanda-t-il finalement.

— Comment le ferions-nous sans le trouver ? dit Verlaine.

Il haussa les épaules.

— Je pourrais mettre le feu à sa maison. Je… J'y ai peut-être déjà pensé.

Nadia posa une main sur son bras.

— Ne le fais pas.

Elle ne dit rien d'autre, mais la colère sembla quitter Mateo.

Savaient-ils déjà qu'ils étaient fous l'un de l'autre ? Verlaine se le demanda. Mais sa curiosité n'était qu'un petit papillon de nuit voletant dans son esprit, autour d'une énorme flamme ressemblant étrangement à de la peur.

Elizabeth était maléfique et vieille, et elle tramait quelque chose. Et pour l'affronter, ils avaient seulement le pouvoir de Nadia et la position d'Allié de Mateo — ou peu importe le terme —, ainsi que le… stage de Verlaine dans un journal. Ouah ! Elizabeth était probablement malade de terreur en ce moment même… Mais non. Qu'allaient-ils faire ? Cela servirait-il à quelque chose ? Devraient-ils simplement essayer de partir en voyage avec leurs familles pour Halloween ? Verlaine tira sur les pointes de ses cheveux avant de froncer les sourcils quand ses ongles s'accrochèrent dans un nœud. C'était un vilain nœud, presque impossible à défaire. Un de ces jours, elle allait couper tout ce gâchis et avoir les cheveux très courts. Nerveuse et frustrée, Verlaine sauta en bas de l'échelle, ses Converse noires battant contre le carrelage du plancher, avant d'attraper une paire de ciseaux pour couper le nœud.

En la voyant faire, Mateo eut un hoquet.

Verlaine se tourna pour le regarder et Nadia fit de même en fronçant les sourcils.

— Mateo ? Que se passe-t-il ?

— Les cheveux de Verlaine, dit-il.

Elle baissa les yeux vers le petit nœud qui tombait vers la poubelle.

— Je n'aurais jamais pu le démêler. En plus, quand les cheveux sont aussi longs, personne ne voit que les extrémités ne sont pas parfaitement droites.

— Je ne parle pas de ta coupe, dit-il comme si cela était évident, ce qui aurait probablement dû l'être. Je veux dire, quand tu les as coupés, il y a eu une petite... pluie d'étincelles. Juste pendant une seconde. Maintenant, c'est terminé.

— Non, il n'y en a pas eu.

À ce moment, Verlaine comprit. Mateo pouvait voir des choses que les autres personnes ne voyaient pas. Il pouvait voir la *magie*.

Nadia écarquilla les yeux.

— De quelle couleur étaient les étincelles ?

— Rouge foncé. Très foncé. Presque noir, répondit Mateo. La même couleur que celles…

Son expression changea quand il continua.

— La même couleur que celles que j'ai vues le soir où je suis devenu l'Allié de Nadia. Elles t'entouraient aussi à ce moment-là.

— Qu'est-ce que ça veut dire ? demanda Verlaine en attrapant une poignée de ses cheveux pour les regarder, comme si elle pouvait soudain voir la magie. Est-ce qu'Elizabeth m'a maudite ? Ou est-ce que quelque chose s'est mal passé avec le truc d'Allié ?

— La couleur me fait penser qu'il s'agit d'une magie ancienne, dit Nadia comme si cela pouvait être réconfortant. Quelque chose qui est arrivé il y a longtemps, mais qui a laissé… des traces. Et le rouge indique probablement une magie noire. Mateo, pourquoi ne l'as-tu pas mentionné plus tôt ?

— Je pensais que ça faisait partie du sort au moment où tu l'as lancé, répondit-il. Je n'aurais pas pu voir la différence, pas plus que maintenant, si tu ne l'avais pas expliquée.

Nadia s'approcha de Verlaine et la regarda comme jamais auparavant.

— Verlaine… Quand est-ce que tes cheveux sont devenus gris ?

— Quand j'étais petite. Ils ont presque toujours été comme ça.

Elle était la seule personne aux cheveux gris dans sa photo de première année.

— Ils étaient bruns quand j'étais bébé. Pas après. Les seules photos sur lesquelles j'ai les cheveux foncés sont celles où je suis minuscule, avec mes…

Elle ne pouvait plus respirer. Elle ne pouvait plus penser. La possibilité essayant de pénétrer son esprit ne laissait de place à rien d'autre.

Mateo lui prit le bras, comme s'il avait peur qu'elle tombe.

— Verlaine ? Que se passe-t-il ?

— Avec mes parents, murmura-t-elle. J'avais les cheveux bruns quand mes parents étaient en vie.

Les locaux du *Guardian* étaient toujours calmes, mais soudain, le silence sembla former une autre présence dans la pièce, une présence si grande et menaçante qu'elle les entourait tous. Nadia et Mateo se regardèrent avant qu'elle demande :

— Comment sont-ils morts ?

Les jambes tremblantes, le souffle court, Verlaine s'appuya sur le bureau d'accueil.

— On m'a dit que c'était une pneumonie virale. C'était la seule possibilité. Nous... Nous étions tous allés chez oncle Dave un soir, et apparemment, tout allait bien. Ensuite, il n'a pas eu de leurs nouvelles pendant quelques jours et il a commencé à s'inquiéter. Il est venu à la maison et il les a trouvés. Ils étaient morts dans leur lit. Je pleurais dans mon berceau. Ils devaient être morts depuis au moins un jour, comme s'ils étaient tous les deux tombés malades si rapidement qu'ils n'avaient pas pu appeler de médecin.

— Oh, Verlaine.

Nadia passa un bras autour d'elle. C'était la première fois que quelqu'un d'autre que ses pères tentait de la consoler depuis très, très longtemps. Mais Verlaine ne se souvenait pas vraiment de ses parents, elle ne pouvait pas se rappeler la fin de semaine où elle avait été prisonnière d'une maison renfermant des cadavres. La douleur qu'elle ressentait venait du fait qu'ils ne faisaient partie d'aucun de ses souvenirs. Et maintenant, elle venait d'autre chose.

— Ce n'était pas une pneumonie virale, n'est-ce pas? murmura Verlaine. Était-ce de la magie? Est-ce qu'Elizabeth leur a fait quelque chose? Est-ce qu'elle m'a fait quelque chose?

— Je ne peux pas te le dire. Pas sans...

Après un moment d'hésitation, Nadia continua.

— Visiter leurs tombes.

Verlaine attrapa ses livres.

— Je dois y aller.

— Hé! attends. Ne t'enfuis pas comme ça. Tu es bouleversée.

Mateo tendit un bras, mais Verlaine le repoussa brusquement.

— J'ai besoin d'être seule. D'accord?

Sans attendre de réponse, elle s'enfuit dans l'après-midi froid et gris. Elle ne voulait pas penser à Nadia, à Elizabeth et à la magie, ou à ses parents. Mais le souvenir tournoyait autour d'elle dans le vent cinglant, argenté et gris, faisant partie intégrante de Verlaine à tout jamais.

— Personne n'en a jamais parlé, dit Mateo, quelques minutes plus tard, alors que Nadia et lui marchaient le long de la rue menant au cœur du centre-ville...

Du moins, à ce qui représentait le centre-ville à Captive's Sound.

— Comment est-ce possible? Deux personnes en pleine forme, pas vieilles ni quoi que ce soit, meurent de la grippe dans la nuit sans même appeler quelqu'un? Ça n'a semblé étrange à personne?

Quand elle essayait de résoudre un problème, Nadia avait une expression inquiète — si sérieuse — et Mateo avait l'impression de connaître ce regard par cœur.

— Il arrive des trucs plus étranges que ça tous les jours. Surtout à Captive's Sound, se contenta-t-il de dire.

Nadia soupira.

— Je suppose que ça a du sens. Ici, la conception d'«étrange» des gens est peut-être... tordue. Mais j'aurais aimé que Verlaine ne s'enfuie pas comme ça.

— Parfois, on a besoin de tranquillité pour passer au-dessus des choses.

C'était la façon de Mateo de s'excuser pour son comportement de ces derniers temps. Mais Nadia ne semblait demander aucune excuse. Quand elle le regardait de ses yeux sombres, il avait l'impression qu'elle comprenait tout de lui, y compris les parties qu'il comprenait à peine lui-même.

Elle lui avait terriblement manqué quand il avait tenté de garder ses distances. Même s'il avait essayé de ne pas penser à l'Art, à la malédiction ou à quoi que ce soit du genre, les choses plus subtiles lui avaient manqué. Le petit regard déterminé qu'elle arborait quand elle se concentrait sur un problème. Son calme et sa capacité à accepter les choses les plus folles. La façon dont elle gribouillait des cubes et des pyramides dans les marges de ses notes de chimie. Le fait qu'elle regardait toujours la nourriture de la cantine d'un air déçu, son atrocité étant une surprise constante, comme si elle espérait toujours quelque chose de mieux.

Quand Mateo mettait tout cela ensemble, quelque chose se serrait dans sa poitrine, ressemblant étrangement à l'émotion qu'il avait toujours ressentie pour elle dans ses rêves...

Incapable de regarder Nadia dans les yeux, Mateo tourna la tête et regarda au loin. Verlaine avait disparu. Elle devait avoir filé vers sa voiture avant de partir comme si elle avait le diable aux trousses.

— Que penses-tu qu'il soit arrivé à sa famille ?

— Je n'en suis pas sûre. Tout ce que je sais, c'est qu'elle en porte encore les marques. Peu importe la magie à l'œuvre, elle exerce encore une sorte de domination sur Verlaine, même aujourd'hui.

— Aujourd'hui ? Tu veux dire que Verlaine est... Est-elle maudite ? Comme moi ?

— As-tu vu une auréole autour d'elle ?

La forme sombre et épineuse qui entourait son reflet dans le miroir réussissait toujours à retourner l'estomac de Mateo. Il se dit que ce serait toujours le cas.

— Non. Alors, ce n'est pas une malédiction.

— Mais qu'est-ce que c'est ? Je dois le découvrir. Je vais continuer à consulter le livre de Goodwife Hale pour essayer de trouver quelque chose.

Nadia hésita.

— Ça veut dire cinq heures à lire une écriture ressemblant plus à de l'anglais du Moyen-Âge qu'à quelque chose de normal...

— Ça va, dit Mateo tout en se rendant compte qu'il ne voulait vraiment pas la quitter. Je dois me faire couper les cheveux cet après-midi. Mais... Tu m'appelleras ce soir ? Pour me dire ce que tu as trouvé ?

— Je ne trouverai peut-être rien.

— Appelle-moi quand même.

Nadia baissa la tête, détournant le regard, ses lèvres charnues esquissant un léger sourire. Malgré le vent froid d'automne, Mateo se sentit réchauffé. Nadia leva ses yeux sombres vers lui avant de répondre.

— D'accord.

Il leva la main pour lui faire un signe quand elle s'éloigna.

« C'est pour ça que je ne suis jamais tombé amoureux d'Elizabeth, pensa Mateo en la regardant partir. Parce qu'elle ne ressemble aucunement à Nadia. »

Mateo entra chez le coiffeur pour hommes les yeux presque fermés, ne voyant pas ce qui se trouvait devant lui. Mais ce n'était pas nécessaire : aussi loin que sa mémoire remontait, il s'était toujours fait couper les cheveux chez Ginger Goncalves. Il se contenta d'opiner, la voyant à peine quand il s'assit sur la chaise. Elle saurait quoi faire.

Il découvrit que, s'il se concentrait sur ses chaussures, il ne voyait pas l'horrible auréole dans le miroir, même pas du coin de l'œil.

Alors que Ginger utilisait le rasoir électrique pour sa nuque, il repensa à Verlaine, seule et probablement terrifiée. Il la connaissait depuis des années et il n'avait jamais pris la peine de lui parler... Il n'avait jamais imaginé qu'ils avaient tant de choses en commun, que la magie avait affecté leur vie dès leur naissance. Et bien qu'il ait entendu le récit de la mort de ses parents, parce que les vieilles histoires ne disparaissaient jamais dans les petites villes, il ne l'avait jamais remis en question. Les cheveux gris de Verlaine étaient comme le mutisme de Ginger : ils faisaient partie d'elle, une légère singularité qui ne voulait rien dire seule, mais qui, dans l'ensemble des choses...

« Un instant. »

Il se concentra sur son reflet dans le miroir, ce qui était difficile pour lui à cause de l'auréole détestable qui se tortillait autour de sa tête. Maintenant, derrière lui, il pouvait voir Ginger.

Ginger, qui avait la même énergie enroulée autour de sa gorge.

Ginger, qui n'avait pas parlé depuis l'incendie de l'église en 1995.

Nadia avait mentionné d'autres sorcières. Elle avait dit qu'il y avait dû y avoir d'autres sorcières à Captive's Sound dans le passé.

Les hommes ne pouvaient connaître l'existence de la sorcellerie, mais les femmes, si.

Ginger savait-elle ce qui lui était arrivé ? Le comprenait-elle un tant soit peu ?

Mateo ne savait pas comment aborder le sujet, mais il se dit qu'il devait essayer. Il s'éclaircit la voix et elle leva les yeux vers lui en souriant agréablement. Il était possible de lui poser des questions fermées ou de communiquer à l'aide de petits mots. Il eut quand même de la difficulté à parler.

— Ginger ?

Elle leva un sourcil.

— Est-ce que vous... Croyez-vous en la magie ?

La question était assez vague pour avoir une foule de sens. Une parole de chanson. Une blague. Si Ginger ne comprenait pas, Mateo se dit qu'elle rirait ou hausserait les épaules. Elle ne ferait aucun cas de sa question.

Mais Ginger se raidit. Sa sérénité habituelle disparut et elle blêmit, ne semblant pas savoir quoi faire.

Cela signifiait qu'il était sur la bonne piste, n'est-ce pas ? Ça devait être le cas. Mateo décida de risquer un autre commentaire, quelque chose qui semblerait complètement anodin pour quelqu'un qui ne baignait pas dans la sorcellerie.

— J'y pense beaucoup, ces temps-ci. Hé! vous connaissez Elizabeth Pike, n'est-ce pas?

Le rasoir tomba sur le plancher en linoléum, où il vrombit et sautilla au milieu des mèches de ses cheveux. Ginger tressaillit, et recula en écarquillant les yeux jusqu'à ce qu'elle heurte le mur du fond.

— Hé… N'ayez pas peur.

Mateo se redressa en levant les mains. Il se sentait stupide d'essayer d'avoir cette conversation alors qu'il portait un tablier en plastique noir autour du cou qu'il se hâta d'arracher.

— Ça va. Vraiment, ça va.

Ginger glissa le long du mur jusqu'à la réception, comme si elle voulait prendre le téléphone et composer le 9-1-1. Pensait-elle qu'il était devenu fou, comme tous les Cabot? Ou sa peur était-elle plus profonde… Parce qu'elle était enracinée dans la vérité?

Mateo essaya encore :

— Est-ce que… Est-ce que vous paniquez parce que… À cause de…

Il fit un signe vers sa gorge.

Pour Ginger, ce fut visiblement la goutte d'eau qui fit déborder le vase. Elle saisit un stylo et une carte de rendez-vous sur le bureau avant de griffonner quelque chose, qu'elle leva pour que Mateo puisse lire : «SORS!»

Il partit.

Il courut dans la rue, sous le ciel mouvementé et devant les maisons enchaînées — le paysage surréaliste qu'il commençait à voir comme le vrai visage de sa ville. Il sortit son téléphone de sa poche et appuya sur le nom de Nadia. Elle répondit à la deuxième sonnerie.

— Allô ?

— Ginger.

— Quoi ?

— Ginger Goncalves. La femme qui me coupe les cheveux. Soit c'est une sorcière, soit elle connaît leur existence. D'une façon ou d'une autre, elle est maudite aussi.

Alors qu'il marchait rapidement sur le trottoir, sa main libre formant un poing dans la poche de sa veste, Mateo décrivit sa version de l'auréole — le nœud noir enroulé autour du cou de Ginger.

— J'aurais peut-être dû aborder la question autrement... Je ne sais pas.

— Tu as fait de ton mieux, assura doucement Nadia. Elle n'aurait pas pu comprendre pourquoi un garçon lui parlait de ça. Tu es le seul homme qui fait partie du club, tu te rappelles ?

Mateo réfléchit à la question pendant un moment.

— Tu veux dire que tu es presque sûre que Ginger est aussi une sorcière ?

— J'ai toujours *su* qu'il devait y en avoir d'autres à Captive's Sound. Même si Ginger n'est pas une sorcière, elle connaît l'existence de l'Art grâce à... sa mère, peut-être, ou une amie proche. Et elle doit connaître quelqu'un qui l'enseigne. Je dois lui parler !

— Je lui donnerais un jour ou deux pour se calmer. Elle était sur le point de m'attaquer avec les ciseaux quand je suis parti.

— Ah... D'accord.

Évidemment, c'était une torture pour Nadia de devoir attendre une seule journée. Mais le ton de sa voix changea complètement.

— Mais si Elizabeth l'a maudite aussi, si elle lui a enlevé la voix...

Nadia ne finit pas sa pensée. Elle n'avait pas besoin de le faire.

Si Elizabeth avait arraché la voix d'une sorcière, que pouvait-elle faire à Nadia, à eux tous, s'ils se mettaient en travers de sa route ?

Les pointes et les rebords du verre brisés brillaient dans la lumière du réchaud, créant l'illusion qu'Elizabeth était assise dans un lac de feu. Les jambes croisées, une bouteille d'eau à côté d'elle, elle glissa un doigt sur l'éclat le plus proche jusqu'à ce que du sang apparaisse.

En utilisant son doigt coupé, elle termina de dessiner le dernier arc de son dessin dans le verre, puis, en utilisant les dernières gouttes de sang, elle compléta la dernière lettre du nom que les mortels — ou elle — ne pouvaient prononcer :

« Asael. »

Le nom d'un démon. Un serviteur, vaisseau du Très-Bas. Gardien de sa volonté, habitant de son domaine…

Et maintenant, son Allié juré.

Tu m'appelles de nouveau, dit-il dans son esprit. Il ne possédait aucun corps matériel, alors il ne pouvait communiquer d'aucune autre façon.

Cela faisait longtemps. Tu n'es pas encore un nourrisson ?

— Je ne t'ai pas convoqué pour faire la conversation.

Elizabeth prit une grande gorgée d'eau. Son corps se régénérant à toute allure, les coupures de ses doigts étaient déjà en train de guérir, ne laissant que de légères lignes roses pour montrer qu'elle avait versé du sang afin de créer le motif compliqué devant elle.

— J'ai besoin de toi, Asa.

Tu me nargues. Si près de prononcer mon nom, et pourtant, tu ne le feras jamais. Mais tu pourrais, tu pourrais…

— Le Très-Bas en personne va bientôt me libérer de mon serment ! répliqua sèchement Elizabeth. Je le sers maintenant par loyauté, pas en tant que simple *esclave*. Alors, n'oublie pas quelle est ta place.

Je suis son esclave, pas le tien. Je travaillerai avec toi, mais pas pour toi. Il y a une différence, Goodwife Pike. Rappelle-toi cela.

Elizabeth n'avait pas besoin qu'un subalterne démoniaque lui explique les subtiles divisions du pouvoir entre les serviteurs du Très-Bas. Elle connaissait sa place. Il la chérissait plus que tous les autres, il la libérait en faisant preuve de résignation et de compréhension. Son dernier acte pour lui serait le plus grand. Ils allaient de nouveau être réunis quand son travail sur terre serait enfin terminé.

— Tu sais ce que j'essaie de faire, dit-elle. Tu sais à quel point je suis proche du succès.

Le jour de la fête du Samain, la fin arrivera.

— Mais une énergie étrange est à l'œuvre, ici. Une autre sorcière… Plus puissante que ce qu'elle devrait être. Et qui crée un déséquilibre.

Un changement que tu ne comprends pas, dit Asa, l'air véritablement enchanté. *Et l'autre sorcière n'est qu'une jeune fille.*

— Elle a changé la structure sous Captive's Sound ! répliqua sèchement Elizabeth. Nadia Caldani a une idée de ce que je suis, mais ce simple fait ne lui donnerait pas tant de pouvoir.

Elle possède deux choses que tu n'as pas.

Elizabeth refusa de demander de quoi il s'agissait. Si le démon était assez stupide pour lui dire que Nadia possédait la foi, l'espoir ou l'amour, ou un autre symbole d'un conte pour enfants, elle priait le Très-Bas de lui faire souffrir les pires tourments, et il le ferait pour elle. Comme cadeau. Comme bénédiction.

Mais au cours du dernier siècle, elle avait oublié la grande utilité d'Asa.

Nadia possède le Livre des ombres de Goodwife Hale.

Comment ? Comment l'avait-elle trouvé ? Elizabeth elle-même n'en avait pas besoin... Même si Prudence Hale avait été une sorcière redoutable, ses connaissances n'étaient rien, comparées à celles d'Elizabeth. Mais le livre était si vieux, si puissant qu'il avait servi d'ancre à l'énergie magique de la ville. Il n'était pas étonnant que l'équilibre ait été déstabilisé. Nadia n'avait pas seulement déplacé le livre, elle en avait pris possession... Elle avait commencé à s'instruire en le lisant.

À ce moment, Asa dit :

Et Nadia a une Alliée.

Elizabeth fronça les sourcils.

— Qui ?

Tu sais que les démons ne peuvent pas voir les Alliées. Je ne connais donc pas son visage, mais je peux sentir la présence et le pouvoir d'une Alliée derrière la sorcellerie de Nadia.

Une Alliée était généralement une femme bien connue d'une sorcière — une grande amie, une parente, une amante, quelqu'une dont la loyauté dépassait la normale. Mais Nadia Caldani était nouvelle à Captive's Sound. Elle n'habitait qu'avec des hommes, qui ne pouvaient lui servir d'Alliés. Alors, elle avait utilisé une nouvelle personne.

— La fille aux cheveux gris, dit Elizabeth.

Elle regarda la lueur de son poêle et sourit.

Chapitre 15

— Qu'est-il arrivé à tes cheveux?

Le père de Mateo lui lança un tablier. De toute évidence, Mateo était toujours sur sa liste, et il s'attendait à y rester à tout jamais compte tenu de ses nombreuses absences de l'école.

— Oublie ça, tu me le diras ce soir, à la maison. Si tu étais arrivé encore en retard de trois minutes, j'aurais retenu de l'argent sur ton salaire!

— Désolé, papa.

Mateo se ressaisit pour le service du dîner. Il était presque soulagé. Après avoir eu affaire à la magie, aux malédictions, aux sorcières maléfiques et à la destruction, travailler comme serveur représentait une pause. Pendant les prochaines heures, il ne devrait pas s'inquiéter de choses plus compliquées que de savoir s'il devait servir le guacamole à part. La soirée s'annonçait chargée, à La Catrina, la plupart des tables étant déjà occupées alors qu'il était seulement 17 h.

Mateo jeta un coup d'œil à sa section et il s'arrêta quand il vit la personne assise à la table pour deux du fond.

Il alla la voir en premier.

— Hé! Verlaine.

— Je ne suis pas venue ici pour t'en parler, dit-elle rapidement. Enfin, je ne suis pas venue pour ne *pas* te parler. C'est juste... J'ai l'impression que je ne suis pas prête à en parler avec qui que ce soit. Et je ne voulais pas que mes oncles me demandent pourquoi j'ai l'air bizarre. Mais je n'avais pas non plus envie d'être seule. Et je me suis dit que je voulais être proche d'au moins une personne qui comprenne pourquoi je me sens ainsi. Tu vois?

Étrangement, il comprenait.

— Oui.

— Et je suis désolée si j'étais bizarre avec toi parce que tu es parti pendant un moment. Je comprends, maintenant. Je comprends vraiment.

Mateo ignora son commentaire.

— As-tu besoin de quelque chose?

— Une piña colada sans alcool et d'autres croustilles tortilla. Beaucoup de croustilles. Et plus tard, j'aurai peut-être besoin de tomber dans un coma causé par une fajita aux légumes.

Verlaine se renfonça sur la banquette, son teint pâle formant un contraste saisissant contre le cuir rouge.

— Est-ce que quelque chose est arrivé à tes cheveux?

— Je vais revenir te voir, promit Mateo.

Il commença ensuite à faire le tour de ses tables — une voulait de l'eau, les occupants de l'autre voulaient leurs nachos pour hier —, puis...

... Ginger entra.

Elle semblait beaucoup plus calme que chez le coiffeur pour hommes : calme, sereine, et même... souriante. Ginger venait souvent à La Catrina, commandant toujours en pointant le menu du doigt. Mais elle venait rarement seule et Mateo n'aurait jamais cru la voir aujourd'hui.

Leurs regards se croisèrent quand elle s'assit, et même si elle n'était pas dans sa section, Mateo se dit qu'il devait aller la voir et dire quelque chose. Il servit rapidement l'eau et les nachos, et passa la commande pour la boisson de Verlaine. Alors qu'il était au bar, il en profita pour attraper son téléphone et envoyer un message à Nadia. *Ginger est à La C.*

Nadia répondit presque immédiatement. *Garde-la dans le restaurant ! J'arrive.*

Mateo se dit qu'il était plus logique que ce soit Nadia qui lui parle, mais cela ne voulait pas dire qu'il ne devait pas évoquer ce qui s'était passé chez le coiffeur. Et cela aiderait à s'assurer que Ginger reste assez longtemps pour que Nadia arrive à La Catrina. Mais Ginger aurait envie de rester, n'est-ce pas ? Après s'être calmée, elle venait à sa rencontre. Cela devait signifier qu'elle voulait l'aider, ou, du moins, partager ce qu'elle savait au sujet d'Elizabeth. Ou elle voulait peut-être seulement que quelqu'un comprenne enfin. Mateo connaissait ce sentiment.

Ginger connaîtrait peut-être une faiblesse qu'ils pourraient exploiter — une façon dont il pourrait commencer à se venger d'Elizabeth pour tout le mal qu'elle avait fait à sa famille et à lui. À sa mère.

Dès qu'il eut un moment de libre, Mateo se rendit à la table de Ginger. Elle était assise la tête haute, et il vit de nouveau le collier de la malédiction enroulé autour de sa gorge. Il imagina qu'il pouvait sentir le poids de l'auréole épineuse appuyée sur sa tête.

— Hé ! dit-il en essayant de garder un ton léger. Je crois que je devrais revenir terminer cette coupe.

Ginger plissa le nez et opina.

— C'est si laid que ça, hein ?

Mateo rit, mais son embarras n'était pas totalement feint. À quel point semblait-il étrange ? Il évitait les miroirs aussi souvent que possible, mais il devrait en affronter un pour voir à quel point sa coupe était asymétrique.

— Désolé si je, euh, si je vous ai effrayée aujourd'hui.

Elle secoua la tête avant de lever les yeux vers lui, l'air si triste que tout ce qu'il aurait pu ajouter mourut dans sa gorge. Ginger tendit une main, comme si elle avait besoin de toucher quelqu'un, comme si elle était aussi seule et effrayée que Verlaine, voire plus.

Quel sentiment devait-elle ressentir, elle qui ne pouvait parler à personne, même pas un mot, depuis 10 ans ?

Touché, aucunement préoccupé par qui pouvait les voir, Mateo prit la main de Ginger et la serra.

À la vitesse de l'éclair, Ginger saisit son poignet avec son autre main.

Le sol sembla se dérober sous ses pieds. Mateo sentit son dos heurter le plancher ; il vit les lumières scintillantes accrochées aux poutres du plafond, puis il ne se souvint plus de rien.

— Ralentis, chérie, dit le père de Nadia, assis à la place du passager, se penchant un peu trop près d'elle. Techniquement, tu n'as pas de permis d'apprentie dans le Rhode Island. Si les flics nous arrêtent…

— Quels flics ? Je crois que Captive's Sound a, genre, un gars. À temps partiel.

Nadia ralentit quand même un peu. Elle pourrait toujours essayer de parler à Ginger plus tard si elle ne la voyait pas ce soir. Et puisque son père avait insisté pour que toute la famille aille dîner à La Catrina étant donné qu'elle y allait, elle n'aurait pas la chance d'avoir une discussion profonde.

Mais elle pourrait au moins entrer en contact avec une autre sorcière.

D'accord, Ginger n'était peut-être pas une sorcière. Elle était peut-être seulement maudite, comme Mateo. Cependant, cela n'expliquerait pas comment elle avait pu reconnaître les indices de Mateo au sujet de la magie... Et cela n'expliquerait certainement pas sa panique quand il avait mentionné le nom d'Elizabeth Pike. Nadia se dit que si Ginger en savait assez pour avoir peur, alors elle connaissait au moins l'existence de la magie... Ce qui était le cas de peu de femmes en dehors de l'Art. Les chances que Ginger soit une sorcière étaient donc élevées. Très élevées.

« Enfin une sorcière à Captive's Sound qui n'est pas maléfique. Quelqu'un qui sait ce qui se passe... Une personne plus âgée que moi, qui pourrait m'enseigner tout ce que maman n'a jamais eu le temps de faire... Combien de temps est-ce que ça prend pour atteindre La Catrina ! Cette ville n'est pas assez grande pour qu'un trajet soit aussi long ! »

Il était difficile d'être patiente.

À ce moment, Nadia prit un virage et vit La Catrina... Et l'ambulance devant le restaurant.

Sur le siège arrière, Cole murmura :

— Est-ce que quelqu'un est mort ?

— Tu ne sais pas ce qui est arrivé, répondit son père. Mais ce n'est peut-être pas le soir idéal pour aller au restaurant.

— Mais est-ce qu'ils sont morts?

La voix de Cole avait commencé à trembler. Nadia aurait voulu se retourner pour le réconforter, mais elle ne pouvait pas le faire. Heureusement, son père était là.

— Hé! Allez, mon grand. Les gens ont constamment de petits accidents. Tu te souviens quand l'ambulance est venue pour nous? Et nous allons bien.

— On doit découvrir si quelqu'un est mort, insista Cole, semblant maintenant pleurer.

« Ça n'a rien à voir avec Mateo, se dit Nadia alors que son pouls accélérait et que ses mains se crispaient sur le volant. Quelqu'un s'est probablement étouffé en mangeant, ou une personne a fait une crise cardiaque. »

Mais Mateo ne lui aurait-il pas envoyé un message, si c'était le cas? Il n'en avait peut-être pas eu l'occasion. Il essayait peut-être de réanimer quelqu'un, agissant de nouveau en héros.

Alors qu'elle hésitait, aussi incapable de s'éloigner que de penser de façon rationnelle, une silhouette longiligne surgit de la foule des spectateurs : Verlaine, ses cheveux argentés flottant derrière elle. Elle courait vers eux à toutes jambes, ses Converse vertes frappant l'asphalte, les yeux écarquillés de terreur. Nadia fut soudain frigorifiée.

— Nadia! cria Verlaine en agitant une main dans les airs.

Nadia baissa la fenêtre quand elle arriva à côté d'eux, hors d'haleine.

— C'est Mateo. Il s'est effondré.

— Tu veux dire… qu'il s'est évanoui. Il est tombé dans les pommes, dit Nadia.

Ce genre de choses pouvait arriver à quiconque avait trop chaud ou n'avait pas assez mangé. Ce n'était pas sérieux. Son père avait appelé une ambulance par précaution.

Mateo allait bien. Il devait aller bien.

Mais Verlaine secoua la tête.

— Il est toujours inconscient. Son père panique. Il ferme le restaurant plus tôt que d'habitude. Personne ne sait ce qui est arrivé.

Verlaine écarquilla les yeux, suggérant qu'elle en savait plus, mais qu'elle ne pouvait pas le dire devant d'autres personnes.

— Ah ! bonjour, Monsieur Caldani. Salut, Cole, se contenta-t-elle de dire.

Le père de Nadia opina avant de s'adresser à sa fille.

— Chérie, pourquoi ne vas-tu pas voir Mateo avec Verlaine ? Nous devons énormément à ce garçon. Je vais ramener Cole à la maison. Il a besoin de tranquillité.

— Es… Es-tu sûr ?

Si Cole avait besoin d'elle…

Mais son père pouvait s'occuper de lui, et Nadia ne pouvait détacher les yeux de l'ambulance, de la civière qu'elle pouvait à peine voir disparaître à l'arrière du véhicule. Les gyrophares bleus et rouges semblaient battre derrière ses paupières, l'empêchant de voir le reste du monde.

Avant d'attendre la confirmation de son père, Nadia mit la voiture au point mort et sauta dehors.

— Je t'appellerai ! cria-t-elle en s'élançant vers l'ambulance, Verlaine à côté d'elle, sans regarder en arrière.

Le « D'accord ! » de son père résonna loin derrière elle.

Elles ne pouvaient courir assez vite. Quand elles arrivèrent devant La Catrina, les portes de l'ambulance se refermèrent et le véhicule fila si rapidement que les pneus crissèrent. Nadia agrippa le bras de Verlaine.

— Mon Dieu. Quelque chose cloche vraiment. Ils ont peur.

— Tout a commencé quand il est allé *lui* parler.

Verlaine pointa du doigt quelqu'un à l'extrémité de la foule. Nadia aperçut une femme robuste, dans la cinquantaine, aux longs cheveux blond cendré. Elle semblait profondément inquiète et, aux yeux de Nadia, coupable.

— C'est Ginger Goncalves.

Nadia se fraya un chemin dans la foule qui murmurait, se dirigeant droit vers Ginger, qui écarquilla les yeux. Elle se tourna pour partir, mais Nadia cria :

— Ginger ! Attendez !

Ginger se contenta d'accélérer le pas vers sa voiture, mais Nadia la rattrapa, courant trop rapidement pour freiner facilement. Elle dut s'arrêter contre la voiture en utilisant ses deux mains. Verlaine se trouvait juste derrière elle, mais elle saisit un des bras de Nadia, comme si elle voulait la tirer en arrière.

— Nadia, *réfléchis,* murmura-t-elle. Quoi qu'elle ait fait à Mateo, si elle te le fait à toi aussi ?

— Elle ne le fera pas, dit bruyamment Nadia. Je parie qu'elle ne pourrait pas le faire même si elle essayait.

Tous les sorts de protection qu'elle avait appris semblèrent affluer dans son esprit en même temps et elle leva une main — le poignet auquel elle portait son bracelet, orné de tous ses pendentifs et pierres promettant que le pouvoir lui appartenait si elle le voulait…

Mais Ginger ouvrit grand les yeux en voyant le bracelet. Les sorcières gardaient leurs matériaux à proximité de diverses façons — bijoux, bandes sur des ceintures, pierres dans de petits sacs gardés dans une poche ou dans un sac —, mais chacune était assez facile à reconnaître quand on savait quoi chercher, comme c'était le cas de Ginger.

Elles se regardèrent pendant quelques instants, puis Ginger prit un bloc-notes dans son sac, y inscrivit quelques mots et le leva devant Nadia d'un air de défi : « Tu as parlé de l'Art à un homme. »

— Il devait savoir, dit Nadia.

Mais elle ne pouvait pas expliquer que Mateo était son Allié. Ginger ne la croirait pas et, puisque Nadia ne comprenait toujours pas comment une telle chose était possible, elle ne voulait pas aborder le sujet, en particulier avec une sorcière à laquelle elle ne faisait pas nécessairement confiance.

— À cause de la malédiction de sa famille.

Ginger secoua la tête. Cette raison n'était visiblement pas suffisante.

— Pourquoi te justifies-tu devant elle ? C'est elle qui a blessé Mateo ! souffla Verlaine.

— J'ai enfreint une des Premières Lois, dit doucement Nadia sans détourner les yeux de Ginger.

Les sirènes de l'ambulance étaient trop loin maintenant, elles avaient presque disparu. Qu'arrivait-il à Mateo ?

— Je dois répondre de ce choix. Pour toujours. Mais je n'ai jamais utilisé mes pouvoirs pour blesser une autre personne. Ginger, que lui avez-vous fait ?

Le visage de Ginger s'assombrit, comme si elle allait pleurer. Elle gribouilla une autre note d'une main tremblante : « C'était seulement un sort d'oubli. D'amnésie — pour aujourd'hui, peut-être quelques jours avant, pas plus. Pour qu'il ne sache pas ce que je suis. »

Nadia tint la note pendant que Verlaine et elle la lisaient.

— Mais ça n'aurait pas dû provoquer son effondrement. Un étourdissement momentané, peut-être... De la confusion... Mais rien d'assez grave pour appeler une ambulance.

Ginger écrivit rapidement : «Je ne sais pas ce qui est arrivé. Le sort ne devait pas le blesser. »

Mais l'esprit de Nadia tourbillonnait déjà. Elle jeta un regard rempli d'avertissement à Verlaine, qui sembla comprendre qu'elle devait se taire.

— Je... J'ai une Alliée, qui se trouvait à proximité quand vous avez lancé le sort, dit Nadia.

Ginger écarquilla les yeux et Nadia sut qu'elles avaient toutes deux vu la même chose. Seul, un sort d'oubli était simple, mais fort ; il pouvait effacer les événements d'une journée et les rendre impossibles à retrouver. Mais si une Alliée amplifiait ce sortilège — même une Alliée liée à une autre sorcière —, alors il pouvait être beaucoup plus dangereux. Mateo avait sans doute tout oublié de qui il était. Toutes les personnes qu'il connaissait, les endroits qu'il avait visités. Il ne savait probablement plus ni parler ni marcher.

En ce moment, son corps oubliait peut-être même comment respirer.

Nadia s'appuya sur Verlaine avant de dire à Ginger :

— Conduisez-nous à l'hôpital. Maintenant. Vous devez lever ce sortilège le plus tôt possible. Si vous ne le faites pas...

— Quoi ? murmura Verlaine. Que va-t-il arriver ? Est-ce que Mateo risque de mourir ?

— J'en doute.

Si seulement Nadia pouvait tirer un quelconque réconfort de cette pensée.

— Mais il pourrait devenir un vrai légume. Il pourrait ne jamais marcher ou parler. Ne jamais se rappeler qui il est. La personne que Mateo était sera perdue à tout jamais.

Elizabeth leva la tête, soudain alerte.

Les liens de la malédiction de la famille Cabot — une autre constante de son monde, une présence dans sa vie qui ne changeait jamais et la guidait constamment, comme l'étoile Polaire — s'étaient soudain distendus.

«Nadia Caldani ne peut pas avoir brisé la malédiction. Elle ne possède pas le pouvoir nécessaire. C'est impossible.»

La fureur parcourant ses veines, Elizabeth se rendit compte que la malédiction existait encore. Mais une magie puissante avait perturbé les liens gardant Mateo à proximité, sous son autorité. Et malgré l'obscurité la séparant de lui, Elizabeth savait que Mateo était en grande détresse physique, voire en danger mortel, même si elle ne pouvait en être sûre. Cette stupide fille devait avoir tenté de lancer un sort dépassant ses capacités, pensant que sa petite amie Alliée lui donnait la force de faire tout ce qu'elle voulait.

Eh bien, Mateo Perez ne pouvait pas encore mourir. Elle n'avait pas fini de l'utiliser.

Elizabeth se leva tranquillement du plancher. Dans son esprit, sarcastique même s'il ne possédait pas de véritable voix, le démon parla :

Vas-tu courir le sauver ? Jouer l'héroïne noble ?

— Tais-toi, créature.

Elizabeth n'appréciait plus l'humour depuis environ deux siècles. Elle était impatiente de trouver un vaisseau approprié au démon afin qu'il soit là où elle ne devrait plus supporter sa moquerie continuelle.

— Je n'ai pas besoin de courir où que ce soit pour le sauver.

Elle déboutonna l'avant de sa robe blanche et la laissa tomber par terre. Elle ne portait rien en dessous. Son poêle à bois se trouvait à quelques pas et, comme toujours, ses pieds trouvèrent les parcelles de plancher qui n'étaient pas couvertes de verre. Ensuite, les mains nues, elle ouvrit la porte métallique du poêle à bois. La chaleur ne suffisait plus à la brûler et, de toute façon, ce qui brillait et crépitait dans le poêle n'était pas du bois.

Aucun pouvoir n'était aussi flexible que le pouvoir volé. Ni aussi agréable, pour peu qu'on l'utilise correctement.

La lueur de l'amour et de la vie volés peignit ses cuisses et son ventre, les couvrant de chaleur. Sans ciller, Elizabeth fixa la lumière, imaginant le visage de Mateo.

«Tu es à moi, pensa-t-elle. Personne d'autre ne peut te libérer. Juste moi.»

Ginger conduisit si rapidement que Nadia appuya ses mains contre le tableau de bord, mais le trajet sembla tout de même trop long. Quelques minutes plus tard, elles traversèrent toutes les trois l'aire de stationnement en courant. À en juger par l'expression sombre et désemparée de Ginger, Nadia sut à quel point elle regrettait d'avoir blessé Mateo.

Cela n'avait aucune importance. Nadia était quand même furieuse contre Ginger, et terrorisée pour Mateo, à tel point qu'elle aurait voulu hurler.

«Mateo va s'en sortir, se rappela-t-elle. Il ne va pas mourir. Ils ont des machines pour lui permettre de respirer. Ginger va briser le sort et il ira mieux en un clin d'œil.»

Physiquement, c'était vrai. Mais l'esprit de Mateo? Même s'il allait pouvoir se rappeler certaines choses à partir de maintenant, se souviendrait-il des événements de son passé ? Tous les moments qu'il avait vécus — tous les moments qu'*ils* avaient vécus — seraient-ils perdus à jamais ?

Elles arrivèrent en courant dans la salle d'attente de l'urgence. Nadia fila vers l'infirmière de service.

— Oui, bonjour, nous sommes ici pour Mateo Perez… Nous sommes, euh, ses amis.

Laisseraient-ils n'importe qui aller le voir ? Ginger pourrait-elle lancer le sortilège de cet endroit ?

— Je suis désolée, dit l'infirmière. Aucun visiteur en dehors de la famille proche.

Nadia jeta un coup d'œil à Ginger, qui semblait toujours aussi prête à s'enfuir qu'à aider Mateo. Mais avant que Nadia puisse réfléchir à ce qu'elle allait faire, Verlaine cria — plus fort que Nadia ne l'avait jamais entendue parler jusqu'à présent :

— C'est un scandale !

Des têtes se tournèrent dans la salle d'attendre.

— Mademoiselle, je comprends que vous soyez perturbée, mais le règlement est le même pour tout le monde, dit l'infirmière.

Verlaine sortit son téléphone et commença à enregistrer une vidéo.

— C'est au sujet… Au sujet de la liberté de la presse ! Le public a le droit de savoir ce qu'on sert dans les restaurants du coin si cette nourriture *tue des gens* !

Quelqu'un à l'autre bout de la pièce, qui semblait attendre qu'un médecin examine son œil au beurre noir, dit :

— Attendez, les restaurants tuent des gens ?

Toutes les personnes présentes commencèrent à murmurer, et Verlaine utilisa sa main libre pour cogner sur le bureau des infirmières aussi fort que possible.

— J'exige que quelqu'un prenne ses responsabilités !
J'exige la justice !

Elle jeta alors un coup d'œil à Nadia, voulant visiblement dire : « Est-ce que tu voudrais bien te dépêcher ? »

— Si vous ne vous calmez pas, je vais devoir appeler la
sécurité ! cria l'infirmière.

Un vigile s'approchait déjà de Verlaine. Nadia commença à s'éloigner de l'altercation à reculons, entraînant
Ginger avec elle. Pendant que tout le monde se concentrait
sur Verlaine, qui continuait de crier au sujet du journalisme
citoyen, Nadia put pousser les portes menant à l'urgence.

Captive's Sound était si petite et si calme qu'il n'y avait
pas d'autres patients. Les deux médecins et les infirmières
s'affairaient autour d'un seul lit d'hôpital. Au milieu de la
mer de tubes et d'uniformes, Nadia put à peine apercevoir
Mateo. Il semblait si pâle, si immobile. Son cœur se serra
douloureusement dans sa poitrine.

— Faites quelque chose, murmura-t-elle à Ginger, qui
opina.

Il était horrible de devoir compter sur quelqu'un d'autre
pour sauver Mateo. Même si Nadia essayait de lancer un
sort, ce serait plus difficile pour elle puisque la sorcière
responsable du premier sort possédait toujours le plus
grand pouvoir sur celui-ci.

Mais au moment où Ginger levait une main pour se
mettre au travail, Mateo s'assit brusquement.

— Holà…, grogna-t-il.

Il ouvrit les yeux avant de les refermer à cause de la
lumière, probablement trop vive.

— Holà, que se passe-t-il ?

— Recouchez-vous ! ordonna une médecin.

Mais Nadia vit qu'elle était soulagée, comme tous les autres membres de l'équipe médicale dans la pièce.

Mateo regarda derrière l'océan de médecins, en direction de Nadia.

— Nadia ?

Une infirmière les vit enfin.

— Excusez-moi, aucun visiteur. Vous allez devoir sortir.

— Tu vas bien, Mateo ! lança Nadia pendant que l'infirmière les poussait vers les portes. Tu vas bien aller !

Alors qu'elles sortaient enfin, elles faillirent tamponner Alejandro Perez, qui semblait pétrifié.

— S'il vous plaît… Mon fils…

— Il est conscient et réactif, répondit l'infirmière. Nous vous en dirons plus quand nous le pourrons. Attendez ici.

— Il est conscient ? répéta monsieur Perez, dont le soulagement détendit presque tous les muscles de son visage. *Madre de Dios.*

Nadia opina rapidement.

— Il s'est réveillé pendant qu'ils travaillaient. Il m'a reconnue et tout.

Apparemment, monsieur Perez était trop bouleversé pour se demander pourquoi Ginger et Nadia avaient réussi à entrer dans la salle des urgences.

— Vous êtes sûre ?

— Tout va bien aller.

C'était le genre de choses que les gens disaient quand ils ne pouvaient être sûrs de rien, alors Nadia pouvait s'en tirer ainsi. Elle était sûre, mais elle ne pouvait l'expliquer. Et Ginger semblait aussi confuse qu'elle…

— Je l'ai fait travailler trop dur, murmura monsieur Perez. J'ai été trop sévère avec lui après qu'il a manqué une semaine d'école. Je voulais… le ramener sur le droit chemin, vous savez ? Mais Mateo a toujours été un bon garçon. La première fois qu'il dérape, je le pousse à bout.

— Non, non ! Ce n'était pas votre faute ! insista Nadia, tout en pensant « C'est la mienne ». S'il vous plaît, ne vous blâmez pas.

Il tapota distraitement son épaule.

— C'est gentil à vous d'être venues, mais je… J'ai besoin de parler aux médecins maintenant.

— Bien sûr. Allez-y, dit Nadia.

À côté d'elle, Ginger opina.

Elles retournèrent silencieusement dans l'aire de stationnement, où Verlaine était appuyée contre la voiture de Ginger, légèrement échevelée. Ils devaient l'avoir jetée hors de l'hôpital parce qu'elle avait fait du tapage. Dès que les portes de refermèrent, elle dit :

— Qu'est-ce qui vient d'arriver ?

Nadia ne répondit pas — elle ne le pouvait pas —, se contentant de se tourner vers Ginger.

— Avez-vous fait quelque chose dans la voiture ? Lancé un sort ?

Ginger secoua la tête et haussa les épaules.

— Ça n'a aucun sens.

Remontant ses cheveux en queue de cheval à l'aide de ses mains, Nadia poussa un soupir de frustration.

— Votre sort n'aurait pas dû s'estomper seul. Même s'il n'avait pas été amplifié par son… par la présence d'une Alliée.

La réponse la frappa brusquement : *Elizabeth*.

Mateo lui servait de boule de cristal, de fenêtre vers le futur. Elle avait encore besoin de lui. Les serres d'Elizabeth étaient enfoncées dans sa famille depuis des siècles : pourquoi le lâcherait-elle maintenant?

Et elle tenait encore tellement à lui, elle était si consciente de tout ce qui arrivait à Mateo qu'elle avait senti le sort sans même être présente.

Jusqu'où allait cette connexion? Nadia pourrait-elle le libérer un jour? Était-ce possible?

Nadia inspira profondément en essayant de libérer son esprit. Elle se rendit compte que Ginger écrivait quelque chose depuis quelques secondes. À ce moment, cette dernière termina et leva son mot : « Tu as brisé une des Premières Lois. Tu n'as pas le droit de pratiquer l'Art. »

— Nous ne pouvons que constater notre désaccord sur ce point, répondit Nadia, mais elle eut l'impression de mourir à l'intérieur.

C'était comme si toute la colère que sa mère aurait ressentie, tout le mépris, se transmettait de Ginger à elle, comme si sa mère était partie parce qu'elle savait qu'une telle chose se produirait, ce qui n'avait aucun sens, mais semblait horriblement vrai en ce moment. Nadia essaya de se concentrer sur le sujet.

— Elizabeth est responsable. Vous savez que c'est vrai. Et c'est elle qui a lancé la malédiction sur Mateo... Et sur vous.

Ginger se contenta de la regarder fixement, mais Nadia savait que cette réaction équivalait à exprimer son accord. Verlaine serra les bras autour de son propre corps et les observa, l'air inquiet.

— Elle planifie quelque chose, affirma Nadia en s'approchant. Quelque chose de diabolique, le soir d'Halloween, au carnaval. Je sais que vous ne m'appréciez pas. Je sais que

vous pensez que j'ai fait quelque chose de terrible, mais...
Ce n'est pas le même genre de choses que ce qu'Elizabeth
fait. Vous comprenez ça, n'est-ce pas ? Vous êtes...

Sa voix se brisa et ses joues rougirent de honte, mais
Nadia s'obligea à poursuivre.

— Vous êtes la seule autre sorcière qui n'est pas maléfique que je connaisse pour le moment. Ma mère n'est plus
là. Elizabeth est une enchanteresse. Si nous ne l'arrêtons
pas, je crois qu'une foule de gens vont être blessés. Et je suis
sûre que Mateo sera le premier. S'il vous plaît, dites-moi...
Que feriez-vous ? Qu'allez-vous faire ?

Ginger nota un autre mot, le tendit à Nadia et entra dans
sa voiture, claquant la portière d'une manière laissant
deviner qu'elle ne les reconduirait pas chez elles.

Nadia baissa les yeux vers le morceau de papier, sur
lequel était seulement inscrit : « FUIR. »

Chapitre 16

Mateo savait qu'il était drogué. Le goût lourd et sucré sur sa langue et le poids énorme de ses paupières et de son corps lui permettaient de tirer cette conclusion. Il avait l'impression de couler dans un brouillard infini, sans pouvoir se sentir concerné.

Nadia avait été ici avec lui. C'était la seule chose dont il était sûr, la seule chose qui signifiait que tout allait bien. Si elle était venue le voir, alors tout devait bien aller.

Il ne voyait rien pour le moment, mais cela lui était égal. Sa main faisait mal, un petit point de douleur constante. «L'intraveineuse», pensa-t-il sans vraiment vouloir savoir pourquoi il en avait une. La seule connexion de Mateo au monde réel était son ouïe, même s'il ne prenait pas la peine d'essayer de comprendre ce qu'il entendait.

— ... le garder cette nuit en observation. Nous allons devoir procéder à quelques examens.

— Bien sûr.

C'était son père. Mateo était sûr de ce fait et c'était un tel soulagement de savoir qui était son père, de se souvenir de lui. Mais pourquoi ce soulagement? Il ne pouvait faire le rapprochement pour le moment — pas au milieu de tout ce brouillard.

— Mais tout semble normal ?

— Ses signes vitaux sont forts. Nous lui administrons des médicaments contre les crises pour ne prendre aucun risque, mais s'il n'a pas d'autre attaque, il pourra rentrer à la maison demain matin.

Mateo se dit que c'était bien. Il pouvait désormais s'abandonner au sommeil. Mais n'y avait-il pas une raison pour laquelle il ne voulait pas dormir ? Il pourrait s'en rappeler s'il le voulait… Mais il ne le voulait pas. Il se détendit et laissa le brouillard l'envelopper.

Il ne se passa rien pendant longtemps.

Puis il vit Nadia de nouveau.

Ils étaient assis sur le porche arrière d'une maison au bord de la plage — pas celle de Mateo, mais c'était peut-être une des autres dizaines de maisons éparpillées sur la côte de Captive's Sound. Un brasero scintillait sur le sable sous eux, et des carillons en cristal chantaient sous la brise. Il était tard le soir, et le ciel était si clair que Mateo pouvait voir l'endroit où les étoiles rejoignaient la mer. Ils étaient pelotonnés sur une balançoire et Nadia frissonnait à cause du froid.

— Ne m'embrasse pas, dit-elle.

Elle avait froid, si froid. Malgré ses propres frissons, Mateo enleva sa veste et la posa sur les épaules de Nadia. Ses yeux sombres semblaient faire partie de la nuit les entourant et il ne pouvait s'empêcher de vouloir plonger ses doigts dans sa chevelure noire.

Pourquoi était-ce différent, cette fois ?

— Tu n'es pas en train de mourir, murmura-t-il. Pas cette fois. Je peux être avec toi.

Nadia leva les yeux vers lui en souriant et caressa sa joue avec deux doigts, un toucher qui donna à Mateo l'impression de fondre.

— Je meurs tout au long du rêve, dit-elle en continuant de sourire.

Mateo posa une main sur son ventre. Il pouvait sentir la chaleur de sa peau à travers son chemisier. Il glissa lentement sa main vers le dos de Nadia pour l'enlacer.

Elle s'appuya sur lui et murmura, son souffle doux contre ses lèvres :

— Si tu m'embrasses, nous sommes tous les deux perdus.

Cela n'avait aucun sens. Mais les rêves ne devaient pas avoir de sens.

Juste au moment où Mateo se penchait vers elle, il vit de la lumière…

— C'est l'heure de vérifier vos signes vitaux ! déclara une voix joyeuse.

Mateo ne se réveilla pas, mais il ne rêvait plus. Il laissa le rêve disparaître doucement, le brouillard l'empêchant de se concentrer sur quoi que ce soit pendant longtemps.

À 3 h du matin, alors que Verlaine commençait à croire qu'elle s'était assez calmée pour s'endormir, elle repensa au mot de Ginger.

FUIR.

— Rien à faire, grogna-t-elle avant de pousser ses couvertures pour attraper son téléphone.

À ce moment, Nadia lui envoya un message texte : « Désolée si je t'ai réveillée… Je ne peux pas dormir. »

« Moi non plus. Hé ! Est-ce que fuir fait partie de nos possibilités ? Ça me conviendrait. »

Elle aurait vraiment dû inclure cette idée comme Option D dans la présentation PowerPoint.

Nadia ne semblait pas penser à fuir… Du moins, pas suffisamment, selon Verlaine.

« *Dis-m'en plus sur l'incendie de l'église. Celui où Ginger a perdu la voix.* »

« *J'étais petite. Je ne me rappelle pas grand-chose.* »

Smuckers sauta sur le lit et Verlaine se mit à le caresser distraitement, essayant de se rappeler tout ce qu'oncle Gary avait raconté au sujet de l'incendie. Il savait presque tout ce qui se passait dans la ville.

« *C'était l'église catholique… Elle se trouvait alors dans un très vieux bâtiment, pas loin de la plage. Il y avait une réunion quelconque au sous-sol, un club de femmes ou un truc du genre. La plupart sont mortes. Ginger a pu sortir, mais elle n'a plus jamais parlé.* »

« *Ce n'était pas un club. Je suis prête à parier que c'était un cercle de sorcières.* »

« *Quoi ? Tu en es sûre ?* »

« *Ginger est une sorcière, et elle ne devait pas être la seule cible de l'incendie. Il existe des sorts plus précis pour cibler un ennemi unique.* »

Quel genre de sort ? Verlaine se demanda si elle voulait réellement le savoir.

Nadia continua à écrire.

« *Si Elizabeth voulait seulement blesser ou avertir Ginger, la malédiction aurait suffi. Mais un incendie frappant un groupe de femmes se rencontrant en privé… Selon moi, ça indique un cercle.* »

Tout un groupe de sorcières, ici, en ville, et Verlaine ne s'en était jamais douté. Elle se dit qu'un jour viendrait bientôt où elle ne pourrait plus être surprise, mais pas encore.

« *Pourquoi est-ce qu'un cercle se réunirait dans l'église catholique ? Ce n'est pas, genre, un conflit d'intérêts ou quelque chose du genre ?* »

« *Elles ont probablement dit que c'était une soirée tricot, un club de lecture ou quelque chose comme ça. La meilleure façon de se cacher est de s'afficher.* »

L'écran de son téléphone était la seule source de lumière dans sa chambre. Les ombres projetées donnaient à toute la pièce un air étrange. Verlaine se rendit compte qu'elle frissonnait et elle serra Smuckers, même si le vieux chat obèse miaula une fois pour montrer son mécontentement.

« *Alors, Elizabeth se promène en détruisant les autres sorcières de la ville comme bon lui semble ?* »

« *Non, parce qu'elle ne s'en est pas encore prise à moi, alors qu'elle le pourrait. Je serais incapable de l'arrêter* », répondit Nadia, ce qui n'était pas vraiment rassurant.

Pourquoi s'était-elle laissée entraîner là-dedans ? Mais Verlaine savait maintenant que la sorcellerie faisait partie de sa vie bien avant de rencontrer Nadia Caldani. Elle tourna une mèche de ses longs cheveux autour d'un doigt, encore et encore, l'enroulant au complet. Leur teinte argentée se refléta dans la lueur du téléphone.

Oncle Gary et oncle Dave avaient accroché un portrait officiel de ses parents et elle dans le couloir. Il était plus grand que toutes les autres photos qu'ils avaient prises ensemble au cours des années. Ils disaient toujours que c'était pour qu'elle n'oublie pas, comme si ses souvenirs remontaient aussi loin. Verlaine avait à peine un an sur ce cliché, potelée et souriante, les cheveux bouclés et sombres, pendant que ses parents la serraient. Elle avait perdu tout ce qu'elle pouvait voir sur cette photographie : les parents, la graisse, les cheveux sombres, même le sourire.

Elizabeth lui avait-elle tout pris ?

Son téléphone sonna de nouveau dans sa main. Verlaine baissa les yeux pour lire le message de Nadia.

« *Les sorcières devaient avoir voulu l'affronter. C'est pour ça qu'Elizabeth les a tuées. Elle doit avoir laissé Ginger en vie, mais muette, pour servir d'avertissement.* »

« *Un avertissement pour qui ?* »

« *Toute autre personne voulant s'en prendre à elle.* »

« *Euh, est-ce que ça ne serait pas nous ?* »

Verlaine commençait à se demander si « fugueuse » était le pire qualificatif qu'elle puisse écrire dans une demande d'admission à l'université.

Cependant, même si elle était terrorisée, elle ne pouvait effacer ce qu'elle avait appris. Verlaine avait vécu toute sa vie en portant les cicatrices qu'Elizabeth lui avait infligées. Maintenant, au moins, elle les prenait pour ce qu'elles étaient.

Ses oncles affirmaient que sa mère avait un sens de l'humour fantastique et qu'elle avait elle-même crocheté la couverture de bébé de Verlaine. Que son père avait l'habitude de lui chanter des chansons des Beatles pour l'endormir.

Ils méritaient que justice soit faite.

Et si affronter Elizabeth Pike était le seul moyen que cela arrive, alors peu importe si elle était effrayée, peu importe si c'était dangereux. Verlaine devait essayer.

« *Désolée, je ne voulais pas te faire peur* », écrivit Nadia.

La réponse de Verlaine apparut presque immédiatement à l'écran.

« *Hé ! Si je dois avoir peur, fais-moi peur. Nous savons dans quoi nous nous embarquons, maintenant. Pas vrai ?* »

« *Oui* », répondit Nadia en espérant dire la vérité. Mais Elizabeth était si vieille — elle possédait un pouvoir si insondable — qu'elle pourrait les attaquer de manières que

Nadia ne pouvait même pas imaginer. Leur seul espoir était qu'elle les sous-estime, mais cela ne les aiderait qu'en partie.

De plus… Comment Elizabeth pouvait-elle la sous-estimer ? Nadia possédait peu de compétences, peu de connaissances, elle n'avait pas de mère, pas de professeur. Elle ne pouvait représenter aucun véritable danger pour Elizabeth, et elles en étaient toutes deux conscientes.

À ce moment, elle entendit un cri perçant venant de la chambre de son petit frère.

« *Cole est réveillé. Je dois y aller* », tapa-t-elle rapidement.

Elle laissa tomber son téléphone et se précipita dans la chambre de Cole avant qu'il ne réveille leur père. Ses pieds nus se posèrent doucement sur le vieux plancher en bois, la latte mal fixée grinçant sous son poids quand elle arriva à la porte de son frère.

— Hé ! mon grand. Ça va ?

Il était couché dans son lit, les couvertures tirées sous son menton, ce qui indiquait toujours des cauchemars, ou, du moins, des monstres potentiels dans la penderie.

— Non, renifla-t-il.

— Tout va bien. Je te le promets.

Nadia alla s'asseoir sur le côté de son lit et ébouriffa ses cheveux à l'aide de ses doigts.

— Est-ce que c'est parce que tu as vu l'ambulance ce soir ? Personne n'a été blessé, pas vraiment, mais je parie que c'était quand même effrayant.

— Je ne sais pas, dit Cole.

Il semblait si petit, couché dans son lit. Ces derniers temps, à le voir courir dans tous les sens comme un fou et manger presque toute la moitié d'une pizza seul, Nadia avait tendance à oublier qu'il était encore très petit.

— Mais je me suis réveillé et je voulais voir maman.

Puis, il se mit à pleurer, comme s'il devait avoir honte de vouloir une telle chose. Un garçon de six ans ne devrait pas avoir honte de vouloir voir sa mère. Et sa mère aurait dû être auprès de lui.

La gorge de Nadia se serra, mais elle se maîtrisa.

— Pousse-toi, d'accord ? murmura-t-elle.

Quand Cole s'exécuta, elle s'allongea à côté de lui. Même si elle était au-dessus des draps, elle pouvait quand même le serrer dans ses bras.

Cole se blottit contre elle en disant :

— Je croyais que j'étais trop grand, maintenant.

Elle lui avait dit cela pendant l'été, surtout pour essayer de l'habituer à dormir seul. Son père avait affirmé qu'ils devaient aider Cole à agir comme si tout était redevenu normal. C'était ce qu'il faisait maintenant, la plupart du temps. Alors, elle pouvait faire une exception.

— Pas si tu as fait un cauchemar. Il n'existe aucune personne assez grande pour ne pas vouloir de câlin quand elle fait un cauchemar.

— D'accord.

Cole ferma presque immédiatement les yeux. Il avait toujours été facile à réconforter, mais Nadia savait qu'elle devrait rester jusqu'à ce qu'il dorme profondément.

S'attaquer à Elizabeth signifiait qu'elle allait risquer davantage que sa propre sécurité. Davantage que celle de Verlaine et celle de Mateo. Elle allait risquer celle de son père et de Cole.

Elle regarda son frère, ses joues rondes et ses petites mains potelées. Ses jouets préférés étaient alignés le long du mur : ses voitures de course, ses Lego, le singe chaussette. Malgré le départ de leur mère, malgré le déménagement et tout ce qu'ils avaient traversé, son monde était encore complètement innocent.

Nadia inspira profondément et essaya de ne pas penser à Elizabeth, aux malédictions ou aux monstres dans la penderie.

Le jour suivant, Mateo passa impatiemment les divers examens que les docteurs voulaient lui faire subir. Il dut faire semblant d'être inquiet, mais comme ce qui lui était arrivé n'était assurément pas une « crise », c'était une perte de temps.

Il voulait trouver ce qui lui était *vraiment* arrivé... Ce que Ginger avait fait. Nadia le saurait. Mais il était interdit d'utiliser un téléphone cellulaire à proximité des machines de l'hôpital et, comme elle serait en cours jusqu'à 15 h, il était prisonnier pour le moment. Il allait devoir affronter des heures de nourriture infâme, de tests inutiles, ainsi que l'odeur de Lysol.

Ça, et son père qui paniquait sans arrêt.

— Tu ne prends pas de stéroïdes, n'est-ce pas ? demanda-t-il en faisant les cent pas. Si c'est le cas, tu sais que tu peux me le dire. Nous trouverons une solution ensemble.

Mateo réussit de peine et de misère à ne pas lever les yeux au ciel.

— Papa. Je ne prends pas de stéroïdes.

— Tu vas faire les essais de l'équipe de baseball ce printemps, n'est-ce pas ? Je sais que c'est beaucoup de pression.

— Honnêtement, te rappelles-tu où nous vivons ? Nous sommes à Captive's Sound. Si on participe aux essais, on fait partie de l'équipe. L'année dernière, ils ont même obligé quelques personnes qui ne voulaient pas participer à le faire.

Son père ne semblait entendre aucune de ses réponses.

— Tu me le promets ? Parce que si quelque chose te rend malade, nous devons le savoir.

Mateo faillit lui répondre sèchement, mais il se rendit compte que son père semblait exténué. Il n'avait probablement pas dormi. Quand il pensa à quel point il devait avoir eu peur, Mateo se sentit extrêmement mal.

— Je te le promets.

Après les cours, Nadia et Verlaine vinrent le voir — mais elles arrivèrent environ cinq minutes après Gage, qui lui avait apporté une clé USB contenant quelques émissions télévisées et une barre chocolatée géante, ce qui aurait été fantastique en d'autres circonstances. Mais dans le cas présent, il était impossible de parler de ce qui s'était vraiment passé, et son père revint bien avant le départ de Gage, empêchant Nadia d'expliquer.

Cependant, Mateo ne voulait pas seulement une explication. Il voulait qu'elle soit à côté de lui... Tout près de lui, contre lui...

« Les rêves », se rappela-t-il. N'en avait-il pas fait un la nuit dernière ? Les médicaments l'avaient atténué. Mateo savait qu'il avait eu une autre vision de Nadia, mais il ne pouvait se souvenir des détails.

Et il se rendit compte qu'il voulait s'en rappeler.

Les visions — celles qui avaient hanté sa famille pendant des siècles, celles qui commençaient à détruire son propre esprit... Mateo les voulait. Parce qu'elles lui permettaient de savoir quand Nadia était en danger, lui donnant la chance de la protéger. Il l'avait déjà dit, mais il ne l'avait jamais ressenti aussi fort qu'en ce moment. Avant, il avait été prêt à accepter les visions du futur. Maintenant, il les *voulait*.

Rien n'était plus important que la sécurité de Nadia. S'il devait souffrir pour l'assurer — devenir fou, être comme sa mère et son grand-père avant lui —, alors tant pis.

— Hé! Est-ce que ça va? demanda Gage, l'air inquiet. Tu es un peu parti pendant un instant.

Verlaine opina.

— Tes yeux se sont comme embués.

Elle lança un coup d'œil à Nadia qui voulait dire : «Est-ce que c'est de la magie?»

Celle-ci ne le vit pas. Elle était concentrée sur Mateo, et il aperçut une ombre du désir qu'il ressentait se refléter dans ses yeux.

Même Verlaine dut le voir parce qu'elle se dépêcha de dire :

— Gage, Monsieur Perez, est-ce que je pourrais vous parler un moment?

Ils échangèrent un regard avant de se tourner vers Verlaine. Gage haussa les épaules.

— Oui, mais pourquoi?

— Nous préparons un article spécial sur ce qui s'est passé pour le *Paratonnerre*. Sur la façon dont même les adolescents doivent faire attention à leur santé parce que ce genre de problèmes peut arriver à *n'importe qui*.

Verlaine semblait si sérieuse que Mateo dut se couvrir la bouche en faisant semblant de bâiller pour cacher son sourire.

— Monsieur Perez, votre récit en tant que témoin serait bien entendu le plus captivant… Et Gage, tu es le «gars de la rue», le lycéen moyen confronté à sa mortalité pour la première fois.

— Confronté à ma mortalité?

Cela ne semblait pas enchanter Gage.

En revanche, le père de Mateo sauta sur l'idée.

— C'est assurément un sujet auquel vous, les jeunes, devriez réfléchir. Venez. Nous allons manger une collation à la cantine. Une collation *santé*!

— Absolument, répondit Verlaine en les poussant vers la porte. Miam! Des fruits.

Dès que la porte de la chambre se fut refermée, Mateo et Nadia éclatèrent de rire.

— Comment fait-elle ça? demanda celle-ci.

— Aucune idée.

Mais Mateo était de nouveau concentré sur Nadia et sur la sorcellerie qui l'avait fait atterrir à l'hôpital.

— Nadia... Qu'est-il arrivé? Comment m'as-tu sauvé?

Elle pinça les lèvres un instant avant de répondre.

— Ginger a essayé de lancer un sort d'oubli. Pour que tu ne te rappelles pas ce que tu avais découvert à son sujet. Bien entendu, elle ne savait pas que tu étais un Allié. Tu as augmenté le pouvoir du sortilège et, en gros.... Tu as tout oublié. Ton corps a oublié comment vivre. C'était dangereux, beaucoup plus que ce qu'elle avait escompté.

Il était un peu soulagé de savoir que Ginger n'avait pas vraiment voulu le tuer. Ils n'étaient pas franchement amis, mais quand même... Elle lui avait coupé les cheveux pour la première fois à l'époque où il était si jeune qu'il croyait que cela ferait mal.

— Mais tu m'as permis de tout me rappeler, hein?

— J'allais essayer, avoua Nadia, mais je n'en ai pas eu l'occasion. Le sort a été levé quand je t'ai atteint.

— Comment?

Mais il le savait. Il le savait avant même que Nadia ne prononce son nom.

— Elizabeth.

Pourquoi? Pourquoi le *sauverait*-elle? Elle essayait de le détruire.

Cela le rendit tellement furieux qu'il voulut quitter immédiatement l'hôpital, aller chez Elizabeth et exiger des explications.

Il voulait la secouer jusqu'à ce que ses boucles châtain tombent autour de son magnifique visage impassible. Il voulait crier jusqu'à ne plus pouvoir respirer.

«Pourquoi m'as-tu maudit? Pourquoi m'as-tu fait croire que tu étais mon amie? Pourquoi m'as-tu sauvé la vie après tout ça?»

La colère noire le fit trembler, alors il se rallongea, essayant de calmer sa respiration. Si un médecin entrait maintenant, il croirait que Mateo avait une autre «crise» et il serait enfermé ici pour une journée de plus.

— Hé!

Nadia posa une main sur son épaule, mais il était si furieux qu'il ne pût apprécier le contact.

— Est-ce que ça va? demanda-t-elle.

— Oui. Je veux dire, non. Physiquement, je suppose que ça va.

Mateo savait qu'il n'avait pas à aller au bout de sa pensée.

Nadia laissa tomber la main de son épaule pour serrer les bras autour de son propre corps.

— Je suis désolée.

— Ce n'est pas ta faute, dit-il distraitement.

— Ah non?

Il secoua la tête, mais, en ce moment, sa rage éclipsait tout le reste… Même le fait que Nadia était assise à côté de lui.

Affronter Elizabeth était la pire chose à faire. Si elle avait restauré ses souvenirs, elle pouvait probablement les lui enlever. Et si elle commençait à se demander comment il avait découvert l'existence de la magie, elle comprendrait que Nadia avait brisé l'une des Premières Lois pour la lui révéler. Ce qui mettrait Nadia en danger.

Mais il savait qu'il ne se sentirait jamais complet — même pas une seule seconde — avant d'avoir une sorte de revanche.

Elizabeth avait gâché tant de vies. Elle essayait de ruiner la sienne. Il était hors de question de la laisser s'en sortir.

Jamais de la vie.

— Alors, j'ai entendu dire qu'ils voulaient, genre, le faire interner, mais ils ont découvert que son effondrement était, genre, physique et pas mental… Qui s'en serait *douté*, n'est-ce pas ? Alors, ils ont pensé qu'il avait peut-être une tumeur au cerveau, et ils allaient l'opérer d'urgence, et ils avaient commencé à lui raser la tête, et c'est pour ça que ses cheveux ont cette allure.

Kendall Bender passa devant Nadia en compagnie de son groupe d'amies, pendant que celle-ci rangeait ses affaires dans son casier.

— Finalement, il n'avait pas de tumeur et c'était peut-être une crise, et je me disais qu'il y a peut-être quelque chose dans la nourriture, genre, à ce restaurant ? Parce que j'aime les burritos qu'ils servent et tout, mais on ne peut jamais être sûr avec les trucs qui sont, genre, vous savez, *étrangers*.

Nadia ne prit pas la peine de contredire Kendall. Son esprit était trop rempli par ce qu'elle devait faire aujourd'hui. En ce moment, plus que tout, elle devait aller voir Mateo.

Elle avait passé la nuit à se tourner et se retourner. Elle ne pouvait faire qu'une chose — il existait un seul choix responsable — et, même si elle détestait cette pensée, Nadia savait ce qu'il lui restait à faire. Elle ne pouvait repousser cette conversation un instant de plus.

Quand elle aperçut enfin Mateo, il traversait le gravier de la cour. Sa coupe de cheveux était vraiment asymétrique — apparemment, Ginger avait paniqué en plein milieu de la coupe —, mais sinon, il avait l'air de bien aller. Il semblait en pleine forme, en fait. Quand il la vit, son visage s'illumina d'un sourire qui réchauffa ses yeux marron et la fit fondre.

« Finis-en, se dit-elle. Va le voir et dis-lui. »

Mateo se dirigeait déjà vers elle. Des feuilles mortes virevoltèrent dans le vent, survolant le gravier devant ses pieds. Nadia resserra son gilet à capuche et essaya de rassembler son courage.

— Hé, réussit-elle à dire quand il arriva devant elle. Tu es de retour.

— Quand on est heureux d'être à l'école, c'est mauvais signe.

Il lui sourit, mais elle ne put trouver la force de lui renvoyer son sourire. Mateo se pencha immédiatement vers elle.

— Que se passe-t-il ? Est-ce que c'est Elizabeth ?

— Non. Enfin si, mais… pas exactement.

Cela n'était bon ni pour l'un ni pour l'autre. Nadia se força à regarder Mateo dans les yeux et dit :

— Je ne peux pas continuer.

— Continuer quoi ?

— Défier Elizabeth. Pas si cela met tous les gens à qui je tiens en danger. Nous devons trouver un moyen de la convaincre que nous abandonnons. Et... Je ne sais pas comment, mais nous allons trouver un moyen...

Nadia déglutit. Le pire arrivait.

— Un moyen de briser le lien qui nous lie. Tu ne peux plus être mon Allié, Mateo.

Il la regarda fixement. Elle avait imaginé qu'il serait soulagé, mais il paraissait blessé... Aussi blessé qu'elle l'était. Plus que tout au monde, elle aurait voulu revenir sur ce qu'elle venait de dire, lui assurer qu'ils étaient bien évidemment liés pour l'éternité. Comment pourrait-il en être autrement ?

Au lieu de cela, elle se retourna et s'éloigna, refusant de regarder derrière elle.

Chapitre 17

Nadia réussit à éviter Verlaine et Mateo pendant le reste de la journée, même si elle dut se cacher aux toilettes au lieu de déjeuner. Se cacher semblait lâche…

Non, toutes ses actions semblaient lâches, point final.

« Je ne recule pas parce que j'ai peur, se rappela Nadia. C'est parce que je mets trop de personnes en danger. Papa. Cole. Mateo. Elizabeth est maléfique… Mais ce n'est pas pour autant mon problème. »

Tout cela était vrai, ou assez vrai. Alors, pourquoi se sentait-elle si vide ?

Quand la cloche indiquant la fin de la journée retentit, Nadia ne prit même pas la peine de passer à son casier, se contentant d'enfiler son gros sac à dos avant de traverser rapidement l'école sans se retourner. La foule d'élèves insouciants qui riaient ne semblait avoir aucun point en commun avec Nadia. Même si elle connaissait maintenant la majorité de leurs noms, qu'elle avait travaillé avec certains d'entre eux pour des projets scolaires, ils étaient encore des étrangers. Et c'était ce qu'elle voulait.

Mais il était facile de les imaginer, le soir du carnaval d'Halloween, à faire les fous dans leurs déguisements, à rire comme en ce moment, jusqu'à ce que le sol se mette à trembler...

— Nadia !

C'était Verlaine, derrière elle. Nadia ne voulait pas se retourner, mais elle le fit.

Verlaine et Mateo couraient vers elle, côte à côte. Pourquoi était-elle surprise de se rendre compte qu'ils avaient probablement parlé de ce qui se passait sans la consulter ?

« Le monde entier ne peut pas tourner autour de toi. »

Elle se contenta de tenir les bretelles de son sac à dos et de fixer le sol pendant qu'ils approchaient.

— Attends, haleta Verlaine, même si Nadia avait déjà arrêté de marcher. Nous devons te parler de ce qui se passe.

Mateo ne dit rien, regardant simplement Nadia de ses yeux sombres... marron, avec une touche dorée.

— Je sais que vous avez besoin de savoir ce qui vous est arrivé. Et peut-être que je peux vous y aider. Mais pour ce qui est de comprendre Elizabeth, l'affronter... Il faut arrêter, réussit-elle à dire.

— Comment peux-tu dire ça ? demanda Verlaine en donnant un coup de Converse sur le sol. Nous sommes censés la laisser continuer d'agir à sa guise ? En blessant toutes les personnes qui se trouvent sur son chemin ?

— Si nous nous mettons sur son chemin, nous serons les prochains.

Même si elle s'adressait à Verlaine, Nadia ne pouvait détacher son regard de Mateo.

— Nous nous mêlons de choses que nous ne comprenons pas... Même pas moi. Ma mère...

Sa gorge se noua et elle cracha les derniers mots amèrement.

— Ma mère ne m'a pas assez enseigné et il n'y a personne d'autre qui puisse le faire. Je ne suis pas l'égale d'Elizabeth. Loin de là. À vos yeux, je semble peut-être connaître tout ce qui concerne la magie, mais ce n'est pas le cas. Tout ce que je pourrais essayer pour arrêter Elizabeth est voué à l'échec. Est-ce que vous comprenez? Mateo, tu… Tu as été blessé, il y a deux jours. Tu aurais pu finir branché à un respirateur artificiel, dans le coma, pour le reste de ta vie. Et tout ça parce que Ginger s'en est prise à toi parce que tu en savais trop! À cause de moi. Ce n'est rien en comparaison de ce qu'Elizabeth pourrait faire. Comprenez-vous à quel point nous ne faisons pas le poids? Si c'était le cas, vous n'essayeriez pas de me contredire à ce sujet. Vous sauriez que la seule chose à faire est de fuir le plus loin possible d'Elizabeth.

— Comment? demanda doucement Mateo. Nous vivons ici. Je suis maudit. Je ne peux pas fuir cet état de fait.

— Je ne sais pas, avoua Nadia. Nous allons devoir trouver quelque chose.

Elle avait passé la nuit à se poser cette question. Son père aimait son nouveau travail, même s'ils devaient s'en sortir avec moins d'argent, mais elle savait que Cole et elle passaient avant tout. Alors, si elle commençait à dire que Chicago lui manquait terriblement — et qu'elle affirmait vouloir étudier à Yale ou à Stanford, une université très chère —, peut-être irait-il voir son ancien cabinet d'avocats pour récupérer son emploi. C'était le seul plan qu'elle avait pour le moment, mais il semblait réalisable.

Verlaine était si mince, si pâle — un fil de fer — que Nadia oubliait parfois à quel point elle était grande. Enragée comme elle l'était en cet instant, il était impossible d'oublier qu'elle était beaucoup plus grande qu'elle, mesurant même quelques centimètres de plus que Mateo.

— Elizabeth a peut-être tué mes parents. Elle a assurément tué la mère de Mateo. Comment pouvons-nous ne pas l'affronter ? Quelqu'un doit le faire ! Veux-tu la laisser s'en sortir ?

— Non ! rétorqua Nadia. Mais elle s'en est déjà sortie ! Je n'ai pas le pouvoir de l'arrêter, et vous… Vous devez arrêter de croire que je l'ai. Vous devez arrêter de croire en moi.

Elle commença à se détourner, mais Mateo lui attrapa le bras. Soudain, Nadia fut incapable de bouger. Le sentir la toucher lui donnait envie de fondre, alors qu'elle aurait dû le repousser.

Mateo la regarda fixement en disant :

— Je ne peux pas faire ça.

— Tu peux t'éloigner d'Elizabeth, si c'est nécessaire… Tu as déjà commencé…

— Ce n'est pas ce que je veux dire.

Mateo caressa le pli de son coude avec son pouce dans un mouvement de va-et-vient le plus léger et doux que Nadia pouvait imaginer.

— Tu as dit que je devais arrêter de croire en toi. Eh bien, c'est impossible.

Nadia refusait de pleurer. C'était hors de question. Même si sa vue s'embrouillait et qu'elle ne pouvait parler à cause de sa respiration saccadée, même si Mateo continuait de la regarder comme *ça*, elle n'allait pas pleurer.

Mateo continua.

— Tu as déjà réussi l'impossible. Tu te rappelles ? Je suis un Allié. Ça n'aurait pas dû arriver. Mais c'est le cas. Tu as déjà découvert plus de choses au sujet d'Elizabeth que quiconque en ville. Je n'ai pas assez d'information sur ce qui se passe pour affirmer que tu pourrais être plus forte qu'elle, mais… Je crois que tu pourrais être assez puissante. Nadia, tu pourrais avoir le pouvoir de faire n'importe quoi.

Elle ravala ce qui tenait du sanglot et du rire, et bien qu'elle ait envie de dégager son bras, c'était impossible. Elle ne pouvait que regarder Mateo et regretter de ne pas être un tant soit peu la personne qu'il croyait voir.

— Bon, d'accord, vous êtes en train de vivre un *moment*, souffla Verlaine en soulevant son sac à dos. Mateo, bonne chance pour qu'elle comprenne. Nadia, appelle-moi quand tu seras revenue à la raison.

Sur ce, Verlaine s'éloigna sur le terrain de l'école, ses cheveux argentés semblant se fondre dans le ciel gris de l'automne.

Quand ils furent seuls, Nadia murmura :

— Mateo, tu ne m'écoutes pas.

— Ce n'est pas toi qui parles. C'est ta peur.

Il expira.

— Écoute. Est-ce qu'on peut aller quelque part ? Faire un petit tour ? On pourrait parler plus calmement de tout ça si on ne se trouvait pas à une dizaine de mètres de l'entraînement des meneuses de claques.

— Chez moi. Mon père est à son audience, et Cole se trouve chez un ami pour un certain temps.

Nadia se rendit compte qu'elle avait besoin d'être chez elle. Elle avait surtout besoin de se trouver dans son grenier, au milieu des outils de son Art. C'était l'Art qui avait modelé sa vie jusqu'à présent, qui lui avait amené Mateo et Verlaine. C'était l'Art qu'elle s'apprêtait à abandonner.

C'était donc l'Art qu'elle devait maintenant affronter… Et elle voulait Mateo à ses côtés.

— La dernière fois que je suis venu ici, j'ai eu l'impression que c'était plus grand, dit Mateo en penchant la tête.

Le plafond incliné du grenier l'empêchait de se tenir droit, sauf en plein milieu de la pièce.

— Évidemment, c'était au moment où j'ai vu mon premier sort magique. Alors, je suppose que ça m'a distrait.

Nadia était assise en tailleur sur l'un des énormes coussins posés au sol. Elle branchait généralement son téléphone sur le chargeur dans le coin, à la fois pour écouter de la musique et pour s'assurer que son père et Cole n'entendent pas quelque chose qu'ils ne devaient pas entendre. Le faire maintenant équivaudrait à essayer de créer une ambiance ou quelque chose du genre, alors elle se retint. Mateo s'assit donc devant elle dans un silence lourd et étrange.

Mais pas gênant. Mateo — même s'il était un garçon, même s'ils ne pouvaient se mettre d'accord sur ce qu'ils devaient faire ou comment le faire — avait sa place ici.

Cela ne voulait pas dire qu'elle savait de quoi parler.

Leurs regards se croisèrent et elle le vit sous un autre angle… Et il devint difficile de le regarder dans les yeux.

— D'accord. Par où commencer ? Tu souris enfin, alors je suppose que nous nous comprenons, dit Mateo.

— Ce n'est pas ça, répondit Nadia en essayant de couvrir sa bouche avec sa main pour camoufler son sourire. Distraction momentanée. Désolée.

— Qu'est-ce qu'il y a ?

— C'est seulement…, commença-t-elle en cherchant comment le formuler le plus gentiment possible. Ginger t'a vraiment raté pour ta coupe.

— Est-ce que ma tête est toujours asymétrique ?

Quand Nadia opina, Mateo grogna.

— Super. J'essaie d'avoir une conversation sérieuse en ayant l'air fou.

— Non. Je veux dire, tu n'as pas l'air fou.

Nadia hésita. Ses cheveux étaient le dernier de leurs soucis, une chose sur laquelle se concentrer pour éviter le vrai problème, mais il valait peut-être mieux se débarrasser de toutes les distractions. Puis, Mateo avait vraiment besoin d'aide.

— Hé! J'ai des ciseaux ici. Laisse-moi terminer.

— Ma coupe de cheveux?

— Ça ne devrait pas être trop difficile. Je pourrais essayer, dit-elle. Seulement si tu le veux.

— Oui. D'accord.

Nadia se pencha vers l'une de ses boîtes à outils (elle utilisait des boîtes venant de la quincaillerie, car elles étaient moins étranges et très résistantes) pour prendre ses ciseaux. Mateo enleva son blouson de l'équipe sportive, dévoilant les contours de sa poitrine et de ses bras sous un chandail noir à manches longues. Au début, Nadia fut surprise — par sa si belle allure, par sa proximité, par le fait qu'il enlevait ses vêtements —, puis elle se dit : «Il ne veut pas avoir une tonne de cheveux sur lui. Évidemment. Ne sois pas stupide.»

Mais son cœur battait la chamade quand elle prit les ciseaux et attrapa un tissu de protection pour poser sur ses épaules.

Quand elle passa les bras autour du cou de Mateo, il changea de position — probablement surpris comme elle l'avait été par leur proximité, pensa Nadia. Cette pensée la fit rougir, et soudain, Mateo ne la regardait plus dans les yeux.

— Tu as déjà coupé des cheveux, n'est-ce pas ? se contenta-t-il de demander.

— Bien entendu. Très souvent.

Elle n'avait pas besoin de lui dire que les cheveux qu'elle avait coupés étaient ceux de ses anciennes poupées Barbie, qui avaient toutes eu l'air complètement folles après coup.

Hésitante, Nadia tendit le bras vers Mateo, le bout de ses doigts touchant presque ses cheveux, avant de passer la main dans ses mèches. Les cheveux de Mateo étaient doux comme de la soie dans ses paumes. Quand elle le toucha, il ferma les yeux. Cette réaction… Elle adoucit le silence de la pièce, comme s'il pouvait les bercer.

Nadia prit doucement les ciseaux dans une main et passa ses doigts dans les cheveux à l'arrière de la tête de Mateo. Devait-elle seulement… les égaliser ? Ce choix semblait évident. Le frottement métallique des lames la poussa à se mordre la lèvre inférieure, et la première mèche tomba.

Il y avait bien des façons d'utiliser des mèches de cheveux dans des sorts d'amour…

— Merci, dit-elle doucement en coupant la mèche suivante. De croire en moi. Après ce que tu as traversé… Tout ce qui est arrivé… Je ne t'en voudrais pas si tu détestais la sorcellerie. Et les sorcières.

— Ç'a été le cas, pendant un moment. Du moins, l'ai-je cru. Mais c'était seulement Elizabeth.

Nadia brossa quelques mèches derrière son oreille, sentant la forme de celle-ci contre son pouce. Elle regarda l'autre côté de sa tête et décida de risquer un autre coup de ciseaux.

— Je sais que ça a dû être dur.

— Oui.

Mateo déglutit.

— Je croyais qu'elle était ma meilleure amie. Tous ces fantastiques souvenirs que j'ai de notre enfance ensemble… Il est dur de croire qu'ils sont tous faux, expliqua-t-il avant d'hésiter un instant. Penses-tu qu'elle en a effacé d'autres ? Tu sais. Des personnes avec lesquelles j'étais ami. Pour que je croie vraiment qu'elle était tout ce que j'avais.

— Je ne sais pas.

— Je n'arrive pas à décider ce qui serait pire : qu'elle ait effacé tous mes souvenirs heureux ou… qu'il n'y en ait eu aucun.

Il expira, ses épaules se levant et s'abaissant, et Nadia s'interrompit un instant. Elle se pencha ensuite vers lui et recommença.

Étrangement, il était plus facile de parler à Mateo quand elle ne devait pas le regarder, alors Nadia continua à se concentrer sur la mèche de cheveux sombres entre ses doigts en reprenant son travail.

— Tu as le droit de te sentir trahi.

Les mots suivants restèrent coincés dans sa gorge, mais elle réussit à les prononcer.

— Elizabeth t'a fait croire que tu l'aimais.

Il hésita avant de répondre.

— Ça n'a jamais été comme ça entre nous. Tu me crois, n'est-ce pas ?

Une fois de plus, Nadia se rappela le moment où Elizabeth avait affirmé pouvoir pousser Mateo à l'aimer d'un claquement de doigts. Le pousser à croire qu'il l'avait toujours aimée. Nadia savait qu'Elizabeth n'avait aucune raison de le faire, que cela n'augmenterait pas son ascendant sur lui, mais elle pouvait le faire simplement par cruauté. Pour s'assurer que Nadia *souffre*.

— Oui, tu me l'as dit, déclara-t-elle rapidement. Mais il existe plus d'une sorte d'amour. Perdre l'amour d'un ami... C'est assez dur.

Mateo expira.

— Parfois, je crois que la seule raison pour laquelle j'ai pu réussir à ne pas perdre la raison est qu'elle ne m'a jamais poussé à... la désirer. L'embrasser. Quelque chose du genre. Si elle l'avait fait, je ne pourrais pas le supporter.

— Trop de personnes ont utilisé la magie pour te manipuler dans ta vie. C'est une autre raison pour mettre fin au sort de l'Allié. Pour que tes pensées t'appartiennent à nouveau.

— Je pensais que tu avais dit qu'il était impossible de briser ce sort... Pas avant longtemps, voire jamais.

— Pas sans... sacrifier ma magie.

Nadia savait ce que cela impliquait. Il lui faudrait détruire et enterrer son Livre des ombres, supprimer tous les enchantements du grenier, enlever son bracelet. Elle n'aurait plus jamais l'assurance de pouvoir jeter un simple sortilège. C'était comme arracher son propre cœur.

Mais si cela était nécessaire pour protéger sa famille... et pour libérer Mateo...

— Alors, je ne veux pas que tu brises le sort, affirma-t-il.

— Je suis prête à le faire.

— Eh bien, pas moi. Ce truc d'Allié... Ce que nous avons fait à la plage, ce jour-là, ce que nous formions ensemble... C'était *fantastique*. J'avais l'impression d'avoir passé ma vie à attendre de faire partie d'une telle chose.

« Moi aussi », voulait dire Nadia, mais les mots ne sortaient pas. Elle passa une main dans les cheveux de Mateo, secouant les mèches pour inspecter son travail... Hé, ce n'était pas si mal. Mais ses doigts tremblaient et sa respiration était saccadée à cause des larmes qu'elle refoulait.

— Ne m'enlève pas ce sentiment, dit Mateo. Ne te l'enlève pas. Même si le fait d'être ton Allié est effrayant et étrange... Je sais que c'est ce pour quoi je suis fait. Comme tu es faite pour être une sorcière. Ça fait partie de nous. Tu ne peux pas simplement... y mettre fin comme si de rien n'était.

Nadia se rassit et déposa les ciseaux.

— Tu sais que je te dis la vérité au sujet du danger impliqué.

— Oui. Je le sais. Tu veux protéger les personnes que tu aimes. Moi aussi. Mais soit nous nous effondrons, soit nous faisons front ensemble, n'est-ce pas ?

Ses propos s'infiltrèrent en elle comme les rayons du soleil, séchant ses larmes. Si Mateo pouvait supporter la malédiction et avoir le courage de demeurer son Allié et d'affronter Elizabeth, comment pouvait-elle ne pas en faire autant ? Elle ferait tout pour protéger Cole et son père, mais alors que l'énergie diabolique d'Elizabeth se répandait partout autour d'eux, Nadia ne pouvait que se battre. Au moins, elle n'était pas seule.

— Je suis désolée, murmura-t-elle. Tu as raison. Nous restons ensemble.

— Ensemble.

Mateo tendit sa main et elle la prit. Quand ils se regardèrent, Nadia rougit, attendant qu'il dise quelque chose, mais il se tut. Il ne pouvait peut-être rien dire, s'il se sentait aussi bouleversé qu'elle. Si la sensation de sa main dans la sienne lui faisait le même effet qu'à elle...

Une fois de plus, elle revit Elizabeth, debout dans le couloir, promettant d'obliger Mateo à l'aimer si cela l'arrangeait.

Si Nadia se penchait en avant... Comme Mateo avait commencé à le faire... Si elle l'embrassait et qu'ils formaient un couple, Elizabeth le saurait-elle? Elle avait senti le sort d'oubli immédiatement. Qui pouvait dire à quel point elle avait pénétré dans l'esprit de Mateo?

Si Elizabeth comprenait que Nadia et Mateo étaient ensemble, elle le reprendrait peut-être. Elle pourrait lui faire croire qu'il l'avait toujours aimée. Nadia aurait-elle la force de supporter une telle chose? Elle se rappela de nouveau les mots d'Elizabeth : «Tu as aimé et perdu, n'est-ce pas?»

Et Mateo avait affirmé que la seule chose qui lui permettait de garder la raison était qu'Elizabeth ne l'avait pas manipulé de cette terrible manière.

Nadia recula. Mateo cligna des yeux, visiblement pris de court.

— Nadia! appela Cole du rez-de-chaussée. Es-tu à la maison?

Ses paroles mirent fin au moment gênant, et Mateo et Nadia commencèrent à rire, mal à l'aise.

— Les petits frères, dit Nadia. Ils savent choisir le bon moment.

— Apparemment.

Mais même s'ils souriaient, elle pouvait sentir l'incertitude existant toujours entre eux.

Mateo ne savait pas à quoi il s'était attendu pour finir cette drôle de journée, mais certainement pas à des Lego.

— Ce sont des Lego de grand, annonça fièrement Cole. Pas les stupides Lego pour les bébés. Papa m'a laissé avoir les vrais il y a un an.

— C'est ce que je vois. Est-ce le Faucon Millenium que nous construisons ?

— Oui. Ou ça peut être un château.

En fait, leur construction ressemblait un peu à la Tour de Pise, même si elle comprenait Chewbacca. Mateo se dit que ce n'était pas important, tant qu'il continuait à ajouter des Lego.

Il était assis en compagnie de Cole au milieu du salon des Caldani, l'occupant pendant que Nadia téléphonait à Verlaine pour tout passer en revue. Apparemment, l'ami de Cole était tombé malade, occasionnant un après-midi de garde inattendu.

Ce qui n'était assurément pas ce que Mateo désirait en cet instant. Il voulait retourner dans le grenier, la main de Nadia dans la sienne… Retourner à ce moment pour découvrir ce qu'elle ressentait à son sujet…

Mais la vie s'était interposée, et on ne pouvait rien y changer. Occuper Cole ne dérangeait pas Mateo. C'était un petit garçon amusant. Puis, si Mateo était bien trop âgé pour les Lego, cela ne voulait pas dire qu'il ne les aimait plus.

Et Nadia avait visiblement besoin de parler à Verlaine, presque autant qu'elle avait besoin de parler à Mateo.

— Je suis vraiment désolée, dit Nadia dans son téléphone pour la dix-huitième fois. Je devais penser à mon père et à Cole, tu comprends ? Et à la façon dont ils pourraient être affectés par… euh, par notre expérience scientifique. Et où es-tu ?

À ce moment, elle ouvrit les rideaux.

— Ah ! d'accord. Entre.

Elle posa son téléphone sur le comptoir avant de parler à Mateo.

— J'ai demandé à Verlaine d'aller chercher des granités, mais je ne sais pas. Elle est encore assez énervée.

— On peut se passer de granités, affirma Mateo.

Cole soupira.

— Parle pour toi.

Mateo rit et ébouriffa ses cheveux.

Nadia ouvrit la porte alors que Verlaine montait les marches, ses cheveux gris attachés en queue de cheval, une grimace sur le visage et un plateau de granités dans les mains.

— Ils sont tous à la cerise, annonça-t-elle. C'est à prendre ou à laisser.

— Super !

Cole se lança dans une réplique de danse consécutive au marquage d'un but pendant que Mateo se levait.

— Comment vas-tu ? demanda-t-il à Verlaine, dont l'expression s'adoucit immédiatement.

Ils s'étaient brièvement parlé cet après-midi. C'était la première fois qu'ils avaient une longue conversation sans Nadia, même s'ils se connaissaient depuis toujours ou presque. Mais cela avait suffi pour que Mateo sache à quel point elle se sentait trahie, et seule. Même si elle se méfiait toujours de Nadia, de la magie et de tout le reste, c'était la première fois que Verlaine était incluse dans quelque chose.

« Comment se fait-il que je ne lui aie jamais parlé avant ? se demanda Mateo. Elle est intelligente et observatrice. Alors, pourquoi est-ce que je l'oublie tout le temps ? Une fille d'1 mètre 80 avec des vêtements délirants et des cheveux argentés… Ce n'est pas comme si elle ne se démarquait pas. »

— Je vais bien.

Verlaine tendit un granité à Cole et prit une gorgée du sien.

— Mieux, maintenant que je ne me retrouve pas à enquêter sur mes parents, enfin, je veux dire, à faire notre projet scientifique seule. En plus de tout ce qui se passe avec, euh, Elizabeth.

— Est-ce qu'Elizabeth est ta petite amie ? demanda Cole à Mateo.

Il semblait complètement innocent, mais la malice étincelant dans ses yeux accompagnait bien la moustache rose de granité.

— C'est ce que Nadia a dit.

— Elle n'est pas ma petite amie, précisa Mateo.

Nadia intervint rapidement.

— Cole, ça ne serait pas amusant de jouer dans le jardin pendant un moment ?

— Je ne suis pas censé amener des collations dehors à cause de la fois où j'ai mis du gravier dans mon sandwich.

— Je ne dirai rien. Juste cette fois !

Cole sourit avant de s'asseoir sur la chaise la plus proche en balançant les jambes.

— Non. Je suis bien ici.

Mateo avait toujours rêvé de ne pas être enfant unique, mais maintenant, il n'en était plus aussi sûr. Ils devraient faire attention à la façon de formuler leurs propos.

— Alors, notre... projet scientifique porte sur les dolines en ville. Et sur ce qui pourrait démolir la ville sous nos pieds.

Nadia inspira brusquement, si fort que Mateo crut qu'elle s'était blessée. Il se pencha vers elle, inquiet, mais elle frappa le mur d'une main.

— Mais oui, c'est ça. C'est bien ça.

Verlaine regarda Mateo, qui haussa les épaules.

— C'est quoi ?

Nadia attrapa la télécommande et alluma la télévision. Presque instantanément, Cole se dirigea vers l'appareil, comme un enfant sous hypnose. Nadia indiqua ensuite à Mateo et à Verlaine de s'approcher, avant de murmurer :

— Le... livre de Goodwife Hale. Elle a écrit quelque chose à ce sujet, sur le fait que la structure de la ville est bâtie sur la mag... Euh, sur le magnétisme.

— Il n'écoute pas ! chuchota Verlaine. La magie. Elle est bâtie sur la magie ?

— Je crois, continua Nadia. C'est ça qu'Elizabeth est en train de faire. Elle arrache la vieille magie. Elle tire la ville sous nos pieds.

— À l'aide des dolines, dit Mateo pour s'assurer qu'il comprenait.

— Oui, mais c'est plus que ça. La façon dont cette ville est malade de l'intérieur, toutes les malédictions qu'elle a lancées... Peu importe ce qui est enterré sous le laboratoire de chimie... La magie est partout en ville, est-ce que vous comprenez ?

— Maintenant, oui, dit Verlaine, mais où veux-tu en venir ?

Nadia regarda Mateo avant de reprendre.

— Tu as dit que la magie faisait partie de nous et qu'elle ne devait pas nous être enlevée. C'est vrai pour toute la ville. Tu vois ? Captive's Sound est maudite et enchantée depuis si longtemps qu'elle... se dresse littéralement sur des fondations magiques. Elizabeth est en train de retirer ses propres sorts. Elle détruit la structure.

Il comprenait à peu près.

— Pourquoi?

— Ça doit être la volonté du Très-Bas. Je ne sais pas pourquoi. Il paraît qu'il exige parfois que quelqu'un meure dans son propre intérêt.

Nadia parla si doucement, de façon si définitive, que Mateo en eut froid dans le dos. À côté de lui, Verlaine frissonna.

— Mais maintenant, je connais certains des sorts qu'elle doit utiliser. Ce qui veut dire... Ça veut dire que j'ai une idée de ce que je peux faire pour l'arrêter.

— Ça semble dangereux, commenta Verlaine.

— C'est le cas, dit Nadia en opinant lentement. Mais ça vaut le coup d'essayer.

Mateo eut envie de lui dire de ne pas le faire — peu importe ce que c'était —, de se mettre entre Elizabeth et elle, s'il le pouvait. Mais il savait que c'était impossible.

— Que vas-tu faire?

— Je vais essayer de lui renvoyer le sort, déclara Nadia, ses yeux sombres étincelant. Lui enlever ses pouvoirs, du moins, un peu. Nous allons combattre le feu par le feu.

Chapitre 18

— Une Alliée, murmura Elizabeth.

Elle était debout sur la rive, dans un secteur de la plage si rocailleux qu'aucune maison n'avait été bâtie à proximité. L'eau lui arrivait aux cuisses et les morceaux de coquillages pointus sous ses pieds nus lui tailladaient la peau. Des gouttes de son sang devaient maintenant se mêler à l'eau salée. Le Très-Bas pourrait bientôt réclamer tout le détroit comme étant son sang.

Il lui faut si peu de choses, pour nous posséder, déclara Asa. *Ça ne te semble jamais injuste ?*

— Tais-toi, créature.

Plus elle pensait à qui pouvait être l'Alliée de Nadia Caldani, moins Elizabeth en était sûre. Verlaine Laughton était le choix évident, la seule fille qu'elle avait souvent vue en compagnie de Nadia. Mais elle était dans sa vie depuis si peu de temps — et c'était une personne si étrange vers laquelle se tourner.

Elles se connaissaient peut-être avant, proposa Asa. *As-tu pensé à cette possibilité ? Les gens se parlent par le biais d'ordinateurs, maintenant. La sorcière et Verlaine sont peut-être devenues amies en ligne.*

Elizabeth n'avait jamais utilisé d'ordinateur et elle ne comptait pas commencer aussi tardivement. Alors qu'un embrun froid lui piquait le visage, elle pensa à la possibilité que Verlaine et Nadia se soient rencontrées dans le passé. Cela semblait improbable. Elles ne s'étaient pas dit bonjour le premier jour de classe, et leur attitude l'une envers l'autre pendant les quelques jours où Elizabeth les avait observées au début du semestre… Elles semblaient plus méfiantes que chaleureuses. Non, elles ne se connaissaient pas avant.

Mais quel genre d'Alliée pouvait représenter Verlaine Laughton? Perdue comme elle l'était, pouvait-elle seulement posséder le pouvoir? Elizabeth se dit que c'était possible — c'était quelque chose qu'elle n'avait jamais essayé —, même si c'était surprenant.

Ça doit être amusant pour toi. Tu es si rarement surprise, aujourd'hui.

Même si Elizabeth n'appréciait pas le manque de sérieux du démon, il avait un peu raison. Ce monde lui semblait si vieux — si étrange, mais si prévisible. Désormais, les gens portaient des vêtements informes et légers, les femmes étaient effrontées, et ils parlaient tous à des petites machines qu'ils tenaient dans le creux de leur main, mais ils étaient toujours aussi vénaux et égoïstes. Leurs espoirs étaient toujours aussi veules, leur perspective, limitée. Elle avait abandonné l'idée de participer à leur vie banale des décennies plus tôt, en dehors de sa symbolique présence à l'école pour s'occuper de la Chambre. La compagnie des mortels lui donnait de plus en plus l'impression de regarder des petits enfants se quereller au sujet de jouets brisés.

Même l'Art ne réussissait plus à la fasciner. Elle le maîtrisait depuis si longtemps. Cette petite question sans réponse au sujet d'une Alliée était la première étincelle d'incertitude qu'elle ressentait depuis de nombreuses années, et cela l'amusa brièvement, comme si elle venait d'apercevoir un papillon dans le désert.

Verlaine demeurait la candidate la plus probable. Il y avait peut-être d'autres personnes à examiner — comme la conseillère de l'école, madame Walsh; elle semblait s'intéresser à Nadia —, mais il fallait commencer par Verlaine Laughton.

Satisfaite, Elizabeth plongea ses mains dans l'océan et but. Même une gorgée d'eau salée pouvait provoquer des vomissements et des hallucinations aux gens normaux, mais cela ne l'affectait plus. Cela ne la rendait même pas plus assoiffée qu'elle ne l'était déjà, comme toujours. Elle devait simplement voir si elle pouvait commencer à sentir le goût du sang.

— Tu aurais dû dire à tes amis de rester pour dîner, dit son père en se dirigeant vers la cuisine. Nous aurions pu fêter ma victoire.

— Si tu m'avais appelée pour me dire que tu avais gagné, je le leur aurais peut-être demandé.

Nadia savait que cette réponse n'était pas complètement honnête. La journée avait été intense pour tous, et elle était certaine que Mateo et Verlaine avaient probablement besoin de se reposer autant qu'elle. Elle était toujours tendue. Mais elle pouvait quand même imaginer un futur où ils pourraient tous traîner chez elle et où son père serait peut-être en mode «père sympa», plutôt que «père irritant et trop susceptible». Cela pourrait être... plutôt amusant. Elle pouvait les imaginer ici. Surtout Mateo. Elle esquissa un léger sourire en se rappelant à quel point il avait été gentil et doux avec Cole, assis sur le sol pour jouer aux Lego comme si c'était son activité préférée.

Si seulement ils pouvaient se soustraire à l'influence d'Elizabeth… Si seulement Nadia pouvait être sûre de garder Mateo, qu'il n'y ait aucun risque qu'il lui soit dérobé…

Le bruit métallique d'une poêle touchant la cuisinière la ramena sur terre.

— Hé! Que fais-tu?

— Je nous cuis des spaghettis, répondit son père.

Il avait sorti un bocal de sauce acheté au supermarché.

— Les pâtes… Elles sont sur l'étagère de droite, n'est-ce pas? Oui. Bon, pas de spaghettis, mais nous avons ces trucs en forme de tube, c'est la même chose.

— Papa. Je vais m'occuper du dîner.

— Ne dis pas n'importe quoi.

Il ne ralentit même pas, comme s'il ne l'écoutait pas du tout.

— Je m'en charge. Ça ne peut pas être si difficile que ça.

— Le truc dans le bocal vient, genre, d'une usine. Je peux faire une sauce de A à Z en une demi-heure et elle sera 10 fois meilleure.

— Oui, je sais, mais ça va quand même, non? Tu en as déjà mangé. Cole l'aime bien. C'est lui qui a mis la sauce dans le panier.

— Là n'est pas la question.

Pourquoi était-il si agaçant? Nadia voulait qu'il sorte de sa cuisine, où il allait faire des dégâts et utiliser une sauce dégoûtante. Elle essaya la méthode douce.

— Tu as gagné ta grosse affaire, aujourd'hui, alors tu devrais te reposer ce soir, d'accord? Laisse-nous nous occuper de toi.

— Pour moi, le plaisir est de préparer le dîner pour ma famille.

Son père commençait à sembler aussi énervé qu'elle.

— N'as-tu pas des devoirs à faire ? Tu ne sembles jamais en avoir.

— Papa. Allez !

Nadia essaya de lui prendre le sac de rigatoni des mains. À sa surprise, il serra le sac plus fort et, pendant une demi-seconde, ils se retrouvèrent dans la lutte acharnée la plus stupide au monde, son père et elle se battant presque pour un sac de pâtes...

Jusqu'à ce qu'il se déchire, éparpillant des rigatoni dans la cuisine. Ils rebondirent sur le comptoir et le plancher, roulèrent jusqu'au salon, tombèrent même dans les cheveux de Nadia.

Elle fixa son père des yeux et il la regarda à son tour, jusqu'à ce qu'ils se penchent en même temps pour commencer à ramasser les pâtes.

— Je m'en occupe, d'accord ? souffla-t-elle.

— Non ! Ça ne va pas !

Son père ne criait pas — il ne criait jamais —, mais il était sur le point de se mettre en colère.

— Pourquoi cries-tu après moi ? J'essayais juste de t'aider. J'essaie toujours d'aider ! La plupart des parents seraient heureux, tu sais, au lieu de s'emporter contre leurs enfants quand ils essaient d'être gentils...

— Mon Dieu, me laisseras-tu un jour faire quelque chose pour toi ?

La voix de son père se brisa sur le dernier mot, puis il s'assit sur le plancher, au milieu des pâtes, et appuya sa tête dans une main. Pendant une seconde atroce, Nadia crut qu'il allait pleurer, mais il ne le fit pas.

Elle avait l'impression d'être figée à genoux, une main pleine de pâtes crues. Elle s'assit tranquillement. Peu importe ce que son père attendait, elle avait le sentiment qu'elle devait attendre avec lui. Dans le jardin, ils pouvaient entendre Cole crier les détails d'une bataille imaginaire impliquant toutes ses figurines.

Finalement, son père prit la parole.

— Je sais que tu en fais beaucoup pour cette famille, Nadia. Tu as vraiment pris beaucoup de responsabilités depuis que ta mère… Depuis qu'elle est partie. Et j'apprécie. Je ne pourrais pas m'en sortir sans toi.

— Merci, répondit-elle faiblement.

— Mais tu restes ma fille, d'accord ? C'est mon travail de prendre soin de toi. Ce n'est pas ton rôle de t'occuper de moi.

Il ne savait pas de quoi il parlait. La tornade d'Elizabeth allait foncer vers eux, vers tous les habitants de la ville, et, même si c'était terrifiant, la sorcellerie de Nadia était peut-être la seule chose capable de l'arrêter. Si Nadia ne prenait pas soin de son père, de tout le monde, qui sait ce qui risquait d'arriver ?

Mais… Elle pouvait laisser son père cuisiner de temps en temps, si cela lui faisait plaisir. Même si elle devait manger de la sauce répugnante sortie d'un bocal.

— D'accord, dit-elle. Je suis désolée de m'être battue avec toi pour le sac. C'était stupide.

Son père resta assis, les avant-bras sur les genoux, en fixant le vide.

— Je n'ai jamais appris à cuisiner. J'ai toujours laissé ça à ta mère. J'ai laissé le cabinet prendre une si grande place dans ma vie… Quatre-vingts, quatre-vingt-dix heures par semaine, un peu plus… Et elle disait toujours que c'était correct. Elle gérait les batailles de la maison. C'était notre accord, la façon dont les choses étaient censées se passer. Je pensais… Je croyais vraiment que cela lui convenait.

Nadia revit sa mère rire au sujet des «batailles de la maison». C'était l'une de ses blagues préférées.

— Je le croyais aussi.

Il secoua la tête.

— J'étais un imbécile. J'aurais dû savoir que ça ne pourrait pas toujours fonctionner.

— Ça fonctionnait *très bien*. Tout allait bien jusqu'à ce qu'un jour, maman… C'était comme si elle avait abandonné.

De quelle autre façon pouvait-elle le dire? Nadia avait su, avant le départ de sa mère, que quelque chose clochait, mais seulement pendant quelques semaines — quelques semaines pendant lesquelles sa mère avait à peine semblé les voir.

— Tu n'as rien fait de mal.

— Je ne sais pas. Je suppose qu'on ne peut pas le savoir.

Il soupira et cogna sa tête une fois, doucement, contre le comptoir, avant de regarder la cuisine en semblant retrouver un peu de sa bonne humeur habituelle.

— Ce soir sera une autre soirée pizza, n'est-ce pas?

— On dirait bien.

— Commande pendant que je nettoie.

— D'accord, répondit Nadia, même si elle savait que cela signifiait qu'elle allait trouver des rigatoni oubliés dans la cuisine au cours des prochains jours.

— Et… nous devrions prendre des vacances bientôt. En famille. Peut-être une fin de semaine. Nous pourrions aller à New York, histoire de ne pas perdre notre réputation de citadins, tu vois?

Les efforts déployés par son père pour parler comme un adolescent étaient gênants, mais pas assez pour que Nadia ne saisisse pas sa chance.

— On peut le faire? S'il te plaît? On devrait y aller bientôt. Pour Halloween, ce serait parfait.

— Halloween? Mais il y a un grand carnaval en ville, avec maison hantée et tout le tralala.

Nadia réfléchit à toute vitesse.

— Il paraît que c'est vraiment nul. L'an dernier, un enfant de l'âge de Cole s'est tailladé la main dans la maison hantée. J'ai entendu dire qu'il a eu besoin d'une dizaine de points de suture. C'est vraiment dangereux.

Son père fronça les sourcils.

— Mmm. Eh bien, je ne voudrais pas que Cole s'amuse dans un endroit du genre.

— Tu devrais acheter les billets pour New York ce soir. Je parie qu'il y a une foule de choses à faire à Manhattan pour Halloween. Et le métro de Chicago manque tellement à Cole qu'il voudra probablement passer son temps dans celui de New York.

Les petits garçons aimaient les trains.

— Tu sais quoi? Je crois que c'est une excellente idée, répondit son père en opinant, visiblement content de lui. Ça nous fera du bien. J'irai sur Internet après le dîner.

La tension incroyable qui serrait son cœur sembla soudain se relâcher. Peu importe ce qui se passerait le soir d'Halloween, son père et Cole seraient loin. Nadia pourrait trouver une excuse de dernière minute pour ne pas les accompagner — un projet scolaire, quelque chose du genre. Le fait de savoir qu'ils étaient en sécurité lui permettrait de se concentrer. Ce serait une arme en moins entre les mains d'Elizabeth. Quoi qu'il arrive à Nadia, le reste de sa famille s'en sortirait.

Quand son père l'étreignit avant de se lever, elle le serra contre elle un long moment. Il semblait en avoir besoin.

Raisons de visiter les tombes de mes parents bientôt

1. *Je dois savoir si cette vieille sorcière d'Elizabeth les a tués.*

2. *Je devrais y aller avec des fleurs ou un truc du genre parce que je n'ai jamais rien apporté là-bas et peut-être que c'est terrible, que je suis la pire fille pour des personnes qui ne sont même pas en vie.*

3. *Si Elizabeth est responsable, alors il est nécessaire de me venger, même si elle est une sorcière mégamaléfique de l'ancien temps et que je suis une lycéenne de terminale ayant pour seule arme un porte-clés qui comporte une alarme. Il est donc probablement nécessaire d'organiser ladite vengeance.*

Raisons de ne pas visiter les tombes de mes parents bientôt

1. *Je ne suis pas du tout certaine d'être prête à affronter cela.*

2. *Je travaille déjà à freiner Elizabeth dans sa recherche de pistes ; la vengeance est une motivation inutile à ajouter à mes plans.*

3. *Il est également probable que cette avenue rendra cette « prévention apocalyptique » encore plus stressante qu'elle ne l'est déjà.*

Verlaine regarda les listes sur l'écran de son ordinateur et grogna. Même si elles étaient toutes les deux courtes, elle savait qu'elle pourrait continuer à ajouter des points toute la nuit sans parvenir à une conclusion évidente.

Elle s'était installée à l'accueil du *Guardian* pour les «heures du soir» du jeudi, ce qui était une invention de l'éditrice, madame Chew, pour aider Verlaine à accumuler davantage de crédits pour son stage. Son café au lait se trouvait dans son verre habituel à côté d'elle. Le bracelet tendance en bakélite qu'elle avait trouvé à très bon prix au magasin d'occasions, celui qui était trop gros à porter quand elle tapait à l'ordinateur, créait un halo turquoise de l'autre côté de son ordinateur portable. Les locaux du journal ne débordaient pas d'activité, même pendant les heures normales, alors Verlaine profitait souvent de ce moment pour mettre à jour le *Paratonnerre* ou se débarrasser de ses devoirs avant la fin de semaine.

Ou, dans ce cas, pour rester assise et créer des listes inutiles ne l'aidant absolument pas à calmer son esprit chaotique.

Verlaine saisit la mèche la plus courte de ses cheveux — celle qu'elle avait coupée l'autre jour — entre deux doigts. Mateo avait juré qu'il avait vu quelque chose, et elle le croyait. À un certain moment, elle avait été la cible de pouvoirs magiques, dont il restait des traces.

«Mais ça ne veut pas dire que c'est la raison pour laquelle maman et papa sont morts. Mes cheveux sont peut-être devenus gris à cause du choc. C'est ce qu'oncle Gary a toujours affirmé. Je suis restée seule dans cette maison avec leurs cadavres pendant une journée, et ç'a dû être terrifiant.»

Elle faisait parfois des cauchemars à ce sujet — pas à cause d'un souvenir réel, mais parce que son imagination s'emballait à l'idée de se retrouver seule dans une maison avec deux corps.

S'il n'existait aucun lien avec ses parents... Alors, quel avait été le but du sortilège?

Amèrement, Verlaine se dit :

« Peut-être s'agit-il seulement de faire de moi la fille la moins populaire du lycée. Ouais, je parie que c'est ça. Elizabeth utilise ses fichus pouvoirs de sorcière pour décider qui ne sera pas la reine du bal de promo. »

— Bonjour, Verlaine.

Elle leva les yeux et vit Elizabeth de l'autre côté du bureau.

Environ 80 000 jurons parcoururent le cerveau de Verlaine en une seconde, expliquant probablement pourquoi aucun ne sortit de sa bouche. Elle se contenta plutôt de la regarder, bouche bée.

Elizabeth ne sembla pas le remarquer. Elle avait l'air toujours aussi calme et douce, vêtue d'un cardigan en tricot par-dessus une de ses robes blanches. Ses cheveux bruns balayés par le vent tombaient sur l'une de ses épaules. Elle sourit, aucunement dérangée par le silence de Verlaine.

— Ces heures du soir sont une excellente idée. Je voulais connaître le prix pour placer une petite annonce.

Elle ne pouvait pas vraiment vouloir cela, n'est-ce pas? Peut-être que si. Les enchanteresses maléfiques avaient peut-être besoin de leurs propres petites annonces. Du genre : *« Recherche : suppôt/sous-fifre pour travail à temps partiel. À vendre : œil de crapaud neuf. »*

— Euh, je ne suis pas sûre. Laisse-moi aller vérifier.

— Ce serait gentil.

Il semblait plus qu'étrange de vérifier une telle information pour Elizabeth Pike comme si c'était une cliente ordinaire. Mais Verlaine ne savait pas quoi faire d'autre. Sans Nadia à ses côtés, toute altercation serait stupide, voire suicidaire. Pour le moment, elle pouvait seulement agir naturellement.

Alors, peut-être qu'empêcher ses doigts de trembler autant en tapant sur le clavier serait une bonne idée.

— D'accord, dit Verlaine un peu trop fort, mais Elizabeth ne réagit pas. Tant que le texte compte moins de 5 lignes, ça coûte 75 dollars pour une semaine, 100 dollars pour 2 semaines. Ce qui est beaucoup moins cher que dans tout autre journal du monde, mais hé... C'est le *Guardian*.

— Moins de cinq lignes.

La voix d'Elizabeth semblait lointaine.

— Je vais devoir réfléchir à la formulation. Merci de ton aide.

— Aucun problème.

Verlaine se dit que le seul problème avait été de garder ce faux sourire sur son visage tout au long de la conversation.

Elizabeth hocha la tête avant de se tourner pour partir. Elle sortit dans la nuit sans regarder derrière elle.

« Qu'est-ce qui vient de se passer ? » se demanda Verlaine.

À un demi-pâté de maisons, Elizabeth plongea une main dans son sac et en ressortit le bracelet en bakélite qui brilla dans sa main.

Verlaine avait dû le porter plus tôt dans la journée. Il fonctionnerait.

Même si Nadia pensa à appeler Mateo pour qu'il soit là lorsqu'elle essaierait de lancer le sortilège, elle finit par décider de ne pas le faire. Premièrement, il était tard — 23h —, alors si le père de Mateo se rendait compte que son fils était parti, ou si le père de Nadia le voyait dans sa maison, cela serait difficile à expliquer.

De plus, la première fois, il ne fallait pas que le sortilège soit trop puissant. Les sorts pour le retrait de la magie pouvaient être violents ou doux, visibles ou subtils. Il fallait que celui-ci soit doux et subtil. Nadia voulait surtout vérifier qu'il fonctionne — voir si elle pouvait voler un morceau de magie à Elizabeth sans qu'elle s'en rende compte. C'était plus probable sans l'augmentation de pouvoir que Mateo lui procurait (plus tard, quand ils devraient l'arrêter le soir d'Halloween, elle aurait besoin de lui tout le long).

Enfin, le sortilège fonctionnait mieux s'il était lancé dans l'eau, et il était hors de question que Nadia plonge de nouveau dans l'océan glacial. Il valait vraiment mieux faire couler un bain chaud.

La vieille baignoire était une des caractéristiques merveilleuses de la maison ancienne. Elle était en porcelaine blanche, assez grande pour quatre personnes, et placée sur des pieds en griffes dorés. Nadia tourna les robinets grinçants au maximum, ce qui était le seul moyen de remplir la baignoire avant que l'eau ne commence à refroidir.

« D'accord. Les ingrédients. Poudre de quartz. Pétales de rose. Et… la lame de rasoir. »

Nadia posa les objets sur la grande étagère à côté de la baignoire avant d'inspirer profondément. Elle laissa ensuite tomber son peignoir et s'installa dans l'eau chaude, qui la recouvrit jusqu'au cou. Elle ne portait que son bracelet.

La poussière tourbillonna dans l'eau, la rendant trouble, mais légèrement brillante. Les pétales de rose flottaient à la surface. La lame de rasoir…

C'était plus difficile à faire que ce que Nadia avait cru. Elle n'avait encore jamais lancé de sortilège nécessitant son propre sang. Mais le sang mélangé à l'eau procurait à certains types de magie une précision et une puissance inégalables.

«Super. La fois où il *faudrait* que ce soit la mauvaise semaine du mois, ce n'est pas le cas.»

Elle se mordit la lèvre, tendit un pouce et donna un coup.

«Ouille! Ouille, ouille, ouille, ouille!»

Mais elle avait réussi. Nadia appuya sur la minuscule coupure au bout de son pouce jusqu'à ce que les premières gouttes de sang tombent dans l'eau. Elles formèrent d'abord des lignes rouges étranges avant de devenir roses et de disparaître.

Elizabeth se mit au travail à la lumière de son poêle. Quand elle leva le bracelet sous cette lueur, elle sentit une réaction. Oui, cela conviendrait parfaitement.

Mais à ce moment, une brise fraîche souffla à côté d'elle… Une sorte de froid sans lien avec la température.

Elle écarquilla les yeux. Nadia… Elle étirait son pouvoir vers elle. Elle essayait de se mêler de ses affaires. Et elle semblait savoir exactement comment le faire.

Le respect d'Elizabeth à l'égard de la fille augmenta, mais elle ne fut aucunement inquiétée, pas plus qu'un éléphant aurait eu peur d'un moucheron, même s'il savait où piquer.

Elle mit de côté le bracelet de Verlaine. Il pouvait attendre.

Elle devait d'abord remettre Nadia Caldani à sa place.

Chapitre 19

Nadia s'enfonça dans la baignoire. La fine poussière scintillante commençait à tomber au fond de la baignoire, formant des traînées de paillettes qui tournaient dans l'eau.

« Rassemble les ingrédients, se dit-elle. Tout est prêt. »

Alors que Simon Caldani finissait de lire un chapitre de *La Trompette du cygne* à voix haute, son fils Cole l'interrompit.

— Papa, qu'est-ce qu'il y a dehors ?

— Il n'y a pas de monstres dehors. Je te le jure.

— Je *sais*. Ce sont des *oiseaux*. Mais pourquoi est-ce qu'il y en a autant ?

Simon se leva du lit de Cole pour regarder par la fenêtre la plus proche. Effectivement, des dizaines d'oiseaux — des centaines ? — étaient perchés sur le plus gros arbre de leur jardin. Il était difficile de déterminer leur nombre dans la pénombre parce qu'ils étaient tous noirs. Des corbeaux ? Il n'avait jamais remarqué à quel point les corbeaux étaient gros. Il en arrivait de nouveaux chaque seconde, le battement de leurs ailes ressemblant à un bruissement qui semblait encercler entièrement la maison.

— La température descend, dit-il. Ils migrent.

— Je croyais que les oiseaux allaient vers le sud pour l'hiver, répondit Cole.

Il avait raison, évidemment. Mais sûrement...

— Ils doivent être en route. Ils partiront bientôt.

Sur ce, Simon ferma les rideaux. Cette quantité d'oiseaux était étrange, et ils semblaient tous regarder la maison. C'était le genre de choses qui donnerait certainement des cauchemars à Cole.

Elizabeth alluma sa chandelle. Elle les fabriquait à partir de suif, à l'ancienne, en faisant réduire la chair morte. La façon dont elle brillait en fondant... Et, ah! l'odeur. Cette puanteur, l'odeur fétide de la véritable magie, était irremplaçable. Certaines personnes l'enjolivaient, mais Elizabeth préférait connaître sa vraie nature.

Elle mit sa main à plat et l'avança jusqu'à ce que ses doigts se trouvent dans la flamme de la chandelle. Le premier éclat de chaleur lui fit mal, mais elle avait depuis longtemps appris à ignorer la douleur.

Elle laissa sa main à cet endroit, encore et encore. Sa peau devint rouge et la mince volute de fumée s'élevant de la chandelle s'assombrit. L'odeur du suif s'intensifia avant d'être remplacée par l'odeur de chair brûlée.

« Plus chaud », pensa Elizabeth.

Des larmes de douleur lui montèrent aux yeux, mais elles étaient insignifiantes. Ses doigts avaient commencé à noircir.

« Elle doit devenir plus chaude. Elle doit bouillir. »

Nadia appuya sa tête sur le gros rebord arrondi de la baignoire à pieds en griffes, inspira la vapeur et rassembla les ingrédients.

Les os visibles à travers la chair.
Quelque chose qui vole en éclats à cause d'un cri.
La destruction d'une chose aimée.

La vapeur rendait maintenant l'air presque suffocant, et Nadia pouvait sentir tout son corps picoter à cause de la chaleur de la baignoire — elle n'avait pas assez ouvert le robinet d'eau froide —, mais elle savait qu'elle devait se concentrer.

Une radiographie qui montrait des ombres bleues et grises, dévoilant la ligne de fracture blanche et dentée où son cubitus aurait dû apparaître, fort, et la douleur perçante remontant dans son bras pendant que sa mère lui caressait les cheveux.

Les fenêtres de la voiture, le soir de l'accident, se fragmentant en forme de toile d'araignée pendant que la voiture faisait des tonneaux et qu'ils hurlaient tous de terreur.

Mais Nadia ne pouvait plus penser ; l'eau était devenue trop chaude… Elle était presque brûlante.

Elle ouvrit grand les yeux quand elle comprit que l'eau devenait de plus en plus chaude. Les robinets étaient fermés, mais l'eau de la baignoire ne cessait de se réchauffer, de plus en plus vite. Elle inspira brusquement en voyant la vapeur tourbillonner… Ah, mon Dieu, cela piquait, cela faisait mal, l'eau commençait à la *cuire*…

Nadia se hissa hors de la baignoire, se laissant tomber par-dessus le rebord. Elle atterrit si fort sur le carrelage qu'elle en perdit le souffle. Alors qu'elle était allongée dans une flaque d'eau, sa peau rouge et brûlante, et qu'elle essayait de retrouver son souffle, la température de la pièce augmenta encore et elle entendit le son caractéristique que l'eau faisait en bouillant. Elle saisit une serviette pour se couvrir le visage et toussa tandis que la vapeur, toujours plus dense, l'empêchait à présent de voir ses orteils. La chaleur était presque insupportable et, pendant un moment, Nadia crut qu'elle allait s'évanouir.

Mais elle se leva. La chaleur faisait luire la poignée de la porte, alors Nadia se dirigea vers la fenêtre de la salle de bain — un petit rectangle de style ancien qui ouvrait vers l'extérieur sur un gond latéral, du moins en théorie. Nadia n'avait encore jamais essayé de l'ouvrir. Elle poussa de toutes ses forces sur le cadre en bois, qui refusa de bouger. La fenêtre était bloquée par la peinture qui devait avoir été appliquée un siècle plus tôt...

Puis le cadre céda. Un souffle d'air froid entra dans la pièce. Même si l'endroit était toujours rempli de vapeur, Nadia pouvait de nouveau voir à travers celle-ci et la température était passée d'insupportable à simplement inconfortable.

Un corbeau atterrit aussitôt à l'extérieur de la fenêtre et ses ailes battantes firent sursauter Nadia qui tira sur la fenêtre jusqu'à ce qu'elle soit à peine ouverte. Cela n'avait pas d'importance : le pire était passé.

Elle s'appuya contre la cloison en haletant. Au bout de quelques secondes, elle prit un gant de toilette et tira sur la chaîne métallique brûlante de la bonde de la baignoire. Le peu d'eau qui ne s'était pas évaporée commença à s'écouler, laissant derrière elle des lignes de poussière de quartz brillante. Nadia les essuya avant d'utiliser le gant de toilette pour déverrouiller la porte de la salle de bain.

« Elizabeth l'a su. Avant même que je sois entrée dans le sortilège. Elle m'a presque fait bouillir. Elle m'aurait tuée et ce sortilège... Il était si petit... »

Nadia réussit péniblement à enfiler son peignoir et à rester debout pour sortir de la salle de bain. Dans le couloir, elle passa à côté de son père, qui la regarda bizarrement.

— Chérie, il y a de la vapeur jusqu'au milieu du couloir. Je sais que les filles aiment prendre des bains, mais faire fonctionner le chauffe-eau coûte cher, d'accord ?

Elle ne lui répondit pas, se contentant d'opiner.

Elizabeth retira sa main de la flamme. À certains endroits, sa peau était suffisamment brûlée pour qu'elle voie ses os.

Tu m'effraies, dit Asa. *Et je viens de l'enfer.*

— Tais-toi, créature.

Elle plia ses doigts, ignorant la douleur vive que le mouvement provoqua. La chair commença à faire des bulles sous le regard d'Elizabeth et la peau s'éclaircit, passant du noir à un brun calciné avant de redevenir rosée. Ses blessures se refermèrent, rétablissant l'état original de sa main.

L'immortalité lui pesait depuis très longtemps, mais elle avait quand même des avantages.

Nadia Caldani était toujours en vie — Elizabeth pouvait le sentir —, mais elle avait reçu son avertissement. Peut-être l'écouterait-elle et mettrait-elle un terme à ces distractions inutiles. Sa menace avait certainement été assez claire pour qu'elle ne doive prendre aucune autre mesure pour le moment.

Elle suspendit quand même le bracelet de Verlaine à un crochet à côté du poêle, le gardant à proximité, au cas où.

— Tu aurais dû m'appeler, dit Mateo.

Il savait qu'il se répétait, mais il était presque trop paniqué pour penser normalement.

— Tu es en sécurité, maintenant. Tout va bien, ajouta-t-il.

— Je vais bien, dit Nadia d'une voix tremblante. Mais je ne suis pas en sécurité. Aucun d'entre nous ne l'est.

Ils étaient tous les trois assis à l'une des tables de pique-nique extérieures, théoriquement pour manger leur déjeuner dehors malgré le froid, mais ils n'y avaient pas touché. L'idée qu'Elizabeth ait pu étendre son pouvoir à travers la ville pour faire mal à Nadia, pour tenter de la tuer...

— Je n'ai jamais rêvé d'elle t'attaquant de cette façon.

— C'est sans doute parce que tu n'étais pas avec moi. Tu peux seulement rêver du futur dont tu fais partie.

Nadia s'efforçait de sembler maîtresse d'elle-même, mais Mateo n'était pas dupe. De toute façon, ce qu'elle disait n'était nullement réconfortant. Il rêvait constamment de Nadia dans des situations dangereuses. C'était encore pire d'imaginer qu'elle puisse faire face à des dangers qu'il ne pouvait voir, desquels il ne pouvait la prévenir.

Verlaine était assise de l'autre côté de la table, emmitouflée dans un manteau en fausse fourrure de léopard muni d'un grand col noir.

— Comment Elizabeth a-t-elle su que tu essayais le sortilège ?

— Elle doit avoir lancé des sorts de garde, des protections contre le genre de magie capable de nuire à ses plans. Un peu comme la barrière qui entoure la ville, mais en plus précis.

Les souvenirs de Mateo au sujet de l'accident déferlèrent : regarder la voiture fracassée, apercevoir Nadia à l'intérieur, ensanglantée et prise au piège dans la boue... C'était ce que la barrière d'Elizabeth avait fait. Sortir du chemin qu'Elizabeth leur avait tracé pourrait entraîner leur mort.

— Si c'est le moyen de l'arrêter... Mais qu'elle peut sentir que nous le faisons...

— Je sais, dit-elle d'une voix tremblante, exténuée.

Mateo aurait voulu l'enlacer. S'ils ne s'étaient pas trouvés au milieu de la cour, Verlaine à moins d'un mètre d'eux, des gens passant à proximité sans arrêt, il l'aurait fait.

— Je vais devoir trouver un autre moyen ou… attendre qu'Elizabeth soit en plein milieu d'un sortilège, au moment où elle sera trop concentrée pour lancer un autre sort, ou trop distraite pour s'en rendre compte.

Verlaine mâchouillait un de ses ongles.

— Attendre la dernière seconde ne semble pas le meilleur plan d'action.

Nadia opina.

— Crois-moi, je le sais. Mais nous sommes tellement à court d'options.

Ils restèrent assis quelques secondes, déprimés et un peu effrayés… Et puis Gage s'assit soudainement à la table.

— Hé ! les amis. Quoi de neuf ?

— Hé ! répondirent-ils à l'unisson.

Mateo se dit qu'ils n'auraient pas pu sembler plus tristes si la marche funèbre avait joué en trame de fond.

— Houlà ! on dirait que vous venez de perdre votre chien, dit Gage avant de s'interrompre. Ah ! un instant… Est-ce que le chien de quelqu'un est mort ? Si c'est le cas, je suis désolé. Vraiment désolé.

— Aucun chien mort, assura Mateo en réussissant à adopter une expression ressemblant à un sourire. Quoi de neuf chez toi ?

— Quelque chose qui devrait vous réjouir, alors je suppose que je suis arrivé au bon moment. La veille d'Halloween, j'organise une fête chez ma tante, sur la plage. Une fête vraiment amusante, Mateo… Tu devrais peut-être assister à une fête de ce genre un de ces jours. Il n'y aura pas les abrutis habituels qui restent là et qui sont grossiers pendant que tout le monde essaie d'avoir l'air intéressant.

— Une fête?

Verlaine fronça les sourcils, perdue, comme si c'était un mot qu'elle ne connaissait pas encore. Il fallait reconnaître que personne ne l'avait encore invitée à une fête. Du moins, Mateo ne l'y avait jamais vue. De son côté, Gage semblait se rendre compte qu'il avait invité Verlaine, mais cela ne parut pas le déranger.

— Les abrutis seront quand même là. Ils vont toujours aux fêtes, affirma Mateo.

— Oui, mais après une heure, ils seront partis parce qu'ils sont trop intéressants, et alors, on pourra s'amuser.

— Genre, Kendall Bender sera là? demanda Verlaine, semblant inquiète. Je peux penser à des trucs plus amusants que de traîner avec elle. Bien plus amusants. Dont, et y compris, réorganiser l'étagère à épices de mes pères.

C'était étrange… En général, Mateo ne considérait pas Kendall comme quelqu'un de si méchant. D'accord, elle était bête comme ses pieds, et tout aussi sensible, mais elle ne se mettait pas en quatre pour se montrer cruelle envers quiconque. Enfin, à l'exception de Jinnie, mais elles se détestaient, et Jinnie faisait partie des abrutis.

Et Kendall était aussi cruelle envers Verlaine.

En fait, tous ceux qui n'ignoraient pas Verlaine étaient méchants avec elle, même ceux qui ne l'étaient avec personne d'autre. Mateo savait qu'il l'avait toujours ignorée. Même chose pour Gage. Pourquoi avait-il ignoré une personne qui était — maintenant qu'il y pensait — vraiment super? Cela n'avait aucun sens.

Avant qu'il puisse vraiment y réfléchir, Nadia prit la parole.

— La veille d'Halloween, hein ?

Le soir avant que le désastre frappe Captive's Sound s'ils ne faisaient rien pour l'arrêter... Oui, pas le moment idéal pour sortir.

— Est-ce que nous serons, euh, occupés ? dit Mateo.

Mais Nadia le surprit.

— Qui sait ? Si nous ne le sommes pas... Ce serait peut-être bien de nous changer les idées pendant quelques heures.

Il comprenait ce qu'elle voulait dire. En fait, si Elizabeth surveillait Nadia d'assez près pour être prête à bondir à tout moment, sortir était peut-être la seule façon qu'elle perde leur trace.

— Alors, tu vas venir avec moi ?

Nadia le regarda et il comprit qu'il venait de lui demander de sortir avec lui pour la première fois. Ce n'était pas parce qu'il n'avait jamais pensé à le faire. Ils s'étaient rapprochés si rapidement qu'il était difficile de se rappeler qu'ils n'étaient encore jamais sortis ensemble. Qu'il ne l'avait pas encore embrassée...

Elle hésita. Ce moment dans le grenier, quand il avait cru qu'ils allaient... Mateo s'était demandé si elle s'était retenue, à ce moment, mais il s'était dit qu'il s'était fait des idées. Ce n'était peut-être pas le cas.

Mais Nadia opina.

— Oui, dit-elle d'une petite voix. Je viendrai.

— Si quelqu'un se souvient que je suis là, je viendrai aussi, déclara Verlaine.

— Évidemment. Viens.

Gage leur fit un signe de fusil avec ses doigts, essayant volontairement de sembler ridicule pour être ironique, mais ayant simplement l'air ridicule, avant de s'éloigner pour inviter d'autres personnes.

Verlaine prit son sandwich.

— J'aime bien ce gars.

— Il est correct, dit Mateo sans détacher longtemps les yeux de Nadia. Oui, Gage est super.

C'était vrai, mais en ce moment, Mateo pouvait seulement penser au fait que Nadia avait dit oui.

La douceur de ce moment l'accompagna le reste de l'après-midi. Impossible de se concentrer en cours. Même la répugnante brume de magie qui recouvrait la majorité de Captive's Sound avait peu d'importance pour lui en ce jour. Il avait passé les deux derniers mois à être effrayé ou furieux. C'était la première fois qu'il se sentait vraiment heureux. Et si le simple fait que Nadia l'accompagne à une fête provoquait ce sentiment, que ressentirait-il quand ils seraient ensemble ?

Moins d'une semaine…

« Oh ! zut. Le laboratoire de chimie. »

Passer à côté de ce lieu étouffa sa bonne humeur. Il ne savait pas exactement pourquoi, mais ces derniers temps, le laboratoire de chimie lui donnait la chair de poule, comme si des yeux le regardaient de derrière, ou comme s'il avait entendu un son étrange dans la maison alors qu'il était sous la douche : il se sentait aux aguets, nerveux, tendu.

Mais ce sentiment empira quand Elizabeth arriva dans le couloir.

Elle se trouvait à côté du Piranha, qui ne semblait rien remarquer sortant de l'ordinaire. Pour elle, Elizabeth avait probablement la même allure que celle que Mateo avait toujours vue : propre, naturelle, une peau claire pleine de taches de rousseur et des boucles brunes.

Maintenant, il la voyait telle qu'elle était ; une créature recouverte d'une substance dorée et fébrile qui ondulait sur son corps comme une multitude de serpents. La lueur qui l'entourait était vive, presque aveuglante, et pourtant, elle n'avait rien de joli.

— Merci pour les devoirs donnant des points supplémentaires, dit doucement Elizabeth.

— Aucun problème.

Le Piranha lui sourit comme une idiote — de la même façon que Mateo avait l'habitude de lui sourire.

— J'aimerais seulement avoir d'autres élèves aussi motivés que toi !

Alors que le Piranha s'éloignait vers la salle des professeurs, Elizabeth se mit à marcher vers Mateo.

— Mateo.

Sa voix était chaleureuse et sirupeuse. Comme du miel. Maintenant, elle le dégoûtait.

— Où te cachais-tu, ces derniers temps ?

Il s'était empêché de reculer, ne voulant pas dévoiler qu'il pouvait voir sa véritable forme. Mais Mateo se savait incapable de garder le secret une seconde de plus. Après ce qui était arrivé à Nadia, il était impossible de penser qu'il pouvait faire quoi que ce soit la mettant davantage en danger. Nadia était déjà dans un danger immense.

Et rien qu'une fois, il voulait qu'Elizabeth entende ce qu'il pensait d'elle.

— Je sais ce que tu es, se contenta-t-il de déclarer.

Elle s'arrêta avant de pencher la tête sur le côté.

— Que veux-tu dire ?

— *Je sais ce que tu es.*

Mateo ferma les poings. Jamais, au grand jamais il ne frapperait une femme, mais Elizabeth ne constituait même plus une femme.

— Tu n'auras plus accès à mes rêves. Tu ne prétendras plus que nous sommes les meilleurs amis du monde. Garde tes faux souvenirs et ton faux sourire pour toi à partir de maintenant, d'accord ? Ne m'approche plus ou, je le jure, peu importe les pouvoirs que tu possèdes, je trouverai un moyen de te blesser. Est-ce que tu me comprends ?

Elizabeth ne protesta pas. Elle ne demanda pas de quoi il parlait, mais elle ne le fustigea pas non plus. Elle se contenta de se tenir droite — moins comme la charmante fille qui avait prétendu être son amie, et plus comme une égale. Pourquoi n'avait-il jamais vu à quel point elle était grande ? Elle pouvait le regarder directement dans les yeux.

— Te faire oublier ne vaut pas la peine, déclara-t-elle. Ça m'ennuie.

Puis elle s'éloigna, aussi calmement et tranquillement qu'à l'habitude.

Ce n'était pas la vengeance épique dont il avait rêvé. Celle-ci devrait peut-être attendre le soir d'Halloween.

Mais au moins, il n'aurait plus jamais à faire semblant d'être l'ami d'Elizabeth Pike.

Nadia Caldani avait enfreint l'une des Premières Lois. Elle avait parlé de magie à un homme.

Elizabeth était sous le choc — et cela faisait des siècles qu'elle était persuadée que plus rien ne pouvait la choquer. Même elle, qui était passée outre une foule de Premières Lois, n'avait jamais brisé celle-là. Et une jeune fille comme Nadia l'avait fait ?

« Elle doit avoir reconnu la malédiction, comprit Elizabeth en rentrant chez elle. Et j'aurais dû savoir qu'elle le ferait. »

Ce n'était pas une raison pour croire que Nadia irait ensuite jusqu'à parler de l'Art à un homme. Aucune sorcière correctement formée n'aurait émis une telle hypothèse... Ou fait une telle chose sans excellente raison. Nadia avait peut-être été abandonnée par sa mère et professeure, mais elle avait dû apprendre cette loi au tout début.

Il était vrai que Mateo avait cessé de parler de ses rêves à Elizabeth. Nadia lui avait enlevé sa seule fenêtre sur le futur, ce qui était une victoire morale plus que réelle. Mais c'était peut-être sa motivation.

Était-ce suffisant pour lui parler de l'Art ? Ce ne serait pas le cas pour la plupart des sorcières, mais Nadia était manifestement beaucoup plus dangereuse que l'avait cru Elizabeth. Même si elle n'était qu'une fille et que ses pouvoirs étaient primitifs... Elle était une battante. Une adversaire de taille.

Elizabeth avala le reste de son eau avant de jeter la bouteille par terre au milieu des morceaux de verre cassé. Elle traversa sa maison jusqu'à la lumière vive de son poêle, unique source de chaleur dans une maison glaciale. La chaleur et le froid ne la dérangeaient plus vraiment, mais certains sortilèges fonctionnaient mieux à la lumière du feu surnaturel.

Elle se dirigea d'abord vers la vieille commode à moitié pourrie qui était appuyée contre le mur du fond et ouvrit tranquillement un petit tiroir fermé depuis une décennie, depuis le suicide de Lauren Cabot.

Là, au milieu de la poussière et du bois teint, se trouvait un os de doigt humain jauni par le temps. Elizabeth le possédait depuis plus longtemps que son immortalité. George Cabot, le premier membre de la famille qu'elle avait connu, le premier à la servir. C'était tout ce qui restait de lui. C'était tout ce dont elle avait besoin pour que la malédiction se perpétue.

Le premier élan d'Elizabeth fut de l'écraser. Mateo Perez ne partagerait plus jamais ses rêves avec elle, rendant la malédiction inutile. De toute façon, il aurait seulement pu l'aider pendant quelques jours encore, et il lui avait déjà rendu son dernier et plus grand service en lui montrant le danger potentiel que représentait Nadia... En lui montrant que la majorité de ses plans, dans le futur, seraient dédiés à la destruction de Nadia. Alors, pourquoi ne pas mettre fin à la malédiction ?

Mais non. La malédiction des Cabot faisait partie de la magie qui renforçait tout son travail. Elle faisait maintenant autant partie de Captive's Sound que la plage ou l'océan. Ce serait stupide de modifier cet équilibre aussi profondément alors qu'elle était si près du but. Non, la malédiction mourrait avec elle.

Tu pourrais le laisser vivre comme un humain ordinaire pendant quelques jours, suggéra Asa. *Un petit cadeau pour qu'il se souvienne de toi.*

— Tu crois que la compassion m'importe, créature ? demanda Elizabeth en replaçant l'os dans le tiroir.

Je te connais mieux que ça.

Elizabeth ignora les sarcasmes du démon et traversa la pièce vers un crochet métallique fixé à un mur. Si Nadia représentait vraiment une menace, la première chose à faire était de lui retirer son Alliée.

Elizabeth ferma les doigts sur le bracelet de Verlaine.

Chers Monsieur Laughton et Monsieur McFadden,
    Félicitations! Vous avez gagné une croisière tout inclus en Jamaïque. Le bateau part le vendredi, 30 octobre...

Verlaine s'arrêta devant son ordinateur portable, ne sachant pas si cela paraissait crédible. Ne les aurait-on pas appelés, si la croisière avait lieu si rapidement? Mais elle ne pouvait pas changer sa voix au téléphone et elle ne croyait pas que Nadia ou Mateo puissent vraiment avoir l'air d'adultes s'ils téléphonaient à sa place. Ce garçon, Gage, pourrait le faire avec sa voix grave... Mais ils n'étaient pas encore amis. Elle ne pouvait pas lui demander une telle faveur. Mateo pourrait-il le lui demander? Une fois que ses pères croiraient avoir gagné la croisière, le reste serait facile. Ses parents avaient pris une énorme assurance-vie quand elle était née, ce qui voulait dire que Verlaine avait beaucoup plus d'argent que la plupart des élèves de Rodman, incluant les professeurs. Elle conduisait sa vieille guimbarde, achetait ses vêtements dans des friperies et n'utilisait que son allocation parce que l'argent de l'assurance était destiné à l'université. Mais pour sauver la vie de ses pères, elle piocherait dans son compte pour leur payer la plus belle croisière au monde.

Et s'ils ne réussissaient pas à arrêter Elizabeth, il était probable qu'elle n'aille jamais à l'université...

Elle mâchouilla de nouveau son ongle. Ses ongles commençaient à ne plus être présentables. Ce soir, elle allait remettre du vernis — pour arrêter de les mâchouiller —, mais elle devrait ensuite faire quelque chose pour se calmer.

Si seulement elle pouvait s'assurer qu'oncle Dave et oncle Gary soient en sécurité le soir d'Halloween. Le reste n'aurait pas d'importance. Elle pourrait alors se concentrer.

Déterminée, Verlaine décida de continuer et de réserver la croisière. Elle appellerait ensuite Mateo pour voir ce qu'il pensait de son idée d'enrôler Gage. Elle navigua sur un site de voyage… Et s'arrêta net.

La douleur parcourut tout son corps, si vive qu'elle crut d'abord qu'un couteau était caché dans le clavier, un couteau qui avait surgi pour la poignarder. C'était fou, mais c'était l'impression qu'elle avait. Une demi-seconde plus tard, Verlaine vit les éclairs d'électricité sortir du clavier, brûlant ses mains à tel point qu'elle crut apercevoir ses os.

Elle pouvait seulement entendre une sorte de bruit aigu et rauque tout autour d'elle… Est-ce qu'elle criait ? Son corps semblait se tordre, dans un sens, puis dans l'autre, tremblant violemment pendant que son esprit ralentissait de seconde en seconde.

« Je suis en train de m'électrocuter », se dit-elle, presque maussade.

Quelque chose la projeta alors loin de son ordinateur et elle heurta le mur. À ce moment, elle ne vit plus rien, ne sentit plus rien.

Chapitre 20

Quand arriva l'heure du dîner, son père proposa de nouveau qu'ils aillent à La Catrina.

— Étant donné que nous n'essayons plus d'éviter Mateo, dit-il en lançant un regard enjoué à Nadia.

Elle dut se forcer pour ne pas lever les yeux au ciel.

— C'est son jour de congé. Mais oui, on devrait y aller.

Ce serait moins bizarre de manger avec sa famille là-bas si son père ne passait pas son temps à les regarder, Mateo et elle. Beaucoup moins bizarre.

— Veux-tu inviter ton amie ? demanda-t-il avant de froncer les sourcils. Est-ce qu'elle s'appelle Vera ? Veronica ?

— Verlaine, répondit Nadia en haussant les épaules. D'accord.

— Il se passe toujours quelque chose quand on essaie d'aller à La Catrina, se plaignit Cole. On n'arrive jamais à entrer.

— Ne dis pas n'importe quoi. Allez, les enfants. Nadia, chérie, pourquoi ne dis-tu pas à Verla de nous rejoindre là-bas ? Et invite aussi ses pères. Il faut bien que je les rencontre un jour.

Nadia envoya un texto : *Hé ! viens manger avec nous à La Catrina, si tu veux. Mon père dit de demander à tes pères de venir, alors… Si tu ne veux pas, aucun problème.*

Elle ne s'attendait pas à voir Verlaine, alors elle ne fut pas surprise de n'avoir reçu aucune réponse quand ils arrivèrent au restaurant. Mais Nadia entendit immédiatement le nom de Verlaine… venant d'une table où Kendall était entourée de sa cour.

— Alors, genre, Verlaine était dans la bibliothèque de l'école, mais je crois qu'elle utilisait les ordinateurs pour un truc illégal, genre pour télécharger des films ou un truc du genre, et il y a ce truc dans les ordinateurs de la bibliothèque qui doit empêcher de faire des choses illégales, alors ça t'envoie une décharge, et c'est comme ça qu'ils empêchent les gars de regarder des films pornos, mais cette fois, il y a eu un problème, et ça a, genre, électrocuté Verlaine, alors elle est à l'hôpital, pas celui d'ici, le bon, à Wakefield, et j'ai entendu dire qu'elle pouvait mourir.

— Ah ! mon Dieu, dit Nadia en regardant son père. Est-ce qu'on peut…

— Partons, dit-il comme si c'était la seule chose à faire.

Son père pouvait parfois être fantastique.

Nadia ne s'était jamais sentie aussi mal que lorsqu'elle vit les pères de Verlaine dans la salle d'attente de l'hôpital. Oncle Gary essaya d'être poli et de donner les dernières nouvelles, même si sa voix ne cessait de trembler. Oncle Dave était simplement assis, la tête entre les mains.

— Un coma ? murmura Nadia. Combien de temps est-ce que… Va-t-elle…

— Ils l'ignorent.

Oncle Gary croisait continuellement les doigts, serrant les mains et les détendant, comme s'il essayait de se débarrasser de sa nervosité de cette façon.

— Ce n'est pas vraiment inhabituel. Je veux dire, on entend parler de comas qui durent... des mois ou des années...

Oncle Dave émit un petit son au fond de sa gorge et Cole posa une main hésitante sur son épaule. C'est à ce moment que Nadia craqua. Les larmes remplirent ses yeux et elle dut s'appuyer sur son père.

— Mais ce n'est pas ce qui arrive en général ! ajouta rapidement oncle Gary. Une foule de gens qui reçoivent un choc grave tombent dans le coma pendant seulement quelques heures. Puis ils se réveillent et ils vont bien. Ils vont très bien. Le mot « coma » signifie seulement que la personne ne se réveille pas. C'est tout ce qu'ils peuvent nous dire au sujet de Verlaine pour le moment. Elle... Elle ne peut pas se réveiller.

Nadia serra fort la taille de son père tout en s'obligeant à ne pas s'effondrer.

— Comment est-ce...

Elle dut prendre de nombreuses inspirations menaçant de se transformer en sanglots.

— Que s'est-il passé ?

Oncle Gary haussa les épaules.

— Ils ont dit qu'elle a été électrocutée par son ordinateur portable, mais un ordinateur portable ne devrait même pas avoir assez de tension pour faire ça... Et l'ordinateur fonctionnait bien quand les ambulanciers sont arrivés. Je veux dire, nous l'avons éteint, et Dell va recevoir des nouvelles de nos avocats, vous pouvez me croire. Mais comment est-ce que cela a pu arriver ?

L'ordinateur n'était pas responsable, et elle n'avait pas été électrocutée. C'était de la magie. Elizabeth.

Pourquoi ? Pourquoi s'en prendre à Verlaine, et pourquoi maintenant ? Rien de tout cela n'avait de sens.

— Est-ce que je peux la voir ? murmura Nadia.

Oncle Dave opina silencieusement.

— Est-ce qu'on y va aussi ? demanda Cole.

— Non, répondit son père. Nous allons chercher quelque chose à manger pour les pères de Verlaine.

Nadia se mit sur la pointe des pieds pour embrasser la joue de son père — quelque chose qu'elle n'avait pas fait depuis une éternité — avant de s'engouffrer dans les couloirs de l'hôpital. Ils étaient incroyablement larges pour permettre le passage des brancards, donnant l'impression à Nadia d'être encore plus petite et impuissante qu'avant.

Elle entra ensuite dans la chambre de Verlaine et ce qui l'attendait était assurément le pire scénario.

Verlaine était si pâle, si immobile. Allongée dans le lit, elle semblait plus morte que vivante. Des machines étaient reliées à sa main et à son cœur, même si les petites lignes bleues et vertes de données que celles-ci transmettaient aux écrans qui l'entouraient n'indiquaient rien aux médecins. Un masque en plastique recouvrait son nez et sa bouche, lui fournissant de l'oxygène pour qu'elle continue à respirer. Sinon, elle risquait d'arrêter à tout moment.

Nadia agrippa la rampe métallique le long du lit de Verlaine.

— Hé, commença-t-elle, mais le mot sortit faiblement de sa bouche.

Et c'était inutile. Verlaine ne pouvait visiblement pas l'entendre.

La porte s'ouvrit et Nadia se retourna, s'attendant à voir une infirmière ou un médecin… Mais c'était Mateo.

C'était comme si elle ne pouvait ni bouger ni penser. Un instant, elle se rendit compte qu'il était là ; l'instant suivant, elle était dans ses bras, l'enlaçant aussi fort que possible, étouffant ses larmes dans la chaleur rassurante de sa poitrine. Mateo caressa ses cheveux, murmurant des sons de réconfort dans son oreille, se contentant de la tenir.

Quand elle put de nouveau parler, elle dit :

— Comment l'as-tu appris ?

— Kendall Bender parlait au restaurant. Une des serveuses l'a dit à mon père, et il m'a téléphoné. J'ai pris ma moto pour venir.

Il n'était pas étonnant que Mateo semble exténué. Une si longue route à moto dans ce froid avait dû être fatigante. Mais bien sûr, il était presque aussi inquiet qu'elle au sujet de Verlaine. Nadia pouvait le voir à la façon dont il la regardait dans son lit d'hôpital.

— C'est comme… C'est comme si je ne m'étais pas aperçu qu'elle était mon amie avant maintenant, dit-il.

— Je vois ce que tu veux dire.

C'était peut-être parce qu'elles s'étaient méfiées l'une de l'autre au début, ou parce que ce qu'elles affrontaient était très intense, mais Nadia n'avait encore jamais pensé au fait que Verlaine était drôle, ou qu'elle avait parfois des idées excellentes. C'était l'une des seules à avoir le bon sens de reconnaître la magie sans se laisser persuader que c'était seulement un artifice de la lumière.

« Avoir aimé et perdu. » C'était ce qu'Elizabeth avait dit, lui rappelant la douleur ressentie quand sa mère l'avait abandonnée. Nadia avait-elle inconsciemment utilisé cette phrase pour se tenir loin non seulement de Mateo, mais aussi de Verlaine ? Si c'était le cas, elle avait été stupide. Elle le comprenait maintenant. Il fallait aimer les gens quand c'était possible, parce qu'on ne pouvait connaître le temps restant.

Mateo repoussa tendrement les cheveux du visage de Nadia, ses doigts semblant peindre des lignes de chaleur le long de sa joue et de sa tempe. Mais ses yeux étaient concentrés sur Verlaine.

— Je pensais à ça, l'autre jour. Je me demandais pourquoi je ne pense pas à Verlaine quand elle n'est pas là.

C'était une façon brutale de le dire, mais Nadia voyait ce qu'il voulait dire. C'est alors qu'elle comprit et écarquilla les yeux.

— Tu veux dire... La magie que tu as vue, la magie ancienne qui a agi sur Verlaine... Tu penses que ça a un lien avec nos sentiments pour elle ?

— Ou avec notre absence de sentiments. La façon dont les gens sont cruels avec elle quand ils ne le sont avec personne d'autre.

— S'il s'agit d'une ancienne magie, cela expliquerait pourquoi ça ne fonctionne plus, de nous garder loin d'elle. Parce qu'elle se trouve sous l'emprise d'une magie encore plus puissante.

Nadia commença à faire des rapprochements dans son esprit. Elle n'avait pas non plus particulièrement apprécié Verlaine quand elle l'avait rencontrée. Puis, elle avait fait voler sa voiture et elle l'avait de nouveau rencontrée, la magie masquant la magie assez longtemps pour qu'elle s'entende bien avec Verlaine, sans toutefois l'aimer comme cela aurait dû être le cas. Et Mateo avait parlé à Verlaine au moment où le sortilège de l'Allié prenait effet... Ce qui avait aussi créé une assez grande fissure dans le mur entourant Verlaine pour qu'il l'aime bien. Toutes les autres personnes tourmentaient Verlaine, comme Kendall, ou l'oubliaient constamment, comme le père de Nadia ou Gage. C'était seulement maintenant, alors qu'elle était sous l'emprise d'un sortilège si puissant qu'il menaçait son existence, que Verlaine pouvait être vue pour qui elle était.

— Pourquoi Elizabeth ferait-elle ça ? demanda Mateo. Lancer un sort qui fait en sorte que les gens… n'aiment pas Verlaine ?

Nadia secoua la tête.

— Ça ne peut pas être aussi simple que ça. Elle est peut-être masquée d'une façon quelconque ? Cachée ?

— De qui ? Et pourquoi ?

— Seule Elizabeth pourrait nous le dire.

— Quand nous arrêterons Elizabeth, cela brisera-t-il le sortilège sous lequel se trouve Verlaine ?

— Peut-être. Je l'espère.

C'était une raison supplémentaire de se battre. Nadia inspira profondément une fois, puis une autre, pour se calmer.

— C'est ma faute, dit alors Mateo.

— Quoi ? Non. Si c'est la faute de quelqu'un, c'est la mienne.

— Ne te blâme pas. S'il te plaît…, l'implora Mateo, dont les yeux sombres cherchaient les siens. Tu es déjà trop dure avec toi-même. Et c'est à cause de quelque chose que j'ai fait. Nadia… J'ai affronté Elizabeth. Elle sait que je sais, ce qui signifie qu'elle doit savoir que tu m'as tout révélé. Je lui ai dit qu'elle n'apprendrait plus jamais rien grâce à mes rêves, que je me moquais des pouvoirs qu'elle possédait, et ceci… Ce qu'elle a fait à Verlaine… Ça doit être sa vengeance.

— Tu lui as dit, répéta Nadia, songeuse.

La vengeance… Elizabeth ferait-elle quelque chose d'aussi extrême simplement pour se venger ? Cela semblait peu probable à Nadia, mais elle ne pouvait analyser pourquoi. Elle pouvait à peine penser à autre chose qu'au fait qu'Elizabeth avait finalement fait ce que Nadia avait craint depuis le début : elle avait blessé quelqu'un, gravement, parce que Nadia avait osé, d'une façon insignifiante, la défier.

Qui serait le prochain ? Son père ? Cole ?

Mateo était si pâle que, pendant une seconde, Nadia crut qu'il allait être malade.

— C'est moi qui ai fait ça.

Elle essaya de repousser la colère montant en elle, consciente que Mateo n'était pas la véritable cible — seulement la plus proche.

— Non. C'est Elizabeth.

— Je n'ai assurément pas aidé, affirma Mateo.

Il refusait visiblement d'être plus indulgent que cela envers lui-même. Il ne regardait plus que Verlaine, et c'est à elle qu'il adressa ces mots :

— Je suis désolé.

Nadia dut agripper le bord du lit de Verlaine, luttant contre les larmes.

Comment avait-elle pu se tromper sur toute la ligne ?

— Je suis désolée aussi, murmura-t-elle, mais Verlaine ne pouvait lui répondre.

Elizabeth portait ses chaînes depuis si longtemps qu'elle avait oublié à quel point elles étaient lourdes. Debout dans la lueur du poêle, nue et attendant, elle savait que leur poids lui manquerait.

Mais pas longtemps, murmura Asa dans sa tête. *Pas longtemps.*

La maison tout entière trembla quand le sortilège commença. C'était le démantèlement de ses pouvoirs les plus profonds... Mais elle était enfin prête à s'en défaire.

Elle serait libérée de la garde du Très-Bas.

— Tu m'as tout donné, murmura-t-elle.

Il l'entendrait. Il l'entendait toujours.

— Chaque succès, chaque moment de gloire. Les erreurs étaient miennes. Mon pouvoir était entièrement le tien.

La chaleur se répandit en elle, tourna autour d'elle, aussi concrète et attirante que l'étreinte d'un amant. Ses boucles rebondirent autour de son visage pendant que des morceaux de verre cassé commençaient à tournoyer dans la tornade qui l'entourait, brillant sous la lumière orangée du poêle.

Dire qu'elle avait cherché le Très-Bas uniquement parce qu'elle avait eu peur et besoin de lui. Elle était allée le voir à genoux afin de plaider pour la vie de son mari — un homme qu'elle n'aimait ni n'appréciait, mais dont la ferme avait été sa seule source de nourriture et son seul abri. Trop de gens avaient été au courant de sa pratique de l'Art, à une époque où les secrets étaient presque impossibles à garder. En tant que veuve, elle aurait été rejetée, condamnée à mourir de faim.

Mais le Très-Bas avait su voir son vrai potentiel. Il avait élevé Elizabeth, lui donnant la capacité de dépasser toutes les lois des mortels.

Le sortilège d'immortalité avait été le plus grand geste d'amour qu'elle avait essayé dans sa vie. S'il avait complètement fonctionné, elle aurait continué à servir le Très-Bas pour l'éternité, devenant de plus en plus forte, faisant régner Sa volonté, jusqu'au jour du jugement dernier — quand elle se serait tenue à ses côtés et aurait finalement trouvé le bonheur dans l'enfer créé pour elle.

Mais le sortilège avait agi de façon imprévue.

Au lieu de lui assurer une vie éternelle en tant que sorcière en pleine possession de ses talents — l'enchanteresse dont le Très-Bas avait besoin —, le sort l'avait fait rajeunir lentement, très lentement. Au début, cela avait satisfait sa vanité, mais Elizabeth avait rapidement compris où mènerait ce chemin.

Il menait... ici. À son adolescence. Au moment où, si elle rajeunissait encore, ses pouvoirs n'existeraient plus. Elle posséderait une certaine magie, mais elle ne serait plus une enchanteresse.

Ce qui l'attendrait était horrible à imaginer. Quelle horreur d'être une enfant, privée de la magie qui lui permettait d'obliger les autres à la laisser seule et à lui procurer ce dont elle avait besoin pour survivre. Elle passerait des décennies à être prise de haut, placée dans des foyers, interrogée et examinée, éternellement frustrée par le souvenir de ce qu'elle avait été et ne serait jamais plus. Cette existence se terminerait finalement en devenant un bébé, un phénomène étrange pour les gens autour d'elle, et elle serait incapable de se lever, de manger ou de parler.

Non. C'était inimaginable.

Des siècles plus tôt, Elizabeth avait conclu un pacte avec le Très-Bas. Quand les rêves des Cabot cesseraient de montrer Elizabeth dans leur futur, cela voudrait dire que sa magie s'interromprait un ou deux ans plus tard. Mateo ne la voyait plus dans ses rêves. Pour le Très-Bas, cela signifiait...

Eh bien, ce détail ne serait dévoilé qu'en temps voulu. Elizabeth n'avait pas à le savoir. Si elle pouvait affaiblir ou blesser Nadia avant le soir d'Halloween, ou encore mieux, s'assurer de sa mort dans l'incendie à venir, elle le ferait. Le Très-Bas ne méritait rien de moins. Elle pouvait être certaine qu'à la fin, Il se chargerait de Nadia en conséquence.

Il ne lui restait plus qu'à se libérer du service du Très-Bas afin de pouvoir mourir de nouveau, et, ce faisant, Lui rendre le plus grand service de tous les temps.

Le sortilège d'immortalité prendrait fin — seulement un peu affaibli parce que la magie originale était si forte qu'elle voulait durer pour l'éternité. Mais cette fraction de vulnérabilité suffirait pour qu'Elizabeth meure si elle faisait face à un cataclysme assez important. Ou si elle en provoquait un.

Ensemble, ils détruiraient les lignes séparant son monde de celui du Très-Bas. Sa mort amènerait Sa liberté.

— Détruis-moi, murmura-t-elle. Sanctifie-moi.

Le verre cassé s'approcha de plus en plus. Elle se mordit la lèvre au moment de la première entaille, sa peau se fendant, le sang perlant sur sa hanche, mais quand les coupures accélérèrent et que la douleur fut trop puissante et trop glorieuse pour résister, Elizabeth hurla, aussi longtemps et aussi fort que possible, et ce fut le son le plus joyeux qu'elle ne créerait jamais.

Le temps se brouilla. Le monde disparut. Elle trembla et frissonna avant de hoqueter quand les chaînes tombèrent.

Elizabeth était libre. Le Très-Bas l'avait libérée. Elle pouvait de nouveau mourir.

Les larmes emplirent ses yeux pendant qu'elle s'agenouillait par terre. Elle posa son front dans une flaque de son propre sang en train de coaguler. Hormis les toutes dernières, les coupures avaient guéri grâce au pouvoir persistant de régénération de son corps. Elle pleurait seulement à cause de sa perte.

— Mon seul seigneur, murmura-t-elle.

Il pleure aussi parce que tu lui manques, dit Asa d'une voix suggérant qu'il aurait préféré ne rien lui avouer.

Les démons résistaient parfois à leur servitude. Cela ne voulait rien dire.

Elizabeth se leva lentement et prit une de ses bouteilles d'eau, mais sa soif s'était estompée. Comme c'était étrange… Le désir insatiable lui manquait presque. Après quelques gorgées, elle utilisa le reste de l'eau pour rincer le sang de sa peau. Seules quelques coupures nécessiteraient des pansements. Elizabeth n'avait pas eu besoin de produits de ce genre depuis des siècles, alors elle dut déchirer d'anciens chiffons pour les attacher autour des coupures. Le tissu n'était probablement pas propre — elle se souvenait vaguement d'un élément au sujet de la propreté et des infections, appris au cours des derniers siècles —, mais cela avait peu d'importance. Pour le moment, ses autres pouvoirs étaient encore présents.

— Il ne reste plus qu'une tâche, dit-elle au démon enchaîné dans son esprit. Te trouver un endroit.

Même si je suis impatient de te quitter, je ressens le besoin de te signaler… que tu n'as pas fait grand-chose pour arrêter Nadia Caldani.

Elizabeth haussa les épaules.

— Elle ne pose plus aucun problème. L'eau bouillante l'aura effrayée, et maintenant, elle n'a plus d'Alliée.

Ce n'est pas vrai. Son Alliée se trouve toujours à ses côtés.

— C'est impossible.

Verlaine Laughton avait survécu à l'attaque d'Elizabeth à cause d'un coup de chance de la médecine moderne, mais elle était dans le coma depuis une semaine et elle y resterait jusqu'au moment de briser le sceau de la Chambre du Prisonnier. Dans un tel état, Verlaine devait avoir procuré peu de pouvoir à Nadia — et plus aucun une fois que Nadia était partie de l'hôpital de Wakefield.

Je peux seulement te dire ce que je sais. Nadia a toujours une Alliée.

Alors, ce n'était pas Verlaine. Mais qui?

Une idée apparut à Elizabeth, mais elle la rejeta rapidement. C'était ridicule. Absurde.

Et pourtant, s'il n'existait aucune autre possibilité…

Elizabeth écarquilla les yeux quand elle assimila l'incroyable vérité.

Mateo s'arrêta devant la porte.

— Tu es vraiment sûre qu'on ne peut suivre aucune autre piste.

— Malheureusement, aucune ne me vient à l'esprit, répondit Nadia.

Elle se redressa, essayant visiblement de se donner du courage. Le vent automnal fit voler ses cheveux sombres, et une mèche toucha sa joue.

Savait-elle à quel point elle semblait vulnérable dans de tels moments? Mateo pouvait sentir la peur qui la poussait à avancer — la peur pour Verlaine, pour lui, pour sa famille, mais jamais pour elle-même. Mais Nadia lui avait déjà enseigné que cette vulnérabilité n'était pas de la fragilité. Même si elle avait été profondément blessée — pouvait toujours l'être —, rien ne l'avait anéantie.

De plus, il fallait respecter toute personne prête à affronter la grand-mère de Mateo.

Quand le majordome ouvrit la porte de la grande demeure sur la Colline, Mateo afficha son plus beau sourire.

— Oui. C'est la troisième fois que je viens en un an. C'est fou, n'est-ce pas ? C'est comme si j'étais prêt à déménager ici, ou un truc du genre.

— … Madame Cabot s'est retirée.

Il fallut un moment à Mateo pour comprendre que le majordome ne voulait pas dire que sa grand-mère avait quitté son emploi. À sa connaissance, elle n'avait jamais travaillé. Elle était simplement au lit.

— Eh bien, nous devons la voir. C'est important.

À ce moment, il s'arrêta, revoyant les cicatrices horribles sur le visage de sa grand-mère, et imaginant la grande douleur qui avait dû les accompagner.

— Dites-lui que je suis… raisonnable, ajouta-t-il doucement. Tout va bien. Mon amie a simplement quelques questions au sujet de l'histoire de notre famille auxquelles seule grand-mère peut répondre.

Le majordome ne sembla pas emballé, mais il les fit entrer dans un petit salon avant de monter.

— Il doit réveiller ma grand-mère, expliqua Mateo en s'asseyant sur un long canapé ancien au cadre en bois et aux coussins en soie dorée. Ce gars devrait recevoir une prime de combat.

Nadia ne s'assit pas à côté de lui, choisissant plutôt de faire les cent pas dans le salon, une longue pièce étroite ornée de papier peint chargé vert et blanc, et d'innombrables meubles richement sculptés, tous légèrement voilés à cause de la couche de poussière les recouvrant. Au début,

Mateo crut que Nadia était gênée — ce qui n'aurait pas été étonnant —, mais il se rendit compte qu'elle observait une des peintures à l'huile accrochées au mur.

— Je ne peux pas le croire, dit-elle. Tu n'as jamais vu ça?

— Vu quoi?

Généralement, il entrait et sortait le plus rapidement possible de chez sa grand-mère, alors il n'avait pas beaucoup étudié le décor. Mais quand Mateo rejoignit Nadia, il vit qu'elle pointait du doigt un vieux portrait de famille... Très vieux, à en juger par son allure. Les visages étaient plats et les proportions, faussées, ce qui lui rappela les toiles de George Washington ou Benjamin Franklin qu'il avait vues dans les livres d'histoire.

— Mateo, regarde, insista Nadia. Regarde vraiment.

C'était presque comme s'il devait se forcer à le faire. Pourquoi? Mais il comprit lentement quand il se concentra sur une personne derrière le groupe, se tenant légèrement sur le côté... Une femme âgée dont les longs cheveux bouclés étaient à moitié bruns, à moitié gris, et dont les yeux...

— Elizabeth, murmura-t-il.

Même à cette époque lointaine, elle était déjà là, comme une sangsue ou un rémora sur sa famille, les vidant de leur énergie.

— Vous êtes importants pour elle, dit Nadia sans quitter le portrait des yeux. Vous tous. Sa magie est peut-être profondément liée à ta famille, d'une façon que nous n'avons pas encore devinée. Les visions — aussi horribles et bouleversantes soient-elles, — ne sont pas la seule chose qu'elle a faite aux Cabot. Pas la seule chose qu'elle t'a faite. Nous commençons seulement à la comprendre.

La bouche de Mateo était sèche. La colère monta de nouveau en lui, brûlante et aveuglante, mais il refusa de la laisser l'emporter. Qu'il devienne fou à cause de cela, peu importe si c'était compréhensible, c'était ce qu'Elizabeth recherchait.

La porte du salon s'ouvrit et le majordome dit :

— Suivez-moi.

Il les amena à la salle de musique, là où la grand-mère de Mateo l'accueillait toujours quand il venait. Elle n'avait même jamais invité son petit-fils à monter l'escalier. Même si le soir tombait seulement, elle portait déjà une chemise de nuit au-dessus de laquelle elle avait enfilé un gros peignoir douillet. Ses cheveux étaient ébouriffés, mais elle était toujours aussi hautaine. Bien sûr, elle était placée de telle sorte que le côté défiguré de son visage se trouve dans l'ombre.

— Le majordome m'a dit que tu ne semblais pas fou, dit-elle au lieu de le saluer. Mais je dois t'avertir qu'il est armé.

— Ça fait aussi plaisir de te voir, répondit Mateo en indiquant Nadia. Voici Nadia Caldani, mon... amie.

Il n'avait pas encore le droit de lui donner un autre nom.

— Nadia, voici ma grand-mère. Grand-mère, Nadia a quelques questions et toi seule peux y répondre.

— Si tu es ici pour savoir s'il est conseillé de sortir avec un membre de la famille Cabot, la réponse est non, dit sa grand-mère à Nadia.

Celle-ci s'approcha.

— Que savez-vous au sujet d'Elizabeth Pike ?

La question prit visiblement la grand-mère de Mateo de court.

— … Elizabeth Pike ? Grand Dieu. Que veux-tu savoir à son sujet ?

— Tout ce dont vous vous souvenez, insista Nadia.

C'était la première personne que Mateo voyait ne pas être intimidée du tout par sa grand-mère.

Il se dit que si cette dernière n'avait pas été complètement prise de court par la question, elle les aurait jetés à la porte. Au lieu de cela, elle resta assise, cherchant ses mots.

— Elle était… libertine, comme on disait à l'époque. Le genre de jeune fille qui essayait de séduire tous les hommes, dont mon mari. Il ne s'est jamais rien passé de déplacé entre eux. Il me l'a affirmé et… je le crois toujours, malgré tout le reste. Mais la façon dont elle tournait autour de lui ! C'était effronté. Et il était faible, comme la plupart des hommes. Une belle jeune femme qui lui donnait de l'attention… Eh bien. Il n'a jamais eu d'aventure, mais il se confiait à elle. Il lui parlait de ses rêves, de ses pensées, ce genre de choses. Cela enflait probablement son ego. En quoi cela est-il important maintenant ?

— Tu serais étonnée, dit Mateo.

Ses pensées se mélangèrent, bourdonnant dans sa tête comme un essaim d'abeilles. Elizabeth avait utilisé son grand-père comme elle l'avait utilisé.

Nadia opina.

— Et comment Elizabeth a-t-elle connu votre fille ? La mère de Mateo ?

— Lauren a adopté cette fille comme si c'était une petite sœur, voire une fille.

Sa grand-mère le dit automatiquement, sans montrer de curiosité au sujet d'une personne qu'elle se rappelait en tant qu'adolescente aux côtés de son mari et qui était restée une adolescente des années après la mort de ce dernier.

« Elle ne nous permet pas de nous souvenir, pensa Mateo en frissonnant. Elizabeth ne nous laisse pas voir ce qui se trouve juste sous nos yeux. »

— Et mademoiselle Pike avait une mauvaise influence. Je suis toujours convaincue que c'est elle qui a dit à Lauren qu'il n'était pas trop tard pour avoir un enfant. Elle l'a convaincue d'essayer d'avoir un bébé-éprouvette.

Mateo était sous le choc. Pas parce que sa grand-mère regrettait sa naissance — elle avait été parfaitement claire sur ce point à de nombreuses reprises. Ce qui lui faisait mal, c'était qu'Elizabeth soit *à l'origine de sa naissance*. Il était son… invention. Sa possession, de façons plus nombreuses que ce qu'il aurait pu imaginer.

— Un bébé-éprouvette, murmura Nadia. C'est le nom qu'on donnait avant à la FIV, n'est-ce pas ? La fécondation in vitro ?

— J'ignore le nom de la technologie.

Sa grand-mère fit la moue.

— Tout ce que je sais, c'est que cela a rendu l'impossible possible. Une femme qui n'était plus en âge d'avoir des enfants a pu donner naissance à un fils qui allait perpétuer la malédiction des Cabot.

Nadia se tourna vers Mateo, prête à exploser de joie.

— Mateo, tu ne comprends pas ? C'est pour ça que tu es mon Allié ! Aucun homme descendant d'une femme !

Mateo écarquilla les yeux quand il comprit ce qu'elle voulait dire. Techniquement, ses cellules avaient commencé à se diviser dans une boîte de Petri. Cela voulait-il dire qu'il ne « descendait pas d'une femme » pour la malédiction ou le sort empêchant les hommes de posséder des pouvoirs magiques ? Cela devait être la réponse.

— Que veut dire ce radotage ? demanda sa grand-mère en plissant son bon œil.

Visiblement excitée par la découverte, Nadia répondit.

— Vous nous avez donné beaucoup d'information à prendre en considération. Juste une dernière chose... Votre mari ou votre fille ont-ils déjà parlé de... points faibles ou de vulnérabilité concernant Elizabeth Pike ? Des endroits où elle devait absolument aller, des biens qui étaient extrêmement importants pour elle ?

— Pas que je me souvienne. Attendez. Il y avait une chose... Lauren la retrouvait toujours à l'école. Elizabeth Pike semblait totalement attirée par ce lieu. À l'époque, je croyais que c'était parce qu'elle était une bonne élève. Mais aucun adolescent n'aime autant l'école.

C'était la première information sensée et utile que Mateo avait entendue sortir de la bouche de sa grand-mère. Dommage que cela ne les aide pas vraiment : ils savaient déjà que les plans d'Elizabeth ne concernaient pas l'école, alors rien au lycée Rodman n'avait de lien avec ceux-ci.

Nadia opina, déçue.

— D'accord. C'est tout ce que nous devions savoir. Merci de nous avoir parlé, et désolée de vous avoir réveillée.

Avant qu'ils puissent partir, la grand-mère de Mateo dit :

— Vous êtes une jeune fille très polie, Mademoiselle Caldani. Vous semblez raisonnable. Mais le lien entre mon petit-fils et vous est beaucoup trop clair.

Était-ce si évident pour tout le monde ? Émettaient-ils des étincelles ? Quand le regard de Mateo croisa celui de

Nadia et qu'il sentit ce moment électrique entre eux, il aurait pu le croire.

— Pour votre bien, Mademoiselle Caldani, tenez-vous loin, continua sa grand-mère. J'ai payé le prix pour avoir aimé un Cabot. Croyez-moi, vous ne voulez pas le payer aussi.

— Vous ne pouvez pas me dire qui aimer, déclara Nadia, si calme et sûre d'elle que Mateo en eut le souffle coupé. Je ne peux pas le décider moi-même. Parfois, l'amour nous choisit.

— Nadia, dit-il.

Sa voix se brisa quand il prononça son nom.

Celle-ci continua.

— Madame Cabot, ce qui vous est arrivé est terrible. Et croyez-moi, je sais que la malédiction est réelle. Mais j'ai des moyens de me battre que vous ne possédiez pas. Je peux donner à Mateo une chance que personne d'autre ne peut lui offrir. Et je ne l'abandonnerai pas, peu importe ce qui arrive.

Elle prit sa main et ils sortirent ensemble.

Sa grand-mère devait être trop abasourdie pour dire quoi que ce soit.

Pendant le trajet pour rentrer chez elle, alors que la moto de Mateo filait le long des rues sinueuses de Captive's Sound, la tête de Nadia tournait à cause de ce qu'elle venait d'apprendre. Aussi importante que soit l'information concernant Elizabeth, elle revenait constamment à la découverte au sujet de la FIV.

Apparemment, les bébés garçons conçus de cette façon étaient protégés des pouvoirs les tenant à l'écart de la magie. Cela expliquait le fait que Mateo était maintenant son Allié ;

même si Nadia avait accepté ce fait depuis longtemps, elle était heureuse d'avoir une explication.

Cependant... Des milliers de bébés garçons avaient été conçus de cette façon. La FIV avait débuté dans les années 1970, n'est-ce pas ? Ce qui signifiait qu'il existait des hommes adultes capables de posséder des pouvoirs magiques. Pouvaient-ils aussi s'en servir ? Pour la première fois dans l'histoire de l'humanité, existait-il des sorciers ?

Mateo et elle étaient peut-être les premiers à découvrir cette information. Aucune autre sorcière n'aurait pensé à enquêter sur quelque chose considéré comme normal par tous les principes de la magie et les Premières Lois.

Mais si personne ne connaissait cette information... Que pouvait-il exister d'autre à découvrir ?

La moto s'arrêta à un demi-pâté de maisons de chez Nadia. Elle se sentit soulagée : elle ne voulait pas que son père sorte pour dire bonjour. Pas maintenant. Pas après ce qu'elle avait dit dans la maison de madame Cabot sur la Colline.

Elle enleva son casque et descendit de moto. Mateo passa une jambe par-dessus la machine et se tint devant elle. Quand Nadia lui tendit le casque, il saisit ses doigts et ils restèrent ainsi, tenant le casque, comme s'ils avaient encore besoin d'une excuse pour se toucher.

— Qu'allons-nous faire, maintenant ? demanda Mateo.

— Nous devons nous préparer à affronter Elizabeth.

Nadia sentit à nouveau le poids des responsabilités l'écraser.

— Elle va attaquer la magie de la ville, alors nous devrions tous la couvrir. Grâce à ce que je peux dévoiler à l'aide de mes sortilèges et à ce que tu peux voir, nous devrions pouvoir découvrir la plupart des forces les plus puissantes qu'Elizabeth utilise.

— Comme ce qu'elle a fait à Verlaine, dit Mateo.

Nadia frissonna involontairement.

— Une fois que nous aurons plus de renseignements sur ses sortilèges, nous saurons ce qu'elle veut attaquer. À ce moment-là, je pourrai trouver comment la combattre et maintenir les sortilèges en place.

Les yeux sombres de Mateo trahirent son incrédulité.

— Tu vas te battre pour protéger sa magie ?

— Elle fait maintenant partie de la ville, pour le meilleur et pour le pire, répondit-elle avant de se reprendre. D'accord, surtout pour le pire. Mais Elizabeth fait partie de l'essence de Captive's Sound. Ça signifie qu'elle peut détruire ce lieu. Si maintenir sa magie en place est le seul moyen de l'arrêter, alors c'est ce que nous allons faire.

— Alors, nous allons nous battre pour ma malédiction ? demanda Mateo.

Mais aussi atroce que cela doive lui paraître, il se contenta de sourire tristement.

— Je ne l'aurais pas cru.

— Mateo…

— Ça va.

La lueur de la lune illuminait la douceur de ses cheveux bruns, dessinait les lignes de ses pommettes et de sa mâchoire.

— Si c'est ce que nous devons faire, alors nous le ferons. C'est toi qui m'as dit que j'étais assez fort pour supporter la malédiction, qui m'en as convaincu.

La responsabilité écrasa un peu plus Nadia, mais elle la combattit. Elle enleva le casque des mains de Mateo, l'accrocha à la moto et lui prit les mains. Plus d'excuses. Plus question d'attendre.

— Ne fais pas ça seulement à cause de moi.

— Ce n'est pas le cas. Mais je le ferais.

Mateo plaça ses doigts autour des siens, si doucement et lentement que sa peau fourmilla. Au début, Nadia voulut détourner le regard, soudain timide, mais quand leurs yeux se croisèrent, elle ne put imaginer se détourner de lui.

Sa voix était grave.

— Ce que tu as dit là-bas…

— Je le pensais. Je ne vais pas t'abandonner.

— Je ne parlais pas de ça.

Ils ne s'étaient jamais embrassés. C'était la première fois qu'ils se touchaient de cette façon. Avait-elle été trop rapide ?

— Peut-être… Peut-être que tu penses que c'est trop tôt…, dit-elle.

— Je t'aime aussi.

Mateo secoua la tête, aussi incrédule que lorsqu'il avait promis de se battre pour protéger sa propre malédiction.

— Grâce aux visions, je savais que ça serait le cas… Quand je t'ai vue en danger, je n'ai pas seulement eu peur. Ça m'a brisé le cœur. Alors, j'ai lutté contre mes sentiments. Je ne voulais pas que les visions soient réelles, aucune partie d'elles, pas même celle m'indiquant que j'allais aimer une personne aussi incroyable que toi. Mais j'ai eu beau te repousser de toutes mes forces, tu n'as cessé de revenir. Tu es acharnée, tu le sais ? Tu voulais me comprendre. Tu voulais me connaître. Tu voulais me sauver, et je crois que tu es la seule à pouvoir le faire.

Et pourtant, chaque fois qu'elle avait voulu abandonner, c'était Mateo qui lui avait donné le courage de continuer.

C'était lui qui la sauvait, pas l'inverse. Nadia commença à le lui dire, mais quand elle leva les yeux vers lui, il se pencha en avant et leurs lèvres se touchèrent.

La nuit ne fut plus froide. Le vent n'emmêla plus ses cheveux, ne la fit plus frissonner. Nadia ne sentait plus que les lèvres de Mateo contre les siennes, ses bras l'enlaçant, et une délicieuse chaleur semblait luire en elle.

Quand ils se séparèrent, Nadia dut reprendre son souffle.

— Donc... Pas trop tôt, murmura-t-il.

Elle lui sourit, mais la tristesse dans les yeux de Mateo la surprit.

— Qu'est-ce qui se passe ?

— En dehors de la sorcière qui m'a maudit, qui t'a attaquée et qui soupçonne déjà que nous en savons trop au sujet de la dévastation prochaine qu'elle planifie de lâcher sur toute la ville ?

— D'accord, oui, ça suffit, admit-elle. Mais nous sommes ensemble dans cette situation, dans tout.

« Elizabeth ne peut pas nous enlever cela », faillit dire Nadia, mais elle se retint. Elizabeth *pouvait* leur enlever ce qu'ils vivaient... Elle avait d'ailleurs menacé de le faire.

À cette heure, Elizabeth devait s'être rendu compte qu'ils étaient proches. C'était uniquement parce qu'elle ne considérait pas Nadia comme une véritable menace qu'elle ne l'avait pas encore détruite. Mais Elizabeth serait capable de lui enlever Mateo par pure cruauté. D'utiliser sa douleur contre Nadia, ou de transformer la malédiction en une nouvelle horreur inimaginable.

À en juger par l'expression de Mateo, Nadia sut qu'il pensait la même chose.

— Nous devons être prudents, dit-il. Je lui ai déjà mis la puce à l'oreille, mais… nous pouvons éviter d'aggraver mon erreur. Travaillons séparément afin de ne pas éveiller davantage ses soupçons.

— Oui. Faisons ça.

Mais l'idée de se séparer de lui, même pour le court laps de temps restant avant Halloween, déprimait Nadia. Ils pourraient s'appeler, s'envoyer des textos, mais…

— Je ne veux pas la laisser t'enlever à moi.

— La fête de Gage. Nous nous verrons là-bas. Nous pourrons passer en revue ce que nous avons appris, promit Mateo. Et… nous serons ensemble. Toi et moi.

— Toi et moi.

Nadia lisait le dernier texto de Mateo — *Je ne sais pas ce qui crée une lueur rouge sombre autour de la bibliothèque de la ville, mais c'est dégoûtant… comme du fil barbelé fait de flammes* — quand elle entendit son père.

— D'accord, nous allons charger la voiture.

Il déposa le sac à dos Buzz l'Éclair de Cole à côté de la porte.

— Tu es sûre d'avoir tout ce qu'il te faut.

— Oui, répondit Nadia en se forçant à sourire de façon naturelle. Il y a de la nourriture dans l'armoire, j'ai les numéros de téléphone des voisins, et toutes les coordonnées à New York.

Son père posa les mains sur ses épaules.

— Tu es certaine que tu ne veux pas nous accompagner, chérie ? C'est gentil de ta part de vouloir terminer le travail de groupe pour que Verlaine obtienne tous les points, mais tu sais que cela ne la dérangerait pas que tu partes quelques jours avec nous.

— Je sais. Je... Je me sentirai mieux si je le termine.

Était-ce la dernière fois qu'elle voyait son père ? Son petit frère ? Pour la première fois, Nadia se demanda ce qu'ils ressentiraient si quelque chose lui arrivait... S'ils la perdaient, comme ils avaient déjà perdu sa mère... Mais non. Elle ne pouvait pas penser à cela.

Cole descendit, son manteau à moitié mis.

— Papa et moi allons faire des trucs de gars, annonça-t-il fièrement. On va voir une partie des Knicks.

— *Si* je peux avoir des billets, précisa son père avant de sourire à Nadia. Pas de fête à la maison pendant mon absence, d'accord ?

Elle aurait dû lui dire qu'il était ridicule, ou promettre de bien se conduire avant de sourire pendant qu'ils sortaient. Au lieu de cela, Nadia enlaça son père et le serra fort. Même s'il sembla étonné, il l'étreignit à son tour. Quand elle crut pouvoir parler sans pleurer, elle dit :

— Vous allez me manquer.

— Chérie, es-tu sûre que tout va bien ?

— C'est juste... Être seule. C'est bizarre. Tu sais.

— Oui. Je sais.

Et il était bien placé pour le savoir, n'est-ce pas ?

— Nous pouvons rester.

— Non, on ne peut pas ! cria presque Cole, faisant heureusement sourire Nadia.

— Vraiment, tout va bien, insista-t-elle. Appelle-moi quand vous arriverez, d'accord ?

— Promis.

Sur ce, son père et Cole partirent. Nadia resta devant la fenêtre pour regarder la voiture s'éloigner jusqu'à ce que les phares disparaissent dans le crépuscule.

— Super! dit Gage en levant les mains au-dessus de sa tête.

Mateo les frappa en entrant, feignant une joie insincère.

— On peut commencer.

— On dirait que la fête a déjà commencé, commenta Mateo.

Il y avait déjà quelques dizaines de personnes qui riaient et parlaient, dont certains membres du groupe des abrutis, y compris Jeremy Prasad, mais leur présence de si bonne heure voulait peut-être dire qu'ils partiraient tôt.

— Ça commence seulement à être bien, promit Gage. Bon, il y a quelques boissons de type contrôlé. Elles sont offertes pour les gens qui ne conduisent pas ou qui n'essaient pas de détruire leur cerveau, surtout parce que j'espère vraiment ne pas devoir nettoyer du vomi plus tard. Ces catégories te correspondent-elles?

— Oui. Je suis venu à pied.

Et Mateo ne ressentait plus le besoin de tout oublier. Même s'il se sentait très mal pour Verlaine — ce qui était assez atroce —, il ne voulait plus échapper à ses problèmes. Il allait les affronter.

Et ce soir, il pourrait faire mieux que ça. Parce que ce soir, Nadia et lui…

Quoi exactement? Il n'en était pas sûr. Mais s'ils allaient affronter le danger ultime demain, Mateo voulait passer sa dernière nuit aussi proche de Nadia que possible.

Une cannette à la main, il se rendit sur le porche faisant face à la mer. Quelques personnes se bousculaient sur le sable, mais il était plus ou moins seul. Des carillons en verre bleu-vert tintaient doucement sous la brise.

Cette situation lui semblait étrangement familière, mais il ne pouvait la replacer. Il n'avait certainement jamais mis les pieds chez la tante de Gage. Il s'en souviendrait. Mais quel que soit le moment auquel il s'était rendu ici, ou dans une autre maison le lui rappelant, il s'était bien amusé. Mateo se sentit bien et détendu pour la première fois depuis trop longtemps.

Alors qu'il se calait dans les coussins de la balançoire, il entendit une voix douce.

— Mateo.

Nadia était si belle. Elle portait une douce robe blanche qui laissait deviner toutes ses courbes, et ses cheveux noirs brillaient sous la lueur de la lune. Mais rien n'était aussi incroyable que ses yeux quand elle l'observa. Mateo avait l'impression de pouvoir à peine parler, mais il réussit à murmurer :

— Nadia.

— Est-ce que tu m'attendais ?

Plus qu'il en avait été conscient.

— Oui. Je t'attendais.

Il tendit une main et elle la prit. Quand Nadia s'assit à côté de lui — sa cuisse touchant celle de Mateo, son visage si proche —, il déglutit.

« Ce soir, pensa-t-il quand Nadia se blottit contre lui. Au moins, nous avons ce soir. »

Derrière son masque — l'illusion de Nadia que seul Mateo verrait, celle qui le rendrait faible —, Elizabeth se détendit dans ses bras et sourit.

Chapitre 21

Sur la plage, un brasero crépitait, entouré de quelques personnes qui chantaient en même temps que la musique, leurs voix trop aiguës, trop graves, légèrement fausses. Il pouvait entendre la fête dans la maison, tout autour d'eux, mais cela n'avait aucune importance. Mateo ne pouvait détourner les yeux de Nadia.

Elle était blottie contre lui sur la balançoire, frissonnant à cause du froid. Sa robe blanche était trop mince pour l'air nocturne d'octobre, refroidi par la proximité de l'océan. Mateo enleva sa veste et la déposa sur ses épaules. À ce moment, Nadia lui sourit timidement.

Déjà vu. C'était le nom de ce sentiment, celui qui donnait l'impression d'avoir déjà fait quelque chose auparavant.

Mais ils devaient parler de choses importantes, de choses dont Mateo devait parler avant d'être trop ivre à force de regarder Nadia.

— Tu as reçu le fichier que je t'ai envoyé au sujet de toute la magie que j'ai vue dans la ville. Je ne connais pas la signification de la majorité de ces choses — de presque toutes —, mais au moins, tu as l'information. As-tu remarqué un… schéma, quelque chose que nous pourrions utiliser ?

Nadia réfléchit un moment avant de sourire.

— Pourrait-on ne pas s'inquiéter de ça pour le moment ?

Mateo trouva sa réponse étrange, mais leur courte séparation lui avait tellement donné envie de la voir… Et il devait peut-être clarifier ce fait avant de parler de quoi que ce soit d'autre…

— Tu es splendide, dit-il avant de fermer les yeux avec l'impression de tout faire de travers. Je veux dire… C'est étrange de penser à ça alors que Verlaine est toujours…

— Chut.

Nadia posa un doigt sur les lèvres de Mateo, une action beaucoup plus séduisante qu'il ne l'aurait cru.

— Ça va. Ce soir, pensons juste à nous.

Mateo passa une main dans ses cheveux, qui étaient aussi lourds et doux que dans ses rêves. Elle ferma les yeux comme… Comme si elle aimait ce geste, comme s'il la faisait frissonner, et le cœur de Mateo s'emballa.

Il glissa deux doigts sur son ventre — sa peau était chaude à travers le mince coton de sa robe — et glissa sa main dans son dos, serrant Nadia contre lui. C'était terrifiant, mais pourquoi ? Nadia était la seule fille qui avait vraiment compté pour lui… La seule qu'il avait aimée. Mais peut-être cela rendait plus difficile le fait de croire qu'il pouvait être avec elle.

Mais il pouvait le croire. Au diable la malédiction. Au diable Elizabeth et ses plans. Nadia et lui vivaient quelque chose qu'Elizabeth ne pouvait leur enlever.

Mateo ferma les yeux en se penchant vers Nadia.

Contre ses lèvres, celle-ci murmura :

— Mon Allié.

— Ton Allié. Entièrement tien, répondit-il. Pour toujours.

Puis il l'embrassa.

Elizabeth garda les yeux ouverts pendant que Mateo l'embrassait.

Un Allié mâle! Cela allait à l'encontre de toutes les lois magiques, de tous les principes de l'Art. Même le Très-Bas n'aurait pas dû pouvoir accomplir un tel exploit. Mais Nadia Caldani l'avait fait.

« Son pouvoir est étrange », pensa Elizabeth. Nadia n'était pas plus forte qu'elle, mais ses talents pouvaient servir des buts mystérieux. C'était peut-être ce qui la rendait si importante dans les visions de Mateo. C'était aussi pour cela qu'Elizabeth allait devoir prendre de nouvelles mesures pour s'assurer que Nadia ne gâche pas la soirée du lendemain.

Ces mesures seraient beaucoup plus faciles, maintenant qu'Elizabeth pouvait se servir de son Allié.

Mateo continuait à l'embrasser, ses mains la tenant contre lui, ses lèvres se posant sur ses joues et sa gorge. Il était presque amusant pour Elizabeth de sentir sa propre réaction physique... Quelle idée d'être emballée par une chose aussi stupide et primitive que le sexe! La raison en était certainement qu'Elizabeth ne s'était pas fait plaisir depuis si longtemps. Elle rit doucement avant d'embrasser Mateo.

Un Allié fournissait un immense pouvoir à la sorcière à laquelle il était lié. Mais les sortilèges de n'importe quelle sorcière verraient leur puissance augmentée à proximité de l'Allié d'une autre. Elizabeth garderait Mateo à ses côtés à partir de maintenant, jusqu'à sa mort. Il mourrait peut-être avec elle. C'était poétique, d'une certaine façon : mourir en enlaçant le dernier Cabot.

— Partons d'ici, murmura-t-elle en sachant que Mateo entendrait la voix de Nadia, qu'en ce moment même il voyait son visage.

L'illusion n'était destinée qu'à lui... Tous ceux qui regardaient voyaient Elizabeth Pike et Mateo Perez partager une étreinte passionnée. Mais cela lui permettait d'augmenter la force de l'illusion pour Mateo, de la rendre plus attirante.

— Toi et moi.

Il semblait si jeune, si nerveux et plein d'espoir.

— Oui, dit-il avant de déglutir. Nous devons parler de la meilleure façon d'utiliser nos renseignements pour attaquer Elizabeth...

— Nous pourrions faire autre chose.

Elle l'embrassa dans le cou et sut qu'il la suivrait, quoi qu'il arrive.

« D'accord, pensa Mateo. Nous allons tout passer en revue. Finaliser nos plans contre Elizabeth. C'est ce que nous faisons vraiment, ici. Du moins, c'est ce que nous allons faire en premier. N'est-ce pas ? »

Cependant, quelque chose dans la façon dont Nadia l'avait embrassé — comme si elle le voulait en entier, corps et âme...

« Le monde risque de se terminer demain, se rappela Mateo. Vis le moment présent. »

Il serra la main de Nadia. Il avait toujours imaginé qu'elle avait de minuscules mains, mais sa paume était alignée avec la sienne, ses doigts si longs qu'ils semblaient faire le tour de son poignet.

— Où allons-nous ? murmura-t-il.

Ils étaient sur la plage, la fête de Gage n'étant plus que quelques lumières qui scintillaient derrière eux.

Elle lui lança un regard séducteur par-dessus son épaule.

— Je connais un endroit.

Une pensée fugace traversa l'esprit de Mateo.

« Pourquoi n'allons-nous pas chez elle ? »

Son père et son frère étaient en voyage. C'était de toute évidence le meilleur moyen d'être tranquilles aussi longtemps qu'ils le voulaient… Pour parler et faire des plans et… quoi que ce soit d'autre, pendant toute la nuit.

Il déglutit.

Mais ils allaient dans la direction opposée à la maison de Nadia et, de toute façon, elle le lui aurait dit.

Il devrait peut-être le suggérer.

— Si on allait chez toi ?

— J'ai une meilleure idée.

Nadia s'approcha de lui. C'était drôle… Elle était également un peu plus grande que dans ses souvenirs. Les pieds de Mateo s'étaient peut-être enfoncés dans le sable. Elle l'embrassa, lentement et profondément, et pendant quelques secondes, ses soucis s'envolèrent. Quand leurs lèvres se séparèrent, et tandis que Mateo tentait de reprendre son souffle, Nadia dit :

— Lie-toi à moi.

— Nous sommes déjà liés. Je suis ton Allié, tu te rappelles ?

Il posa ses mains sur la taille de Nadia.

— C'est différent. Mieux. Ça nous gardera proches l'un de l'autre, peu importe ce qui arrive.

Elle sourit avant d'ajouter :

— Tu me fais confiance ?

— Bien sûr.

Nadia prit les poignets de Mateo et commença à murmurer une sorte d'incantation. C'était différent des sortilèges qu'il l'avait vue lancer auparavant, et il le sentit immédiatement, comme si des cordes invisibles s'enroulaient autour de ses mains, les ligotant.

Mateo avait présumé que «proches l'un de l'autre, peu importe ce qui arrive» avait un sens émotionnel, pas physique. C'était comme si... Eh bien, comme si elle l'avait menotté.

— Euh, Nadia?

Il ne put s'opposer à elle parce qu'ils n'étaient plus seuls.

— Qu'est-ce qu'on a ici?

Jeremy Prasad s'était apparemment éloigné de la fête. Il avait une bouteille dans une main, et arborait son éternel rictus arrogant.

— Ouah! Mateo, je savais que tu n'avais pas beaucoup de chance avec les filles, mais voici un conseil : elles aiment qu'on commence par les amener à l'*intérieur*.

Mateo avait envie de dire à Jeremy de foutre le camp, mais ce qu'il voulait surtout, c'était libérer ses mains, et le sortilège lancé par Nadia était très puissant. Trop puissant.

Elle jaugea Jeremy du regard et dit simplement :

— Tu feras l'affaire.

Elle leva alors une main et c'était... impossible à décrire. Quelque chose de plus sombre que la nuit, peu substantiel et tourbillonnant comme l'encre de pieuvre dans l'eau, fila dans les airs, presque trop rapidement pour que Mateo puisse le voir, avant de transpercer le corps de Jeremy comme une multitude de couteaux.

Le visage de celui-ci se figea en une expression de douleur et de choc, puis il se détendit et tomba lourdement face contre terre. La bouteille atterrit à côté de lui et la bière se mit à couler, formant une flaque autour d'une des mains de Jeremy.

Mateo sut simplement en le regardant qu'il était mort.

Il se tourna vers Nadia, comprenant en le faisant que ce n'était pas Nadia. Alors qu'il la regardait, horrifié, son visage et son corps semblèrent fondre, comme du sucre se dissolvant dans l'eau. Le masque se fendit, s'écailla et disparut, laissant place à Elizabeth.

Elle n'était plus à moitié animale, elle n'était plus couverte d'or tourbillonnant. Elle était seulement elle-même, tout en étant plus terrible que jamais.

— J'aurais bien conservé l'illusion un petit moment, dit-elle en s'excusant presque. Tu aurais aimé passer la nuit avec la fille que tu aimes. Je suppose que je te devais au moins ça. Mais je n'avais pas le choix. Aucune illusion n'aurait tenu après m'avoir vue tuer quelqu'un.

Mateo eut envie de vomir. Il voulait se débarrasser du goût de ses baisers. Mais ce qu'elle lui avait fait n'était rien comparé au fait que le corps mort de Jeremy Prasad se trouvait à quelques mètres seulement. Ce garçon était... Il avait été un idiot de première, aucun doute là-dessus, mais il ne méritait pas cela. Il était maintenant allongé sur la plage comme les autres ordures laissées par la marée.

Mateo savait qu'il ne servait à rien d'essayer de fuir. Même avant qu'Elizabeth ne l'ait lié à elle... Pourquoi avait-il accepté ? Pourquoi ne s'était-il pas rendu compte que ce n'était pas le style de Nadia, que celle-ci aurait insisté pour commencer par mettre au point un plan ? Elizabeth aurait été capable de l'empêcher de partir, alors il évoqua la seule chose qui comptait.

— Tu m'as. Alors, tu n'as pas à t'en prendre à Nadia. Laisse-la tranquille.

Elizabeth secoua la tête.

— Il est beaucoup trop tard pour ça.

Elle se pencha ensuite pour ramasser un coquillage — grand, plat, avec un bord ondulé et tranchant.

— Ça va fonctionner. Les coupures n'ont pas besoin d'être fines.

Mateo regarda, horrifié, pendant qu'elle allait à côté du corps de Jeremy. Elle le retourna sur le dos. Le visage de Jeremy — détendu et inexpressif, parsemé de sable — était la chose la plus horrible qu'il ait vue.

Du moins, ça l'était jusqu'à ce qu'il voie Elizabeth approcher le coquillage des yeux de Jeremy. À ce moment, Mateo dut détourner le regard.

La fête de Gage semblait déjà battre son plein quand Nadia arriva. Elle comprit qu'elle en avait fait un peu trop. La plupart des gens portaient des jeans, des pantalons en velours côtelé ou des tricots, alors qu'elle portait une robe noire assez courte. Elle avait aussi des talons. Il y avait plus de noir dans sa garde-robe que dans celle de la majorité des habitants de la ville. C'était probablement son côté citadine de Chicago qui ressortait. Mais être trop bien habillée en valait la peine, juste pour voir l'expression de Mateo quand il l'apercevrait ainsi vêtue.

Bien sûr, s'ils se rencontraient ici, c'était surtout pour élaborer des plans. Le reste était secondaire.

Mais il n'y avait rien de mal à avoir une allure soignée.

Elle se fraya un chemin parmi la foule — des couples en train de se peloter, six ou sept filles essayant de se coller pour prendre une seule photo. Pendant un moment, Nadia se rappela que Verlaine était censée être ici avec elle, à la première fête à laquelle elle avait été invitée. L'injustice de ce qu'elle avait subi ne cesserait jamais de retourner l'estomac de Nadia.

Elle avait besoin de réconfort, ou d'une personne qui la comprenne, alors elle se mit à la recherche de Mateo dans la pénombre. Il détesterait ce genre de fête autant qu'elle…

Nadia sourit quand elle comprit que Mateo l'attendrait à l'extérieur. C'était ce qu'elle aurait fait, une autre façon dont ils se ressemblaient.

Elle sortit donc sur le porche qui entourait la maison. En dessous, sur le sable, des personnes froissaient des feuilles de journaux avant de les jeter dans un brasero, essayant de nourrir une flamme vacillante. Seules quelques personnes se trouvaient sur le porche, alors Nadia se dirigea vers l'arrière de la maison.

Mais Mateo n'était pas là. Au lieu de cela, elle trouva Gage assis sur une grande balançoire en bois, l'air un peu mélancolique.

Elle devait au moins aller le saluer.

— Hé! Super fête.

Avec un peu de chance, ses propos sembleraient sincères.

— Je suppose, répondit Gage en haussant les épaules.

Il ne s'amusait visiblement pas.

— As-tu vu Mateo?

L'expression de Gage se fit plus lugubre encore.

— Ouais. J'ai vu Mateo.

Nadia se rapprocha.

— Que veux-tu dire? Quel est le problème?

— Ah. *Ah*. C'est… gênant.

Gage passa une main dans ses tresses en se redressant.

— Euh, écoute. En général, je ne participe pas aux commérages, d'accord ? Mais il vaut mieux que tu entendes ce qui suit de ma bouche plutôt que de celle de Kendall Bender.

— Entendre quoi ?

— Mateo... Je pensais que vous étiez... Que vous étiez peut-être... Tu sais. Mais il est parti avec quelqu'un d'autre, ce soir.

Nadia eut l'impression de recevoir une gifle. Cela ne pouvait pas être vrai. C'était *impossible*.

Gage se pencha, les avant-bras sur les genoux, pour regarder le porche.

— Le truc, c'est qu'il a toujours dit qu'il ne l'aimait pas de cette façon. Et j'ai toujours eu un faible pour elle. Mateo le savait. D'accord, c'était sa meilleure amie... J'aurais dû m'en rendre compte... Mais quand même. Après tous ces mois passés à me dire que je devais tenter ma chance avec Elizabeth, le voir l'embrasser à ma propre fête... Ça m'a blessé, je suppose.

— Attends.

Nadia attrapa Gage par les épaules, ce qui le surprit visiblement, mais elle s'en fichait.

— Es-tu en train de me dire que Mateo est parti avec *Elizabeth Pike* ?

— Oui.

— C'est impossible.

— Ça avait l'air assez possible de là où j'étais.

Il était impossible qu'il soit parti avec elle de son plein gré. Elizabeth l'avait forcé — que ce soit au moyen d'un sortilège ou d'une menace, c'était impossible à savoir. Mais Mateo était son prisonnier. Elle avait déjà tenté de tuer Verlaine. Et maintenant... Maintenant, elle possédait le pouvoir d'Allié de Mateo pour augmenter sa puissance le lendemain soir…

— C'est nul, n'est-ce pas ? soupira Gage. Mais on aurait vraiment dû le prévoir.

— Par où sont-ils partis ? Dis-le-moi !

— Sérieusement, ne pars pas à leur recherche. Tu te sentiras seulement encore plus mal.

— Gage, c'est important.

Il ne pouvait deviner ce qu'elle voulait vraiment dire, mais son expression changea légèrement, comme s'il comprenait finalement que ce n'était pas simplement un flirt de soirée.

— Je… Je ne suis pas sûr. Chez elle, je suppose.

Nadia ne le remercia même pas avant de se lever et de partir en courant.

Zut de zut, pourquoi avait-elle choisi ce soir pour porter des talons ? Chaque pas sur la route sinueuse du littoral semblait être un coup de poignard dans ses pieds et ses jambes, mais elle ne ralentit pas. Elle monta les marches menant à la rue, chancela sur un talon et faillit tomber, alors elle s'arrêta pour enlever ses chaussures avant de recommencer à courir. L'asphalte commença à déchirer ses collants et à meurtrir ses pieds, mais cela n'avait pas d'importance.

Au prochain Noël, elle demanderait une voiture.

« Mateo est *mon* Allié. Pas le sien. Cela signifie qu'il augmente la puissance de mes sortilèges encore plus que ceux d'Elizabeth. Et elle ne s'attendra pas à ce que je vienne. C'est tout ce que j'ai de mon côté. Est-ce que ça suffira ? Ça devra suffire. J'ai déjà perdu Verlaine, je l'ai déjà laissée tomber, et je ne peux pas perdre Mateo en plus… »

Nadia atteignit finalement la rue où vivait Elizabeth. Elle s'y était déjà rendue, quand la jalousie l'avait poussée à épier Mateo et Elizabeth alors qu'ils étaient ensemble. Cela semblait maintenant si puéril, si inutile. Mais même à ce moment, elle avait su que s'approcher de la maison d'Elizabeth risquait d'être dangereux. Il y avait peut-être des sortilèges de protection, des barrières et des sorts de surveillance à l'intérieur, voire des signes que Nadia ne reconnaîtrait pas.

Mais Mateo se trouvait peut-être aussi à l'intérieur, en danger, ce qui ne lui laissait pas le choix. Nadia monta les marches sans hésiter et essaya d'ouvrir la porte. Elle n'était pas verrouillée. Ce qu'elle vit était... une maison tout à fait normale, décorée de jolis meubles, comme si elle sortait tout droit d'un magazine de déco. Ce n'était pas ce à quoi elle s'était attendue.

Non. Ce n'était pas la réalité. Ce devait être une illusion.

Nadia toucha son bracelet, passa en revue les simples pensées nécessaires pour lancer un sortilège de désillusion, et vit s'évanouir la décoration de magazine qui laissa place à... une ruine.

Tout en retenant son souffle, Nadia avança prudemment entre les éclats de verre et de miroirs. Sous ses pieds — maintenant complètement nus puisque ses collants avaient été déchirés —, elle pouvait sentir une épaisse couche de poussière huileuse. Si elle faisait un pas de travers, la sensation serait encore pire puisque le verre transpercerait son pied.

Nadia n'entendait rien, mais ce n'était pas significatif. Elizabeth avait peut-être enlevé sa voix à Mateo, comme elle l'avait fait pour Ginger. En ce moment même, il essayait peut-être de la prévenir, incapable de prononcer le moindre mot. Elizabeth pouvait se trouver dans n'importe quelle pièce, derrière n'importe quel tournant, en train de l'attendre. De l'observer.

La maison était presque entièrement plongée dans l'obscurité. La lumière que Nadia avait vue en entrant venait d'un vieux poêle à bois placé dans un coin du salon. Cependant, la lueur ne vacillait pas comme une flamme, elle était bizarrement immobile et d'une couleur étrange, comme si le jaune ressemblait trop à du vert. Quant à la chaleur dégagée, elle semblait brûler sa peau alors que le poêle se situait à plus de trois mètres d'elle.

«Ne le regarde pas», se dit Nadia. Peu importe ce que c'était et à quel point ce feu était surnaturel, cela n'avait pas d'importance pour le moment. Tout ce qui importait, c'était de trouver Mateo s'il était là, et de sortir aussi rapidement que possible si ce n'était pas le cas.

Elle avança prudemment le long d'un mur en essayant de repousser une partie du verre cassé à l'aide de ses orteils. Elle vit l'escalier... Il était si pourri, ressemblant plus à une toile d'araignée qu'à du bois, qu'Elizabeth et Mateo n'étaient certainement pas montés.

Nadia trouva une antichambre. Elle tendit une main tremblante vers la poignée et la tourna lentement, très lentement.

Elle poussa la porte. Les gonds grincèrent et Nadia retint son souffle. La lumière du poêle atteignait à peine cette pièce, et le froid créé par les ombres rendit le souffle de Nadia visible.

«S'ils sont à l'intérieur, ils savent que tu es là. Elizabeth le sait. Entre et découvre-le.»

Au moins le plancher n'était pas recouvert d'éclats de verre.

Nadia entra. La pièce était complètement vide, à l'exception des toiles d'araignée — d'innombrables toiles d'araignée, si épaisses qu'elles avaient recouvert les fenêtres et certains murs. Nadia poussa un soupir de soulagement et de déception. Si Elizabeth n'avait pas amené Mateo chez elle, alors, où étaient-ils allés ?

Mais un moment... Il y avait quelque chose à l'autre bout de la pièce. Rien que Mateo aurait laissé derrière lui, seulement un...

Un livre.

Le Livre des ombres d'Elizabeth.

Une toile d'araignée frôla le bras de Nadia, la faisant sursauter. Elle la repoussa d'une chiquenaude.

Mais la toile resta collée. Comme une autre. Et une autre.

Les toiles d'araignée se tissaient autour de Nadia à une telle vitesse qu'elle ne pouvait même pas les chasser à coups de pied, elle ne pouvait déjà presque plus bouger. Nadia s'avança vers la porte, mais c'était trop tard : elle était enchevêtrée dans les toiles et des araignées rampaient le long des fils argentés qui la ligotaient.

Elle était prise au piège. Aucune possibilité de sauver Mateo, ni de se sauver elle-même.

Elizabeth les tenait tous les deux.

Chapitre 22

— Allez, murmura Nadia pendant que des larmes de fatigue coulaient le long de ses joues. Encore… quelques centimètres…

Elle leva désespérément le bras vers la porte de la pièce où elle était retenue, les doigts tendus, les articulations de sa main et de son bras la faisant souffrir. Si elle réussissait seulement à attraper un des éclats de verre à l'extérieur, elle pourrait commencer à trancher les toiles d'araignée autour d'elle. Elle pouvait à peine voir le bas de son corps et sa jambe gauche était engourdie. Nadia s'était laissée tomber par terre, consciente que le verre était sa meilleure chance, mais elle se demandait maintenant si elle allait finir momifiée sur place, emmaillotée dans un film gris, couverte d'araignées.

Nadia avait essayé de lancer des sorts pour se libérer, mais les protections du Livre des ombres étaient anciennes et primitives. Sa magie glissait sur l'objet comme de l'eau sur le pare-brise d'une voiture, sans la moindre chance de pénétrer le livre pour changer quoi que ce soit.

Le pire, c'était qu'elle avait l'impression que le livre la *regardait*, et se réjouissait de sa souffrance et de sa peur.

Nadia empoigna de toutes ses forces les toiles d'araignée et essaya de les éloigner d'elle. Elle cria quand elle sentit de petites pattes courir dans ses cheveux. Combien de temps cria-t-elle ? Cela semblait faire une éternité, et elle avait l'impression de déchirer des poignées de fils chaque seconde, mais il y en avait toujours de nouveaux autour d'elle pour la maintenir au sol.

Elizabeth entra de nouveau dans l'océan. Son sang serait toujours puissant, ici. Cela fonctionnerait.

Mateo la suivit. Il ne pouvait faire autrement. L'eau glacée l'affectait plus qu'elle. Alors que les vagues éclaboussaient leur taille et montaient vers leurs épaules, il dit d'une voix tremblante à cause du froid :

— Est-ce que tu… vas… nous noyer ?

— Nous allons mourir par le feu, promit-elle. Silence. Je dois travailler.

Les yeux dans sa main étaient doux contre sa paume. Ils connaissaient son sang, et bientôt ils pourraient de nouveau voir.

— Tu ferais aussi bien de me tuer, déclara Mateo. C'est ce que tu fais, n'est-ce pas ? C'est ce que tu as fait à ma mère, à mon grand-père, à Jeremy. C'est ce que tu as essayé de faire à Verlaine. Tu nous utilises avant de nous jeter.

— Oui. Mais je n'ai pas encore fini de t'utiliser. Ta malédiction fait partie de moi, Mateo. Tant que je vis, elle vit.

Assez de distractions. Ce sortilège… Même pour elle, il était compliqué. Elizabeth devait se concentrer de toutes ses forces pour le lancer, même si elle savait que son emprise sur Mateo diminuerait pendant un moment. Aucune importance. Elle savait quel était son devoir.

Quand les yeux s'éloignèrent dans les vagues, elle sentit la corde la reliant à Mateo… pas se briser, mais se tordre et s'étirer, donnant à celui-ci un peu plus de liberté. Il le sentit aussi, ou le vit. Après tout, il était un Allié.

Mateo se jeta sur Elizabeth, les poussant tous les deux sous l'eau. Une vague arriva, les projetant violemment sur les coquillages et le sable. Mateo essaya de reprendre pied et chercha une prise assez ferme pour ses pieds afin de la maintenir contre le fond de l'océan et la noyer. Elizabeth faillit rire devant sa stupidité.

Une autre vague… Celle-ci les envoya tous les deux dans un roulis. Mateo la tira hors de l'océan par le poignet et les cheveux avant de saisir sa gorge à deux mains. Il posa les genoux sur les jambes d'Elizabeth pour la maintenir en place.

— Je peux te tuer, dit-il d'une voix tremblante. Ne pense pas le contraire. Après ce que tu as fait à ma mère… Je vais prendre plaisir à te tuer.

— Non, tu ne le feras pas.

Elle pouvait toujours murmurer. Mateo n'appuyait même pas assez fort pour l'empêcher de respirer. Malgré sa fureur et sa légitimité, il n'était pas le genre d'homme à tuer facilement, même pour mettre un terme à la malédiction dont il était prisonnier.

— Tu te détesteras si tu le fais.

Mateo s'arrêta. L'eau dégoulinait de ses cheveux et de ses cils. La tension faisait trembler tous ses membres.

— Tu as raison. Je me détesterai. Mais si je peux protéger Nadia… Protéger tout le monde… Alors, je dois le faire. Je le dois.

Il essayait de se convaincre. Il avait donc plus de détermination que ce qu'Elizabeth avait cru.

Dommage qu'il ne soit qu'un humain.

Elle resserra le sortilège, le projeta sur le côté, puis à genoux dans le sable. Il se débattit comme un forcené pour se relever, mais c'était impossible. Elizabeth lui ébouriffa les cheveux comme s'il était un petit garçon.

— Tu avais seulement une seconde, lui confia-t-elle. Et tu n'as pas saisi ta chance.

Ah! le désespoir lisible dans ses yeux était adorable. Il réchauffa le cœur d'Elizabeth.

La première chose qu'Asa sentit fut la douleur.

Pas celle des tortures de l'enfer, non, plus maintenant… Celle-ci lui aurait été familière. Non, cette douleur ressemblait plus à… Comme s'il s'était cogné le nez contre quelque chose.

Il avait un nez?

Il ouvrit les yeux et regarda autour de lui. Il était visiblement étendu sur une plage, du sable partout sur le corps (ça piquait… Il pouvait aussi sentir cela! Même cette sensation était un régal après tant d'années sans corps). À côté de lui, une flaque sentait fortement la bière.

Asa s'assit avant de baisser les yeux vers le corps que l'enchanteresse lui avait donné. C'était un homme — cela n'avait pas beaucoup d'importance, mais il avait déjà été un homme, quand il avait été ce que l'on qualifie de « vivant », alors il était au moins familier avec l'équipement. Apparemment, il était grand et avait la peau brune.

Quelque chose le gênait dans sa poche. Il en sortit un portefeuille et regarda le contenu. De l'argent — beaucoup d'argent, s'il était à jour dans ses connaissances de l'économie humaine —, des clés de voiture, une carte de Starbucks (il rêvait de goûter à ce café dont tout le monde parlait), une carte d'identité du lycée Rodman, et ce qui semblait être un permis de conduire.

— Jeremy Arun Prasad, lut Asa à voix haute. Désolé de ta mort prématurée. Et merci pour ton corps.

Sa voix était vraiment agréable. Pas très grave, mais... mélodieuse. Douce à l'oreille. Et même les photographies fades et étranges de la carte d'identité et du permis de conduire laissaient croire que son corps était agréable à regarder. Cela simplifierait son bref séjour dans le monde des mortels. Ici, des qualités si superficielles avaient plus de poids qu'elles le devraient. C'était facile à voir depuis l'enfer.

Asa se leva prudemment. L'équilibre lui revint plus facilement qu'il l'aurait cru. Il essuya le sable de ses vêtements et de son visage en se demandant par où commencer. Il savait quel était son rôle sur terre — il y était lié par des chaînes impossibles à briser —, mais la ville semblait différente vue d'au-dessus plutôt que d'en dessous. Il devait d'abord prendre ses repères.

— Jeremy !

Un grand garçon aux cheveux tressés et au teint encore plus foncé que le sien s'avança vers lui en courant. D'après les souvenirs qu'il avait du temps passé à observer Mateo Perez, le garçon s'appelait Gage Calloway.

— Hé ! mec, est-ce que ça va ?

— Ouais, bien sûr. J'ai juste... Je crois que j'ai perdu connaissance.

La flaque de bière viendrait appuyer cette histoire.

Gage s'arrêta.

— Vas-tu être malade ? As-tu besoin de café ou d'eau ou quelque chose du genre ? J'ai une règle anti-vomissements stricte.

— Ça va bien maintenant.

Bien. Quel mot pour décrire l'extase de posséder des jambes, des bras, une voix, des yeux… Eh bien, des yeux particuliers, mais ils fonctionnaient. Asa était de nouveau entier. De nouveau une personne. Et il pouvait seulement décrire ce miracle comme étant *bien*.

— Ouais, tu as l'air correct, je suppose. Mais je vais quand même te reconduire chez toi.

— Que fais-tu ici ?

Asa se dit que ce moment de la journée — le moment où la lumière commençait à apparaître au-dessus de l'eau — était le lever du soleil, ce qui signifiait qu'il était trop tôt ou trop tard pour que les gens soient debout.

— Certaines personnes ont pris les meubles de la terrasse de ma tante pour traîner sur la plage. Il me manque toujours une chaise. Si je ne la trouve pas, tante Lorraine va me tuer. Je jure devant Dieu que c'est la dernière fête que j'organise chez elle.

Bien sûr, ce serait le cas. Ce soir, Gage mourrait probablement, comme la plupart des habitants de Captive's Sound.

Asa ressentit de la pitié pour ce jeune homme qui semblait aimable et gentil. Il aurait aimé pouvoir lui dire : « Monte dans ta voiture. Pars aussi loin et aussi vite que possible. »

Mais Asa appartenait au Très-Bas. Il lui était impossible de travailler contre Lui. S'il essayait de prononcer un seul mot à l'encontre des plans d'Elizabeth, s'il essayait simplement d'effectuer un geste susceptible de sauver une des vies condamnées, non seulement il échouerait, mais en plus, il serait immolé dans une flamme à côté de laquelle l'enfer ressemblerait à une excellente destination touristique. Et ce feu durerait encore plus longtemps que l'enfer parce que la grâce de la mort ne lui serait jamais accordée.

Mais Asa pouvait prendre quelques décisions, si elles étaient inoffensives.

— Viens. Je vais t'aider à chercher la chaise.

Gage le regarda fixement.

— Euh, d'accord. C'est... gentil de ta part.

Apparemment, Jeremy Prasad n'avait pas passé une grande partie de sa vie à être gentil sans motif ultérieur. Cela n'avait pas beaucoup d'importance. Personne ici n'aurait le temps de comprendre que Jeremy était mort ni qui — non *quoi* — avait pris sa place dans son corps.

Alors, Asa profita de la liberté qu'il avait, parcourant la plage en compagnie de Gage à la recherche d'une chaise de jardin en plastique. Il se délecta de la beauté de la dernière aube que cette ville connaîtrait.

Nadia continuait à se démener, à se battre. Elle enleva les toiles d'araignée de son visage, libéra une de ses mains, puis l'autre, puis de nouveau la première. Ses pieds réussissaient à éloigner les fils pendant une seconde avant d'être de nouveau ligotés. Certaines araignées avaient découvert les trous dans ses collants et elles étaient entrées à l'intérieur. Nadia avait depuis longtemps cessé de crier. Elle ne pouvait gaspiller son souffle et elle ne voulait pas donner ce plaisir au Livre des ombres.

« Quoi que je fasse, ce n'est pas suffisant, pensa-t-elle. Elizabeth me tient, peu importe à quel point je me bats. À quel point je me bats... »

Une idée lui vint à l'esprit et elle eut un hoquet.

Un sortilège comme celui-ci, fait pour prendre au piège, s'enroule naturellement autour d'une personne tentant de s'échapper. Plus elle se débattait, plus le sort la tenait.

Et si elle arrêtait de se démener ?

Il ne suffirait pas de cesser tout mouvement... Aucun sortilège de protection ne serait si facile à duper... Mais il existait d'autres sorts plus convaincants.

Un sort de ce genre la garderait ici.

Nadia tira sur les toiles enroulées autour de ses bras afin de poser une main sur son bracelet. Deux de ses doigts touchèrent le pendentif en quartz, et elle rassembla rapidement les ingrédients.

Un amour indestructible.
Une haine implacable.
Un espoir éternel.

Elle devait y penser, les sentir, y croire, plus fort que jamais...

Enlacer son père avant qu'il parte pour New York en compagnie de Cole, consciente qu'elle ne le reverrait peut-être jamais.

Le moment où elle avait compris qu'Elizabeth avait tenté de tuer Verlaine... Puis celui où elle avait su qu'Elizabeth tenait Mateo.

Sa propre main tendue vers les éclats de verre, une heure après l'autre, malgré la fatigue et la terreur, parce qu'il devait exister un espoir; le contraire était inimaginable.

Le sortilège d'encerclement prit vie autour d'elle et les toiles d'araignées reculèrent immédiatement. Certaines des petites bestioles situées dans ses collants suivirent les toiles. Le cercle s'agrandit autour de Nadia, émettant une douce lueur bleue, prenant la forme d'une sphère censée la tenir en place contre n'importe quelle force. C'était le sort qu'elle aurait lancé le soir de l'accident si elle en avait eu le temps. Il aurait gardé sa famille et elle presque immobiles pendant que la voiture tournait autour d'eux, les protégeant de tous les coups. Le Livre des ombres d'Elizabeth, ne possédant aucune pensée autonome, savait seulement qu'un autre sort retenait Nadia et que ses protections n'étaient plus nécessaires, alors les toiles d'araignées reculèrent.

Aucun Livre des ombres, pas même celui-ci, ne pouvait savoir que Nadia avait jeté le sortilège, qu'elle pouvait faire bouger la sphère selon ses désirs.

Le corps tremblant de fatigue, Nadia se mit à trébucher vers la porte. Elle n'avait plus à se soucier des éclats de verre, car la sphère bleue qui l'entourait les empêchait de toucher à ses pieds. Elle s'arrêta quand même au milieu de la pièce pour déchirer le reste de ses collants. Nadia frissonna quand une dernière araignée tomba et s'enfuit.

La maison d'Elizabeth était toujours vide. Quel que soit l'endroit où elle avait emmené Mateo, ce n'était pas ici. Mais, un instant… Était-ce la lumière du jour qu'elle voyait à l'extérieur ? Elle avait été prisonnière d'un enchantement puissant. Il était possible de perdre la notion du temps pendant un enchantement, les heures pouvaient sembler durer des jours et les années, des minutes.

« Je ne peux pas être restée là toute la nuit. Pitié, non. »

Nadia regarda par la fenêtre et son cœur se serra. Non seulement le jour s'était levé, mais c'était même la fin d'après-midi. Non, le soir. Le soleil allait se coucher incessamment. Elle avait perdu près de 24 heures.

Le carnaval d'Halloween devait déjà avoir commencé.

Elle n'avait préparé aucun autre sortilège. Elle n'avait pas pensé non plus à la façon de contrecarrer le plan imaginé par Elizabeth pour détruire la structure magique de Captive's Sound. Elle ne s'était même pas lavée, n'avait même pas dormi.

Cela n'avait aucune importance. Elle n'avait plus de temps.

Nadia aperçut une paire de souliers d'Elizabeth à côté de la porte. C'était de simples ballerines, alors elle les enfila. Elle pourrait courir si elle le devait, et c'était le cas.

À ce moment, elle entendit une sonnerie dans sa poche... C'était son téléphone.

« Papa ! » pensa Nadia. Zut, il avait probablement essayé de l'appeler ou de la joindre par messagerie texte une dizaine de fois la veille, et elle n'avait pas répondu, n'entendant même pas la sonnerie à cause de ses propres cris. Son père était sans doute en route vers Captive's Sound pour découvrir ce qui se passait.

Mais quand elle baissa les yeux vers l'écran, elle vit le visage souriant de Verlaine. Est-ce qu'un de ses pères utilisait son téléphone ?

« Pitié, faites que son état ne se soit pas détérioré. Faites qu'elle ne soit pas... »

— Allô ?

— Hé ! ça fait longtemps.

La voix était à peine plus forte qu'un murmure, mais c'était assurément Verlaine.

— Ah ! mon Dieu. Tu vas bien !

Nadia aurait pu pleurer. Au moins une chose avait bien fini.

— Qu'est-ce que... Où es-tu ?

— Encore à l'hôpital. Je ne peux pas parler longtemps.

Les mots tremblants de Verlaine montraient qu'elle pouvait à peine parler.

— Il y a quelques heures... Je me suis réveillée.

— Comment ?

Elizabeth n'aurait pas libéré Verlaine du sort utilisé pour l'attaquer...

À moins qu'elle ait déjà commencé. Petit à petit, elle défaisait sa propre magie. Un sortilège par-ci, un sortilège par-là, jusqu'au grand écroulement.

— J'ai réussi une chose, dit Verlaine. Mes pères sont ici à Wakefield avec moi, pas à Captive's Sound. Ce soir... Mateo et toi...

— Elizabeth tient Mateo. Je dois le trouver, maintenant. Mais je suis heureuse que tu ailles bien.

Au moins une personne de leur groupe s'en était sortie. Au moins, pour ce cas précis, Elizabeth n'avait pas gagné.

Ou... Était-ce le cas ? La survie de Verlaine, bien que fantastique et stupéfiante, était peut-être seulement un signe que le plan final d'Elizabeth était en marche et que la fin était encore plus proche que ce que Nadia avait craint.

Mais Verlaine était en sécurité. Ses pères aussi. Le père de Nadia et son frère l'étaient également. Elle fut envahie par un sentiment de gratitude en y pensant, ce qui lui redonna du courage et repoussa la fatigue jusqu'à ce qu'elle soit convaincue de pouvoir recommencer à courir.

— Nadia, sois prudente, murmura Verlaine.

— Au revoir, répondit Nadia avant de raccrocher.

Elle n'aurait pas pu répondre d'une autre façon. Ce qu'elle devait maintenant faire, c'était se battre contre Elizabeth... La *prudence* n'avait pas sa place.

— Tu sais que je n'ai encore jamais assisté à ce carnaval ?

Mateo se rappelait avoir participé au carnaval d'Halloween avec Elizabeth quand ils étaient petits. Il se souvenait qu'ils étaient montés sur le même cheval de manège. Il lui avait donné sa barbe à papa. Tous ces souvenirs n'étaient que des mensonges.

Elizabeth et lui parcoururent le carnaval, main dans la main. Le simple fait de toucher sa peau dégoûtait Mateo, mais au fil du dernier jour, il avait appris qu'il ne servait à rien d'essayer de reculer.

« Tu as consenti au sortilège de lien, lui avait-elle dit doucement quand il avait lutté sur la plage, ses vêtements trempés et glacés. Les sortilèges auxquels tu consens sont toujours plus forts que les autres. »

Ils étaient maintenant secs. Aux yeux des autres, ils ressemblaient probablement à un couple heureux. Il portait sa veste de l'équipe sportive et un jean. Quant à Elizabeth, elle portait son habituelle robe blanche, se moquant du froid. Des lumières scintillantes avaient été accrochées entre les tentes, enroulées autour des troncs d'arbres et des branches, et elles se démarquaient dans le crépuscule. Tous les enfants et la moitié des adultes étaient déguisés : vampires, Transformers, princesses Disney, quelques fantômes ici et là. Les gens grignotaient des boules de maïs soufflé, buvaient des sodas dans des verres de «collection». C'était le même carnaval ringard que toutes les années précédentes, sauf que cette fois, Elizabeth était là et qu'elle voulait tuer tout le monde.

— Tu penses que je suis impitoyable, n'est-ce pas ?

— Je sais que tu l'es.

Mateo pouvait parler quand il n'essayait pas de la défier. C'était une autre chose qu'il avait apprise aujourd'hui.

— Si un événement moins catastrophique pouvait me tuer, je le ferais. Mais ça ne fonctionnerait pas. Le Très-Bas m'a libérée, mais la magie du sortilège n'est pas si facile à annuler.

— Attends. Tu veux me dire que le but de tout ce désastre est simplement *ta mort* ? C'est un meurtre-suicide ?

— En partie.

— Alors, quelle est l'autre partie ?

Elizabeth lui jeta un regard de côté, plus ouvertement séductrice que dans le passé.

— Pour gâcher la surprise ?

— Ah ! Hé ! Mateo. Elizabeth.

Kendall leur fit un signe de la main. Elle portait un déguisement moulant, très court, et très vert.

— Alors, Mateo, je veux que tu saches que j'ai bien réfléchi à ce que tu as dit à propos du racisme et tout le reste et, genre, la perspective est vraiment importante, je n'ai donc pas pris le déguisement de geisha sexy et j'ai choisi d'être un Robin des bois sexy.

— Ton déguisement est merveilleux, observa Elizabeth, l'air impressionné.

Pourquoi n'avait-il jamais entendu la moquerie derrière sa voix « douce » auparavant ?

Kendall se pavana, prenant des poses censées être séduisantes qu'elle avait probablement vues sur l'emballage.

— Eh bien, c'est un Robin des bois *féminin* sexy, bien sûr. Non qu'il y ait une grande différence, parce que Robin des bois portait vraiment des vêtements de fille, à l'époque, et je sais que les gens s'habillaient différemment en ce temps-là, mais franchement, le mec portait des leggings.

Mateo aurait voulu lui dire de s'enfuir. S'il pouvait sauver une seule personne de ce pétrin, même si c'était Kendall Bender, il aurait accompli quelque chose. Mais le sortilège d'Elizabeth l'empêcha de parler.

— Alors, où allez-vous ? demanda Kendall.

Elle baissa rapidement les yeux vers leurs mains jointes, pensant sans aucun doute qu'elle tenait le ragot de l'année.

— La maison hantée, répondit Elizabeth.

Elle s'appuya sur l'épaule de Mateo, probablement pour avoir le plaisir de savoir que son toucher le dégoûtait.

— J'aime avoir peur.

Du lycée Rodman, du moins du haut des gradins du terrain de football américain, le carnaval du parc Swindoll brillait sur la colline lointaine comme un essaim de lucioles.

Asa était assis sur la plus haute rangée des gradins et il regardait la fête au loin. Il aurait eu de la peine pour les gens qui s'amusaient si cela avait servi à quelque chose. Au moins, il n'avait pas à les regarder mourir.

Non, son travail allait l'obliger à rester ici.

Son regard se dirigea vers le bâtiment principal de l'école, plus précisément vers un endroit qui était, selon ce qu'on lui avait dit, l'emplacement du laboratoire de chimie.

Nadia arriva au carnaval juste après le coucher du soleil. Elle regarda frénétiquement autour d'elle, mais jusqu'à présent, rien ne semblait inhabituel… Et il n'y avait aucun signe de Mateo ou d'Elizabeth.

Haletante, exténuée, elle s'appuya contre une table de pique-nique et essaya de réfléchir. Où irait Elizabeth ? En plein centre, au milieu de la cible que Verlaine lui avait montrée. Mais où se trouvait cet endroit ? Quand elles avaient regardé la carte, le parc Swindoll avait semblé bien défini, mais il était assez grand et il était maintenant rempli de centaines de personnes. Nadia aurait dû télécharger les données de Verlaine sur son téléphone ou un truc du genre…

— Holà ! Nadia.

Kendall se trouvait devant elle, vêtue d'un chapeau pointu et d'une étrange robe courte et verte à l'ourlet déchiqueté.

— Est-ce que tu es, genre, déguisée en zombie sexy ? Parce que c'est beaucoup plus effrayant que sexy. Juste pour que tu le saches.

Sa robe déchirée et ses cheveux en pagaille auraient probablement poussé les gens à la dévisager si ce n'était pas Halloween.

— Kendall. Hé ! Ne le prends pas mal… Je dois y aller.

— Quoi, est-ce que tu cherches Mateo ? Je veux dire, je ne veux pas être insensible, genre, honnêtement, tout le monde voyait que tu avais le béguin pour lui, alors je crois qu'il faut que tu sois au courant pour Elizabeth et lui.

— On me l'a dit.

Kendall avait dû entendre les ragots de la fête. Nadia repoussa les cheveux de son visage.

— En plus, tu sais, il a ce gène fou qui se transmet dans sa famille, et j'ai entendu dire qu'il y aura peut-être, genre, une thérapie de cellules souches pour ça un jour, mais pour le moment, il vaut mieux ne pas le fréquenter. Je ne sais pas à quoi pense Elizabeth. Amener un gars comme ça dans une maison hantée ? C'est presque chercher à ce qu'il ait un épisode psychotique.

Nadia saisit le bras de Kendall.

— As-tu dit qu'ils étaient dans la maison hantée ?

— Ils ont dit que c'est là qu'ils allaient.

Tous ses sortilèges, tous ses pouvoirs, tous leurs efforts surhumains pour combattre Elizabeth, et l'information la plus utile était venue de Kendall Bender.

— Kendall, *merci*, dit Nadia avant de s'élancer en courant vers la vieille maison tordue où des lumières orange illuminaient toutes les fenêtres, utilisant ses dernières forces pour rejoindre Elizabeth et Mateo, priant pour arriver à temps.

C'est alors que les cris commencèrent.

Chapitre 23

Mateo était dans les bras d'Elizabeth et regardait le monde prendre feu.

Les murs de la maison hantée brunirent, noircirent, puis s'embrasèrent. Les gens se mirent à hurler ; les parents attrapèrent leurs enfants avant de courir vers les sorties.

— Ne paniquez pas ! hurla un homme portant un masque de *Frissons*.

Elizabeth ne bougea pas, alors Mateo resta aussi planté sur place. Elle le serra fort, fermant ses yeux en signe de satisfaction pendant que les flammes dansaient et crépitaient autour d'eux.

— Un Allié, murmura-t-elle. J'avais oublié à quel point c'est agréable.

— Tu vas nous faire brûler vifs.

La fumée lui piquait déjà les yeux et la gorge, le faisant tousser.

— Nous n'aurons pas le temps de brûler, promit Elizabeth.

À ce moment, le sol commença à trembler.

Nadia courut vers l'entrée de la maison hantée... Mais il était impossible d'entrer par là : trop de gens déferlaient vers l'extérieur. Elle se précipita donc sur le côté. À cet endroit, les fenêtres étaient hautes, mais elle pouvait quand même grimper.

Quand elle ouvrit une fenêtre, un homme d'âge mûr la saisit par la taille.

— Recule! cria-t-il. C'est dangereux!

Que devait-elle dire? Je sais? Nadia se laissa donc tirer en arrière avant de le regarder courir pour aider d'autres personnes. À ce moment, elle sauta vers la fenêtre. Il fallut la majorité de la force qui lui restait pour se hisser vers l'ouverture et entrer, mais elle réussit.

Sa récompense fut d'atterrir dans une maison en feu.

La plupart des gens à l'intérieur semblaient s'être enfuis, mais Nadia savait qu'Elizabeth serait encore au cœur du brasier, et il était impossible qu'elle ait laissé partir Mateo. Nadia tira sur l'encolure de sa robe pour couvrir sa bouche et filtrer l'air enfumé, puis elle se précipita vers les marches, qu'elle monta deux par deux.

Au deuxième étage, tout semblait en feu : les murs, le plafond, même des parties du plancher. Nadia plissa les yeux à cause de la lumière vive et de la brume de chaleur...

— Nadia!

Mateo. Il était là. Elle l'avait trouvé à temps. Nadia l'aperçut à travers les flammes... dans les bras d'Elizabeth.

Nadia était arrivée, elle était là, ils avaient encore une chance...

Mais alors que Mateo se délectait de la voir, il se remémora certains de ses rêves. Il y en avait un — celui où les flammes les entouraient — à la fin duquel Nadia était étendue à ses pieds, morte.

«Non, pensa-t-il. Ça ne peut pas arriver. Elizabeth ne peut pas gagner.»

Elizabeth plissa les yeux.

— Que penses-tu pouvoir faire ici?

— Je ne sais pas, répliqua Nadia, mais nous allons le découvrir.

Le sol se tordit et tressaillit de nouveau sous leurs pieds. Les lattes du plancher, déjà affaiblies par l'âge et la chaleur, commencèrent à craquer. Pendant combien de temps ce bâtiment tiendrait-il encore debout? À l'extérieur, les gens criaient de plus en plus. Ils devaient aussi commencer à sentir les tremblements. Elizabeth allait détruire tout le parc, le réduire en cendre et en poussière, enterrer vivantes toutes les personnes présentes.

Mais Mateo sentit monter en lui une sorte d'espoir — mais pas une émotion. Une sensation physique, quelque chose de réel.

Il se rendit compte que c'était de la magie.

Il était un Allié. L'Allié de *Nadia*. Peu importe le pouvoir qu'Elizabeth lui volait, il en avait davantage à donner à Nadia parce qu'il lui appartenait complètement, d'une façon qu'Elizabeth ne pourrait jamais égaler, malgré toutes ses malédictions et sa malveillance.

Mateo ne s'était jamais demandé si Nadia serait assez forte pour vaincre Elizabeth. La question était de savoir si elle en aurait l'occasion.

Le sortilège se répandait désormais autour d'eux, si vif et électrique que Nadia pouvait le sentir aussi nettement que si elle le voyait. Les profondes lignes de fracture de Captive's Sound étaient en train de céder pendant qu'Elizabeth retirait toute la magie noire de la ville pour l'enterrer dans le puits sans fond où devrait se trouver son âme.

Et non… Nadia n'était pas assez forte pour l'arrêter.

De toute façon, le but n'était pas de l'arrêter.

Elle ne l'aurait jamais compris si elle n'avait pas été emprisonnée dans les toiles d'araignée. La solution avait été d'arrêter de se battre, de remplacer le sortilège la gardant prisonnière par un autre qui semblait faire la même chose.

Et pourtant, Goodwife Hale avait tenté de le lui dire. La vieille sorcière avait écrit, de sa calligraphie en pattes de mouche, que la force adverse la plus puissante était celle qui allait dans le même sens. C'était ce qu'elle avait tenté d'expliquer, ce que Nadia venait seulement de comprendre.

La solution n'était donc pas de bloquer Elizabeth ou de la combattre, ou encore de faire quoi que ce soit qui l'empêcherait d'enlever la magie se trouvant sous Captive's Sound.

Nadia devait remplacer la magie volée par sa propre magie.

Alors que la fumée tourbillonnait autour d'elle, Nadia regarda Mateo une dernière fois avant de fermer les yeux. Qu'est-ce qui pourrait être assez doux pour glisser dans toutes les fissures, tout en étant assez fort pour les maintenir en place ?

Un sortilège de libération. Rien n'était plus simple, ou plus puissant, que la liberté.

Un rire désarmé.
Le lavage de ce qui ne peut être nettoyé.
Un moment de pardon.

Nadia agrippa son bracelet, trouva le morceau d'ivoire et plongea au plus profond d'elle-même.

Cole traitant Lotso de connard, avant qu'elle se rende en titubant dans la cuisine pour camoufler son rire.

Essayer de se vider la tête après avoir lu la lettre venant de l'avocat de sa mère, celle disant qu'elle refusait de les voir, peu importe les supplications de son père, et regarder Histoire de jouets 3 *à travers des yeux continuellement remplis de larmes.*

Être assise sur le plancher de la cuisine à côté de son père, au milieu d'une pile de rigatoni, comprenant enfin pourquoi il se battait si fort contre elle pour préparer chaque dîner... Il voulait seulement faire quelque chose pour eux, pour une fois.

Le sortilège s'éloigna d'elle dans tous les sens, presque sauvage, comme lorsqu'elle l'avait lancé pendant le cours de chimie... Mais il était encore plus fort maintenant parce que la noirceur n'essayait pas de l'anéantir et parce que Mateo était là. Avant, ils n'avaient pas su donner forme à la magie qu'ils créaient ensemble, mais maintenant, Nadia sentait qu'il était à ses côtés.

« Comme l'autre jour, sur la plage. Nous sommes plus forts ensemble que seuls. »

Nadia trouva donc les endroits sombres de la magie d'Elizabeth — grâce à la carte de Mateo, à ses propres sortilèges et aux nouveaux pouvoirs qui grandissaient en elle —, elle trouva les trous béants où l'œuvre funeste d'Elizabeth avait été volée, et elle les remplit de nouveau. Elle ne laissa aucun trou derrière elle, rendant tous les endroits plus forts qu'auparavant. Le sol bougea sous leurs pieds, mais Nadia sentait déjà que tout se replaçait...

Tout sauf la maison dans laquelle ils se trouvaient, qui était en train d'être dévorée par les flammes. En ce moment même le plancher commençait à s'écrouler.

Ils tombèrent sur le côté et se mirent tous à crier — Elizabeth, Mateo, Nadia —, puis il sembla n'exister plus rien sauf la fumée et l'horrible chaleur torride. Chaque inspiration brûlait les poumons de Nadia, qui chercha à l'aveuglette quelque chose pour retrouver l'équilibre.

Elle trouva la main de Mateo.

Il l'attrapa et l'attira dans ses bras. Alors que Mateo faisait un rempart de son corps et essayait de la protéger des débris brûlants qui tombaient autour d'eux, Nadia se demanda si elle avait réussi à sauver Captive's Sound, mais pas leur propre vie.

Mateo essaya d'abriter Nadia. Même si cela semblait inutile, même s'il était maintenant impossible de fuir cet endroit, s'il pouvait lui donner une chance, lui fournir quelques minutes, il devait essayer.

Alors qu'il tenait la tête de Nadia contre sa poitrine et fermait les yeux pour se protéger de la fumée piquante, il l'entendit murmurer :

— Un amour indestructible… Une haine implacable… Un espoir…

Le plancher céda. Ou le monde s'effondra. Tout ce que Mateo savait, c'était qu'il n'y avait plus de haut, plus de bas, seulement le feu et la sensation que Nadia lui était arrachée des bras. Et… cette étrange lumière bleue, qui sembla soudain les entourer.

« Je suppose que c'est le paradis », pensa-t-il juste avant de s'évanouir.

Quand Mateo rouvrit les yeux, il ne semblait pas être au paradis, à moins que ce lieu ressemble à une version carbonisée du kiosque de maïs soufflé au caramel.

Il inspira profondément et se remit à tousser si fort qu'il en eut mal aux côtes. Il se poussa néanmoins sur les bras pour regarder autour de lui.

— Nadia? murmura-t-il.

Si Mateo ne parvenait pas à la trouver, il voyait en revanche la ruine fumante qui avait été la maison hantée. Presque tout avait brûlé, laissant les fondations. Et autour de celles-ci... Il y avait des pompiers, des spectateurs, ainsi que les vestiges tachés de fumée du carnaval, au milieu d'une ville qui existait visiblement encore. À moins qu'une personne ait été blessée dans l'incendie, tout le monde semblait bien aller. L'apocalypse d'Elizabeth n'avait pas eu lieu. Nadia avait gagné.

Mais avait-elle survécu?

Il réussit à se lever en titubant avant de se mettre à déambuler parmi les débris du carnaval. Il y avait des blessés partout — des blessures mineures, à en juger par le fait que presque toutes les personnes semblaient conscientes et mobiles —, mais tout était si chaotique qu'il serait facile de manquer une fille.

Mais, un instant.

Elle ressemblait à une ombre au sol à cause de sa robe noire et de sa peau couverte de suie, presque perdue dans l'obscurité. Mateo courut vers elle, ignorant la douleur et les coupures lui disant de s'arrêter. Alors qu'il s'approchait, la vision de son rêve lui revint en mémoire : Nadia, morte à ses pieds.

La vision s'était réalisée. La malédiction d'Elizabeth existait toujours. Il avait vu le futur et il n'avait pas pu l'empêcher d'arriver, et maintenant Nadia...

Maintenant Nadia était en train de rouler sur le dos. Elle leva faiblement les yeux vers lui.

— Mateo?

Il tomba à genoux et la prit dans ses bras. Il ne s'était jamais senti aussi heureux que maintenant, alors qu'il la serrait contre lui et qu'il savait qu'elle était encore vivante, encore là. La malédiction le tenait peut-être, mais il saurait, pour le reste de ses jours, que l'avenir qu'on lui montrait, même s'il était vrai, pouvait être vaincu si lui-même tenait bon.

— Tu vas bien, Nadia, tu vas bien.

— Tout le monde…

— Tout le monde va bien, je crois. Tu as réussi.

Nadia esquissa un petit sourire en coin.

— On a réussi.

— Non. Tu as fait tout le travail.

Il l'embrassa alors avec toute la peur et tout le désespoir qu'il avait ressentis quand il avait cru qu'elle était morte, ainsi qu'avec tout son amour. Nadia émit un petit son au fond de sa gorge avant de l'embrasser si passionnément que Mateo oublia le reste du monde.

— Tu es sûre que tu vas bien, maintenant ? demanda la vieille femme. Je n'aime pas te laisser seule.

— Je vais bien. Merci.

Elizabeth se débarrassa de la femme avant de reprendre son chemin vers sa maison.

Son corps était noirci par la crasse et ses cheveux sentaient la cendre, mais elle ne pouvait s'empêcher de sourire.

Quand elle atteignit le porche de sa maison, la porte s'ouvrit et Asa vint l'accueillir.

— Eh bien, eh bien, dit-il de la voix de Jeremy Prasad. Je ne peux m'empêcher de remarquer que tu es toujours en vie. Un échec ?

— Pas du tout. Pas si ça a fonctionné.

Asa opina une fois.

— Ça a fonctionné.

Cela dépassait les rêves les plus fous d'Elizabeth. Elle avait quitté le service du Très-Bas, elle avait été prête à mourir pour lui parce que la dévastation suffirait à ouvrir la Chambre. Et elle avait arraché toute la magie de Captive's Sound, juste assez longtemps pour accomplir cette tâche primordiale. Cependant, Nadia avait remis la magie en place, ce qui voulait dire…

Elizabeth était vivante. Elle n'était plus immortelle, elle ne rajeunissait plus, mais elle était jeune, en bonne santé, en pleine possession de sa force et de ses pouvoirs. Elle n'avait pas dû mourir pour libérer son seigneur et maître. Elle pourrait donc lui prêter de nouveau serment et l'aider jusqu'au bout de sa quête.

Le désastre qu'elle avait provoqué, celui qui aurait consumé Captive's Sound, n'avait duré qu'une fraction de seconde. Il avait seulement détruit ce qu'Elizabeth voulait absolument détruire : les barreaux de la cellule du prisonnier.

— À quoi cela ressemble-t-il ? demanda-t-elle à Asa. Notre travail glorieux.

— C'est comme si une énorme crevasse avait englouti le laboratoire de chimie. En résumé, c'est un gros dégât.

Il croisa les bras et la regarda amèrement.

— Attendais-tu quelque chose de plus grandiose ?

— Sa splendeur vient de son but.

« D'abord, les barreaux sont éliminés. Ensuite, le pont est construit. Enfin, le Très-Bas peut entrer dans le monde des mortels et régner en maître. »

Elizabeth avait été prête à mourir pour la première tâche. Au lieu de cela, celle-ci avait été accomplie et, grâce à l'intervention de Nadia Caldani, Elizabeth était toujours en vie, en pleine forme… et prête à réaliser les deux autres tâches elle-même, aussi vite que possible.

Nadia méritait vraiment ses remerciements. Elle allait devoir trouver un cadeau spécial.

— Le Très-Bas arrive, murmura Elizabeth avant d'ouvrir les bras sous le ciel nocturne et d'éclater d'un rire de joie pure.

Épilogue

— Alors, qu'est-ce que c'est? demanda Verlaine, allongée sur son lit, son gros chat plein de poils blotti à ses pieds et Nadia pelotonnée à côté d'elle tandis que Mateo déposait le plateau orné de fleurs devant la patiente nouvellement rentrée.

— Voici le meilleur brunch du jour des Morts que La Catrina a pu créer, annonça Mateo. Non que le jour des Morts et le brunch aillent vraiment ensemble. Mais, hé! C'est une célébration.

— On peut le dire, répondit Nadia.

Elle se sentait toujours exténuée. Elle n'aurait pas cru possible d'être aussi fatiguée. De minuscules entailles, coupures et morsures d'araignées piquaient toujours ses jambes, et sa gorge était encore sensible à cause de la fumée inhalée la veille. Mais, quelle importance? Captive's Sound et tous ses habitants étaient encore en un seul morceau. Le plan machiavélique d'Elizabeth, peu importe ce qu'il avait été, semblait avoir échoué. Verlaine était de retour chez elle, toujours aussi faible qu'un chaton, mais visiblement sur le bon chemin. Et Mateo et elle...

Eh bien, il y avait une foule de raisons de célébrer.

Verlaine appréciait le fait d'être le centre de l'attention, pour une fois.

— Voyons voir. On a une omelette tex-mex, des crêpes qui ressemblent à… Mickey Mouse ?

— C'est moi qui les ai faites, se hâta de préciser Nadia.

— Et ceci, dit Verlaine en prenant un petit crâne peint de couleurs éclatantes, un peu comme les squelettes joyeux qui jouaient de la guitare et dansaient sur les murs de La Catrina. Qu'est-ce que c'est ? Un souvenir ?

— Lèche-le, dit Mateo.

Après un moment, Verlaine lui lança un regard.

— Tu es chanceux que je te fasse confiance.

Elle approcha ensuite le crâne de sa bouche, le lécha de façon hésitante, et son visage s'éclaira.

— Ah ! C'est du sucre !

— Vous ne connaissez pas très bien le jour des Morts, n'est-ce pas ? demanda Mateo.

Il les rejoignit sur le lit, de l'autre côté de Verlaine. Cela signifiait que Nadia et lui n'étaient pas côte à côte, et, pour le moment, même quelques minutes loin de Mateo semblaient une éternité —, mais Nadia savait, tout comme lui, que ce qui importait était que Verlaine se sente aimée et en sécurité. Même si l'étrange distance émotionnelle était encore présente, laissant penser que ce qu'Elizabeth lui avait fait était toujours aussi puissant, Nadia se rappelait ce qu'elle ressentait pour Verlaine, et elle comptait bien agir de façon à le montrer. Mateo reprit la parole.

— Le jour des Morts est le moment où on doit aller au cimetière pour visiter les membres décédés de notre famille.

— Chrysanthèmes, noir, et tout le reste, dit Verlaine.

Mais Mateo secoua la tête.

— Non. C'est un jour heureux. Un jour super. On ne va pas au cimetière pour pleurer ; on y va pour célébrer. Pour se rappeler ce qu'on aimait chez les personnes qu'on a perdues, et s'amuser avec elles comme on le faisait quand elles étaient en vie. Les gens apportent du chocolat, et du *pan de los muertos*[1] et des crânes en sucre comme celui-ci.

Nadia y réfléchit.

— Alors, tous les joyeux squelettes sur les murs du restaurant de ton père...

— Exactement.

Mateo sourit.

— En espagnol, *la Catrina* signifie «la femme riche». Je pense que le nom a d'abord été choisi pour se moquer de ma grand-mère. Mais le squelette d'une femme riche portant des fleurs à la place de ses cheveux... C'est l'une des personnalités que les gens célèbrent lors du jour des Morts. Comme tous les autres «joyeux squelettes». Ils servent à rappeler que nous mourrons tous, mais que la mort n'est pas la fin. Pas si les gens se souviennent de nous, de l'amour que nous avions pendant notre vie.

— Je pense toujours que c'est un peu morbide, commenta Verlaine, mais elle grignota quand même le bord du crâne en sucre.

«Profite du moment, se rappela Nadia. Il vaut mieux avoir aimé et perdu. Au moins, tu auras des souvenirs.»

Même se souvenir de sa mère n'était plus aussi douloureux qu'avant.

Et quand elle regarda Mateo — qui lui souriait au-dessus de la tête de Verlaine —, Nadia sut que la seule façon de terminer sa vie en ayant un amour à se rappeler, c'était d'oser aimer tout de suite.

---

1. N.d.T.: *Le pain des morts*, en espagnol.

Elle ne comptait pas perdre une minute de plus.

— Je crois que c'est magnifique, dit-elle en souriant à pleines dents.

Ne manquez pas la suite

Chapitre 1

Au cimetière de Captive's Sound, toutes les pierres tombales ou presque affichaient une promesse d'éternité.

Il était inscrit des phrases telles que : «À jamais dans nos esprits» ou «Pour toujours dans nos cœurs». Malgré toutes ces promesses d'amour infini, les gens semblaient rarement venir se recueillir.

Aujourd'hui, toutefois, trois personnes étaient là.

Nadia Caldani se trouvait devant la grille en fer forgé dont les courbes imitaient des feuilles, des roses et des épines. Son pull bourgogne et son jean foncé ne laissaient en rien deviner son secret : Nadia était une sorcière — jeune et seulement à moitié formée, mais plus puissante que ce qu'elle avait cru.

Ses épais cheveux noirs, attachés en queue de cheval, laissaient voir l'ecchymose sur sa tempe et les petites coupures sur une de ses joues. Moins de 36 heures plus tôt, elle avait combattu la magie la plus noire de sa connaissance, celle d'Elizabeth, une enchanteresse, une servante du Très-Bas. D'une façon ou d'une autre, et contre toute attente, Nadia avait gagné. Elle savait qu'elle devrait se sentir folle de joie, mais la peur régnait toujours en elle tel un feu refusant de s'éteindre.

« J'ai eu de la chance, pensa-t-elle. Mais au moins, Elizabeth a disparu et la vie peut reprendre son cours normal. »

À côté d'elle se trouvait Mateo Perez, portant un blouson de sport par-dessus un t-shirt et un pantalon noirs qu'il allait devoir porter tout à l'heure pour son quart de travail au restaurant. Nadia savait qu'il s'était toujours considéré comme un étranger, à Captive's Sound, isolé par la malédiction jetée sur sa famille. Il avait longtemps cru qu'il avait une seule véritable amie, mais cette croyance avait été fabriquée par Elizabeth. Elle les avait utilisés, la malédiction et lui, pour parvenir à ses fins.

Nadia avait réussi à montrer à Mateo la véritable nature d'Elizabeth. Mais elle avait surtout découvert qui il était vraiment : un garçon assez fort pour supporter la malédiction. Un garçon pouvant lui servir d'Allié, augmentant la puissance de sa sorcellerie. Un garçon capable de *voir* la magie en action dans le monde, qu'elle soit blanche ou noire. Nadia avait seulement eu besoin de quelques semaines pour comprendre qu'elle avait besoin de Mateo à ses côtés, pour toujours. Ils s'étaient embrassés pour la première fois quelques jours plus tôt et elle avait l'impression de toujours pouvoir sentir ce baiser, les lèvres de Mateo sur les siennes.

« Nous avons tout notre temps, maintenant, se dit-elle quand il lui jeta un regard de côté. Tout le temps du monde. Alors, aujourd'hui, il n'est pas question de nous. Il est question de Verlaine. »

Appuyée contre le portail, Verlaine Laughton essayait de reprendre son souffle, une main pâle fermée autour des feuilles en fer forgé. Le bracelet en plastique qu'elle avait porté à l'hôpital et qu'elle n'avait pas encore coupé pendait à son poignet. Même si ses pères avaient protesté contre le fait qu'elle sorte avec ses amis si peu de temps après son hospitalisation, elle les avait convaincus qu'elle en avait besoin.

— Le soleil, avait-elle plaidé. L'air frais.

Tout cela semblait bon pour la santé, n'est-ce pas ?

Elle était maintenant sur le point de se rendre sur les tombes de ses parents pour la première fois depuis trop longtemps. Grâce à la magie de Nadia, et peut-être à la capacité d'Allié de Mateo, Verlaine découvrirait si la mort de ses parents avait été causée par la magie noire… Si toute la tristesse de sa vie solitaire — devenir orpheline alors qu'elle était bébé, avoir des cheveux gris à 17 ans — était causée par un sortilège lancé par Elizabeth.

« Elizabeth a disparu pour toujours, se dit Verlaine. Je n'ai aucune possibilité de me venger. Nous ne pouvons rien faire pour renverser son sortilège maintenant qu'elle est morte. Alors, à quoi bon le découvrir ? »

Nadia posa une main sur son épaule.

— Est-ce que ça va ?

— Oui.

Verlaine se redressa complètement — elle avait plusieurs centimètres de plus que Nadia, et même quelques-uns de plus que Mateo.

— Ça va.

— Nous ne sommes pas obligés de faire ça maintenant, déclara Mateo. Nous pourrions revenir dans quelques jours. Rien ne presse.

— Je sais que nous n'avons pas à le faire maintenant.

Les mots échappèrent à Verlaine, qui parla d'une façon trop rapide et incertaine, mais résolue.

— Nous n'avons *pas* à le faire du tout. Mais je veux savoir. Finissons-en.

— D'accord. Venez.

Nadia passa un bras autour de Verlaine, et ce simple contact humain l'aida à se sentir mieux.

Nadia avait affirmé que la résonance magique autour de Verlaine était ancienne et remontait presque à sa naissance. Si Elizabeth était responsable du sortilège, ils ne pourraient pas le briser maintenant qu'elle était morte.

Mais la magie entourant Verlaine était particulièrement cruelle. Elle l'empêchait d'être vraiment remarquée ou appréciée. Cette magie l'empêchait d'être aimée.

Ce n'était pas une barrière absolue. Sa famille, qui l'aimait depuis sa naissance, avant le sortilège, l'aimait toujours profondément. Et au cours des dernières semaines, il y avait eu des moments où d'autres forces magiques, plus puissantes que le sort, avaient temporairement neutralisé l'effet de ce que Verlaine avait subi... Des moments où elle avait senti que ses amis l'aimaient vraiment.

Ces instants étaient cependant brefs. En ce moment même, Verlaine savait que Nadia était là principalement à cause d'un sentiment d'obligation. Quand elle regardait Mateo, elle pouvait voir le même sentiment de culpabilité. Ce n'était pas leur faute ou la sienne. La magie était responsable.

«Même si la malédiction est éternelle, je veux connaître la vérité, simplement pour savoir à quoi j'ai affaire au lieu de toujours me poser des questions.»

Ils marchèrent lentement sur le sentier rocheux qui faisait le tour du cimetière. Captive's Sound était accrochée à cette portion escarpée et triste du Rhode Island depuis l'époque coloniale. Certaines tombes dataient de plusieurs siècles et elles étaient noircies par l'âge, les lettres profondément gravées étant devenues de simples égratignures à cause de la pluie et du temps. La fraîcheur du vent de novembre était exacerbée par l'air marin qui faisait voler des feuilles dorées devant leurs pieds et emmêlait les longs cheveux gris de Verlaine.

Captive's Sound était profondément malade. Nadia se dit que la ville était pourrie jusqu'à la moelle à cause de toute la magie noire qui avait été utilisée au cours des siècles par Elizabeth Pike. Elle avait espéré que la mort d'Elizabeth permette à la ville de commencer à guérir, mais les arbres étaient toujours nus et trop petits, et la lumière, diluée et moins brillante que la normale.

D'un autre côté, on était seulement le 2 novembre.

«Donne-lui le temps de guérir», se dit Nadia.

Verlaine s'arrêta soudainement, ses Converse faisant voler de la poussière sur le sentier.

— Là. Mes parents sont là-bas.

Elle pointa du doigt un bloc en granit encore lisse, une des longues pierres tombales qui indiquaient un tombeau double. Nadia l'aida à se diriger vers ce lieu tout en remarquant que Mateo faisait attention de ne pas marcher sur un endroit sous lequel se trouvait un corps. Aux yeux de certaines personnes, cette façon d'agir aurait été une superstition, mais Nadia savait que pour Mateo, c'était une preuve de respect.

Ils arrivèrent finalement devant les tombes et lurent une épitaphe : « Richard et Maisie Laughton, enfants adorés, parents aimants. Disparus trop tôt. »

— Ils n'ont pas de fleurs, remarqua Verlaine d'une petite voix. J'avais l'habitude d'en apporter, quand j'étais petite, mais ça faisait toujours pleurer oncle Dave. Il était proche de ma mère. Il disait qu'elle avait toujours été sa meilleure amie. Il souffrait tellement quand nous venions ici que j'ai arrêté de le demander. Mais maintenant, ça fait des années que mes parents n'ont pas reçu de fleurs.

— Ça va, affirma Mateo. Ils savent que tu les aimes toujours.

— Ah oui ? Nous avons prouvé que la magie existe, que les sorcières existent, ainsi que les enchanteresses folles qui s'assoient à nos côtés en cours de chimie, mais, aux dernières nouvelles, nous ne savons rien au sujet du paradis.

Verlaine s'essuya le visage même si elle ne pleurait pas. Nadia eut l'impression qu'elle essayait de se concentrer.

— Ou est-ce que l'information se trouve dans ton Livre des ombres, Nadia ? La preuve de la vie après la mort ?

— Non. C'est tout aussi mystérieux pour toi que pour moi.

Nadia se dit que la meilleure façon de réconforter Verlaine était de se concentrer sur ce qu'ils étaient venus faire.

— Verlaine, je veux que tu te places entre les deux tombes.

L'effet fut immédiat. Verlaine se calma dès qu'elle eut quelque chose de constructif à faire.

— À côté de la pierre tombale? Est-ce que c'est important?

— Non, mais il y aura peut-être un, euh... choc physique. Alors, il serait bon que tu recules.

Nadia jeta un coup d'œil par-dessus son épaule.

— Ce serait une bonne idée que tu recules aussi, Mateo.

Il lui sourit et ce fut un de ces moments où elle fut de nouveau abasourdie... Ce garçon merveilleux était entré dans sa vie au moment où elle essayait de repousser tout le monde. Mateo avait abattu les murs. Brûlé ses barrières. Crocheté la serrure de la grille.

— Reculer, dit-il. D'accord. Tu n'as pas besoin d'un Allié pour ce sortilège?

— J'ai toujours besoin de mon Allié, répondit doucement Nadia. Mais tu seras bien assez proche.

Verlaine se plaça entre les tombes de ses parents et baissa les yeux vers l'endroit où reposait sa mère, l'air étrange. Son apparence rétro était moins soignée que d'habitude, mais elle portait quand même un jean délavé et un pull blanc bouffant pour obtenir une allure des années 1980. Nadia ne pouvait s'empêcher de penser qu'elle semblait extrêmement mince et pâle. Comme un fantôme au milieu des tombes.